PAUL ROUX

Lexique des difficultés du français DANS LES MÉDIAS

TROISIÈME ÉDITION

Les Éditions
LA PRESSE

Catalogage avant publication de la Bibliothèque nationale du Canada

Roux, Paul, 1945-

Lexique des difficultés du français dans les médias

3e éd.

Publ. antérieurement sous le titre : Lexique des difficultés du français dans les médias en usage à La Presse. c1997.
Comprend des réf. bibliogr.

ISBN 2-923194-03-9

1. Français (Langue) – Québec (Province) – Fautes – Glossaires, vocabulaires, etc.
2. Français (Langue) – Québec (Province) – Emprunts anglais – Glossaires, vocabulaires, etc.
3. Français (Langue) – Québec (Province) – Idiotismes – Glossaires, vocabulaires, etc.
I. Titre. II. Titre : Lexique des difficultés du français dans les médias en usage à la Presse.

PC3643.R68 2004 447'.9714'03 C2004-940674-4

Président
André Provencher

Directeur de l'édition
Martin Rochette

Adjointe à l'édition
Martine Pelletier

Révision
Anik Charbonneau

Conception graphique
Bernard Méoule

Infographie
Francine Bélanger

Dépôt légal – 2e trimestre 2004
Bibliothèque nationale du Québec
Bibliothèque nationale du Canada

ISBN 2-923194-03-9
Imprimé et relié au Québec
Impression : AGMV Marquis

Les Éditions
LA PRESSE

1130, Sherbrooke Ouest
Bureau 1040
Montréal (Québec)
H3A 2M8

Téléphone : (514) 904-5537
Télécopieur : (514) 904-5543

À ma compagne Lise qui,
dans mes moments de doute,
a su trouver les mots pour m'encourager.
Sans elle, je n'aurais sans doute
jamais terminé cet ouvrage.

Avant-propos

La troisième édition du *Lexique des difficultés du français dans les médias* comprend près de 200 nouvelles entrées. Environ 200 autres ont été revues, soit pour y ajouter des précisions ou des exemples, soit pour tenir compte de l'évolution du français tant au Québec qu'en France.

Pour le reste, les lecteurs retrouveront les ingrédients qui ont fait le succès des premières éditions. La majeure partie de l'ouvrage est donc consacrée aux anglicismes sous toutes leurs formes ainsi qu'aux impropriétés les plus courantes. L'auteur aborde également plusieurs problèmes grammaticaux qui donnent des maux de tête aux usagers, comme l'accord du participe passé des verbes pronominaux ou l'accord du verbe après un sujet collectif.

Paul Roux a également consacré une place importante aux règles typographiques, qui sont si souvent embarrassantes. En cas de désaccord entre grammairiens (ce qui est fréquent en la matière), l'auteur a généralement opté pour l'usage préconisé par le *Lexique des règles typographiques en usage à l'Imprimerie nationale*, qui fait autorité.

Toutes les difficultés répertoriées dans cet ouvrage, quel qu'en soit le type, ont été classées par ordre alphabétique, sans doute le plus facile à consulter. Pour faciliter encore davantage la consultation, l'auteur n'a pas lésiné sur les renvois. Si un lecteur hésite, par exemple, entre les mots *enseignant*, *professeur*, *éducateur* ou *instituteur*, il trouvera les renseignements dont il a besoin à *enseignant*. Mais s'il consulte plutôt un des synonymes, celui-ci le renverra à la bonne entrée.

Préface

Dans la première édition de son Dictionnaire des difficultés du français au Canada, *Gérard Dagenais n'acceptait qu'une douzaine de canadianismes. Si ces héritiers ne sont pas aussi radicaux, ils restent nombreux à défendre une norme à la française, où la plupart des particularismes québécois sont considérés comme des fautes. D'autres au contraire idéalisent la langue québécoise, qu'ils veulent affranchir du français standard, considéré comme la langue de l'élite francisée, aliénée et colonisée.*

Pour ma part, je ne me reconnais entièrement ni dans les premiers ni dans les seconds. Certes, je demeure convaincu que le français qu'on parle et qu'on écrit chez nous ne peut être fondamentalement différent de celui qu'on parle et qu'on écrit dans le reste de la francophonie. Mais je reconnais que le français d'Amérique a forcément une couleur propre. L'isolement qui a suivi la Conquête, l'éloignement de la mère patrie, l'omniprésence de l'anglais sur ce continent de même que les différences culturelles, économiques et sociales font que le français d'ici ne peut être tout à fait identique à celui de la France. Il est normal, en particulier, que les Québécois tiennent à un certain nombre de mots. La plupart préféreront toujours traversier *à* ferry, vol nolisé *à* charter, commanditaire *à* sponsor, magasinage *à* shopping, banc de neige *à* congère *ou* gardienne *à* baby-sitter, *pour ne donner que quelques exemples. Et c'est très bien ainsi.*

Cela dit, l'acceptation d'une norme québécoise ne doit pas engendrer deux langues différentes ; le français doit rester notre langue. Dans Écrire son français, *Josée Gaudet affirme : « … laissée totalement à elle-même, la langue québécoise serait susceptible de devenir un être hybride, mélange de français, d'anglais et de français ancien, entrecoupé de touches amérindiennes et de créations originales québécoises. Une langue donc, incompréhensible pour un non-Québécois. » J'ajouterais même pour un non-Québécois de souche, car on s'illusionne beaucoup en pensant que nos compatriotes allophones, anglophones ou d'origine française comprennent le québécois. À l'ère de l'Internet, du multimédia et de la mondialisation, à une époque où les échanges n'ont jamais été aussi abondants entre le Québec et le reste de la francophonie, est-ce bien ce que l'on veut ?*

Les québécisants, *qui ont repris le flambeau des* joualisants, *vous répondront que le français varie dans toutes les régions francophones. C'est vrai, mais à demi seulement. En fait, c'est presque un mensonge, car les écarts, s'ils sont réels, restent néanmoins assez peu significatifs. Il suffit de voyager en Suisse ou de voir un film belge, par exemple, pour constater à quel point ces différences restent mineures. Même le français du Midi n'est pas si différent du français de Paris, si l'on fait exception de son accent si caractéristique. En fait, je serai le premier à faire la promotion d'un français québécois qui ne sera pas plus éloigné du français standard que ne l'est la langue de Pagnol.*

Autrement, nous resterons constamment écartelés entre deux normes : d'un côté, un français oral typiquement québécois et plutôt pauvre ; de l'autre, un français écrit un peu emprunté, qui nous gêne aux entournures comme un vêtement qu'on ne porte que pour les grandes occasions. Voulons-nous vraiment devenir des schizophrènes linguistiques, perpétuellement ambivalents et repliés sur eux-mêmes ?

Paul Roux

abandon scolaire

Voir *drop-out.*

abattre

Chez nous, *abattre* a pris peu à peu le sens « blesser quelqu'un avec une arme à feu », comme en témoigne l'usage fréquent que font les médias de ce verbe. Mais cette évolution est malheureuse, car elle crée une ambiguïté. Les dictionnaires français ne la reconnaissent d'ailleurs pas. Un homme *abattu* reste un homme mort. Et c'est très bien ainsi, si je puis dire.

abord (à prime)

L'expression *à prime abord* est incorrecte. On dira plutôt *de prime abord* ou *au premier abord.*

aborigène

Voir *Amérindien.*

abreuvoir

Ce mot désigne un « lieu aménagé pour faire boire les animaux ». Pour les humains, on emploiera plutôt *fontaine.*

absence (en l')

La locution *en l'absence de* est relative aux individus.

- *La réunion du Conseil a eu lieu en l'absence du ministre des Affaires étrangères.*

Sous l'influence de *in the absence of,* on l'emploie aussi abusivement pour les choses. Dans ce cas, on emploiera plutôt *faute de.*

- *Faute de preuves, il a été relâché.*

abus physique

Cette expression est un calque de *physical abuse.* On la rendra en français par *mauvais traitements, sévices* ou *violence corporelle.*

- *Hausse du nombre de sévices signalés à la DPJ.*

- *Ce garçon a subi de mauvais traitements.*

abus sexuel

L'usage tend à considérer comme synonymes les locutions *abus sexuel* et *agression sexuelle*. C'est d'ailleurs ce que fait Marie-Éva de Villers dans la dernière édition de son Multidictionnaire, tout en soulignant, il est vrai, qu'*abus sexuel* demeure critiqué par certains auteurs. On retrouve également *abus sexuel* dans le Petit Robert, mais le Petit Larousse résiste encore. Quant à la presse, au Québec comme en France, elle hésite de plus en plus entre les deux expressions. Alors ?

Abus sexuel est un calque de *sexual abuse* ; il faut donc se demander si cet emprunt à l'anglais est vraiment utile. Certains auteurs établissent une distinction entre l'*agression sexuelle*, qui serait accompagnée de violence, et l'*abus sexuel*, qui relèverait plutôt de l'abus d'autorité. *Abus sexuel* devient ainsi un euphémisme qui tend à diminuer la gravité du geste. Exemple éloquent de cette tendance, des membres du clergé préfèrent parler d'*abus sexuels* plutôt que d'*agressions sexuelles* dans le scandale des prêtres pédophiles.

Pour ma part, je continue à conseiller l'emploi d'*agression sexuelle*. Cela dit, je ne me fais aucune illusion : l'usage a déjà fait d'*abus sexuel* et d'*agression sexuelle* des quasi-synonymes.

abusé

Ce mot est un anglicisme au sens de *maltraité, violenté, agressé.*

- *Des enfants maltraités.*

abusif

Cet adjectif est un anglicisme au sens de *dénaturé, pervers, qui maltraite.*

- *Un père dénaturé.*

académique

Ce mot désigne principalement « ce qui est propre à une académie ». Il n'a pas le sens de *didactique, enseignant, théorique.*

- *Un ouvrage didactique.*
- *Le personnel enseignant.*
- *Une question théorique.*

L'emploi d'*académique* au sens de *scolaire* ou d'*universitaire* est critiqué. Le Multidictionnaire considère ces sens comme des anglicismes. Le Petit Larousse et le Petit Robert les classent comme régionalismes. En français soutenu, il est préférable de les éviter.

- *L'âge scolaire.*
- *Une année scolaire.*
- *Un programme universitaire.*

accaparer

Le Petit Larousse mentionne l'emploi de ce verbe à la forme pronominale, au sens de *s'emparer de*, en Belgique. On aurait pu ajouter au Québec, où cet usage est également répandu. Mais ces régionalismes sont critiqués.

- *Boris Elstine a accaparé tous les pouvoirs.*

Dans certains contextes, on peut aussi employer *s'arroger des droits* ou *s'approprier des biens.*

accents

Voir *majuscules (accents sur).*

accidenté

Accidenté a pris avec le temps le sens de « qui a subi un accident ». C'est ainsi qu'on peut parler avec justesse d'une automobile *accidentée* ou d'un *accidenté* du travail.

Quant au verbe *accidenter*, peu usité chez nous, il se dit d'une personne « qui a causé un accident ou un dommage à une autre ».

- *Ce chauffard a accidenté deux personnes.*

accidenter

Voir *accidenté*.

acclamation (par)

Pendant longtemps au Québec, on a condamné l'expression *par acclamation*. Pourtant, cette locution est entérinée tant par le Petit Larousse que par le Petit Robert au sens de *nommé* ou *élu sans concurrent, à l'unanimité*.

accommodation

Ce mot a en français le sens d'*adaptation*. Il ne signifie pas *capacité d'accueil, chambre d'hôtel, dépanneur, hébergement, logement, pension, services*.

- *Il y a un dépanneur au coin de la rue.*
- *Les touristes trouveront à Québec un hébergement diversifié.*

accommoder

Ce verbe n'a pas en français le sens d'*accueillir*, de *desservir*, de *loger*, de *recevoir*. Ces sens viennent de l'anglais *to accommodate*.

- *Une fois les travaux terminés, le Village Normand pourra accueillir 900 clients.*

accompagner

Ce verbe se construit indifféremment avec *de* ou *par*.

accomplissement

Ce mot est un anglicisme au sens de *couronnement, réalisation*.

- *La médaille d'or de Lareau aux Jeux olympiques aura été le couronnement de sa carrière.*
- *Le plus bel exploit de Sabatini aura été sa victoire aux Internationaux de tennis des États-Unis.*

accord

Lorsque ce mot désigne un texte ou un document politique, il prend une minuscule s'il est déterminé par un nom propre.

- *L'accord du lac Meech.*
- *Les accords de Camp David.*

Il prend une majuscule s'il est suivi d'un nom commun ou d'un adjectif.

- *L'Accord général sur les tarifs douaniers et le commerce.*

accréditation

Ce mot est un anglicisme au sens de « reconnaissance officielle d'un organisme par une autorité ». On dira plutôt *agrément*.

- *Ce centre d'accueil a reçu son agrément du ministère des Affaires sociales.*

En revanche, on peut parler avec justesse de l'*accréditation* d'un diplomate (auprès d'un chef d'État), d'un journaliste ou d'un photographe (auprès d'un organisme). L'OLF accepte également la locution *accrédition syndicale*.

acculer (au pied du mur)

La locution *acculer au pied du mur*, qu'on emploie souvent chez nous, est pléonastique. On entend aussi à l'occasion *accumuler au pied du mur*, mais c'est, bien entendu, un perronisme. L'expression juste est *mettre au pied du mur*. Elle signifie « acculer quelqu'un à un lieu, à une situation, qui lui enlève toute échappatoire ».

- *La période de réflexion de Paul Martin a mis Jean Chrétien au pied du mur.*
- *Les deux victoires des Red Wings à Raleigh ont acculé les Hurricanes à la défaite.*
- *Elle l'a mis au pied du mur. Cette fois, il devait choisir.*
- *Le Canadien est au pied du mur.*

accusé

Dans notre système judiciaire, un accusé reste présumé innocent aussi longtemps qu'on n'a pas établi sa culpabilité. C'est pourquoi on évitera de parler des *victimes* d'un accusé, même lorsque les témoignages paraissent accablants. On se contentera de parler des *plaignants*.

- *Procès Hilton : l'identité des plaignantes ne pouvait être révélée.*

achalandé

L'emploi de ce participe passé au sens de « qui a beaucoup de clients » est vieilli en France, mais encore bien vivant au Québec.

- *Les magasins sont achalandés le vendredi soir.*

L'emploi d'*achalandé* au sens de *circulation dense* paraît par contre plus critiquable.

- *La circulation était dense sur l'autoroute.*

acheter

En français, on ne peut *acheter* une idée, un principe, un argument. Utilisé en ce sens, *acheter* est un anglicisme. On dira plutôt qu'on *accepte* une idée, qu'on *admet* un principe, qu'on *est d'accord avec* un argument.

On ne peut davantage *acheter* une assurance, on la *contracte*, on y *souscrit*.

acolyte

Ce mot se dit principalement d '« un complice qu'une personne traîne à sa suite ». On comprendra donc qu'il est impropre de parler, par exemple, du premier ministre et de ses *acolytes*, à moins d'avoir des visées péjoratives. Les mots *adjoints*, *aides*, *collaborateurs* ou *collègues* conviendraient mieux dans ce cas.

acquis (prendre pour)

Prendre pour acquis est un calque de *to take for granted*. En français, on dira plutôt qu'on *tient pour acquis* ou qu'on *considère comme acquis*. On peut aussi dire qu'on *admet au départ* ou *sans discussion*, qu'on *pose en principe*, qu'on *présume*, qu'on *présuppose*, qu'on *est convaincu* ou *persuadé*, etc.

- *Il est persuadé qu'elle viendra.*
- *Le Parti libéral tient pour acquis que les anglophones lui resteront fidèles.*
- *Le juge a admis au départ que le témoin disait la vérité.*

acronymes

Voir *sigles*.

acteur

Acteur est un terme générique. *Comédien* est pour ainsi dire un synonyme puisqu'il désigne « tout acteur, sans distinction de genre ». C'est en ce sens qu'Aznavour l'emploie quand il chante : « Viens voir les comédiens, voir les musiciens, voir les magiciens… » Le *comédien* peut donc être un *comique* tout autant qu'un *tragédien*.

Soit dit en passant, les termes *acteur* et *comédien* s'appliquent tout autant à un interprète jouant au théâtre, au cinéma, à la radio ou à la télévision.

actif

Un *actif*, c'est « l'ensemble des biens possédés ». On évitera donc d'employer inutilement le pluriel.

- *Le journal Le Soleil fait partie de l'actif de Gesca.*

activiste

Ce mot a un sens très fort en français. L'*activiste* est en effet dans notre langue un « partisan de l'action violente ». Il s'agit presque d'un synonyme de *terroriste* ou d'*extrémiste*. Le terme n'a donc pas, contrairement à l'anglais, le sens plus neutre de *militant*. C'est pourquoi employer *activiste* au sens de *militant* constitue un anglicisme.

Cela dit, il n'est pas toujours facile de départager le véritable *activiste* et le simple *militant*. Les contestataires du Sommet des Amériques, par exemple, étaient-ils des *activistes* ou des *militants* ? Sans doute a-t-on retrouvé côte à côte les uns et les autres.

actuellement

Cet adverbe est synonyme de *maintenant, en ce moment*. Il n'a pas, contrairement à l'adverbe anglais *actually*, le sens de *réellement, effectivement*.

à date

Voir *date (à)*.

addition

Ce mot désigne le « total des dépenses effectuées au restaurant ».

- *Garçon, l'addition, je vous prie.*

Le détail d'un compte s'appelle une *note*.

- *La note d'hôtel était salée.*

Quant au mot *facture*, il désigne la « pièce comptable décrivant une marchandise vendue ou un service exécuté ».

- *Je n'ai pas encore reçu la facture du plombier.*

adeptes (noms des)

Les noms d'adeptes des religions, des mouvements sociaux, des partis politiques, des écoles philosophiques, littéraires ou sociales, prennent généralement une minuscule.

- *Les catholiques, les existentialistes, les libéraux, les marxistes, les romantiques, les skinheads, les orphelins de Duplessis*, etc.

Certains noms d'adeptes sont toutefois considérés comme des noms propres.

- *Les Chemises vertes, les Témoins de Jéhovah.*

adhérent

Voir *adhérer*.

adhérer

Adhérer implique que l'on souscrit à une cause, à une idée, à une religion. On *adhère* à une association qui défend une cause, à un parti politique, à une Église. Mais on n'*adhère* pas à un club de disques, à la télé payante ou à un fonds commun de placement. On devient *membre* d'un club. On *s'abonne* à la télé payante ; on y est *abonné*. On *souscrit* à un fonds commun de placement ; on y devient *investisseur*.

adjectif démonstratif

L'emploi de l'adjectif démonstratif avec un jour de la semaine est une tournure influencée par l'anglais.

- *Voyez Les Machos ce mardi (this tuesday) à TVA.*

Comme il n'y a qu'un mardi dans une semaine, l'adjectif démonstratif est considéré, en français, comme inutile.

- *Voyez Les Machos mardi, à TVA.*

S'il est plutôt question d'une journée de la semaine suivante, le français utilisera de préférence l'adjectif *prochain*.

- *Voyez Les Machos mardi prochain, à TVA.*

adjectif possessif

Pour des raisons d'euphonie, on doit utiliser la forme masculine de l'adjectif possessif devant un mot féminin commençant par une voyelle ou un *h* muet. Ainsi, dans la phrase ci-dessous, il faut employer l'adjectif possessif *mon*, au lieu de *ma*, même si le mot *tasse* est féminin.

- *Mon énième tasse de café*

adjoint

Voir *assistant*.

administration

Ce mot prend une majuscule quand il désigne un service public unique ou l'ensemble des services d'un État.

- *L'Administration de la voie maritime du Saint-Laurent.*

Administration est un anglicisme au sens de *cabinet*, *gouvernement*.

- *Le cabinet libéral est divisé sur cette question.*

administrer

Ce verbe est un anglicisme au sens d'*appliquer* une loi, *faire répondre* quelqu'un à un questionnaire.

- *La nouvelle loi sera appliquée avec rigueur.*
- *Je dois d'abord vous faire répondre à ce questionnaire.*

admissibilité

Voir *éligible*.

admissible

Voir *éligible*.

admission

Le prix exigé pour un film, un spectacle, une pièce de théâtre, etc., est un *prix d'entrée*, non un *prix d'admission*. Quand un événement est au contraire gratuit, on dira que l'*entrée* (et non l'*admission*) est libre ou gratuite.

La locution *pas d'admission sans affaires* est un calque de *no admittance without business*. On dira plutôt *défense d'entrer*, *entrée interdite*, *interdit au public*.

adresser

La locution *adresser un problème* est un calque de l'anglais *(to address an issue, a task)*. En français, on n'*adresse* pas une difficulté, un problème, une tâche, on l'*aborde*, on s'y *attaque*.

Adresser l'auditoire est également un calque *(to address the audience)*, au sens de *s'adresser à* un public, à un auditoire, *prendre la parole, prononcer un discours*.

Cela dit, on peut, dans notre langue, *adresser* autre chose qu'un envoi postal. On peut également *adresser* la parole, des compliments ou des reproches à quelqu'un.

aéroport

Ce mot prend une minuscule quand il est déterminé par un nom propre.

- *L'aéroport de Mirabel.*

aérosol

Cet adjectif est invariable.

- *Des bombes aérosol.*

affaire (avoir)

Certains auteurs estiment qu'*avoir affaire avec* implique un rapport d'égalité entre les deux parties et *avoir affaire à*, un rapport d'inférieur à supérieur. Mais cette distinction est sans fondement, si ce n'est dans certaines expressions de menace, comme *vous aurez affaire à moi*. Quant à la locution *avoir à faire*, elle signifie *avoir un travail à accomplir*.

affaires (être d')

Cette locution verbale est un calque de *to be businesslike*. Il est plus français de dire *être habile en affaires*.

affaire (toute – cessante)

La locution *toute(s) affaire(s) cessante(s)* s'emploie indifféremment au singulier ou au pluriel.

affecter

En français, ce verbe veut dire « faire de la peine ».

- *La mort de son mari l'a beaucoup affectée.*

Il signifie aussi « toucher en altérant le corps ».

- *Ce médicament affecte le cœur.*

Mais il n'a pas, contrairement au verbe anglais *to affect*, le sens de *concerner, influer sur, influencer, nuire à*. C'est pourquoi on ne dira pas, par exemple, que la récession *affecte* le budget de l'État, mais qu'elle *a un effet sur* lui, qu'elle l'*influence*, qu'elle lui *porte atteinte*.

affidavit

Ce mot latin venu au français par l'intermédiaire de l'anglais n'a qu'un seul sens dans notre langue : il désigne une « déclaration signée par un étranger qui demande d'être affranchi de l'impôt sur les valeurs qu'il détient dans son pays d'origine ». Il n'a pas, en revanche, le sens de *déclaration sous serment*.

- *Dans une déclaration sous serment, l'avocat a confirmé les propos accablants du ministre.*

affirmative (dans l')

L'expression *dans l'affirmative* est un calque de *in the affirmative*. En français, on dit plutôt *par l'affirmative, affirmativement*.

- *Elle a répondu affirmativement à notre invitation.*

âge

Lorsque ce mot désigne une période de l'histoire, il s'écrit généralement avec une minuscule.

- *L'âge du bronze, l'âge d'or.*

L'usage veut cependant qu'on écrive le *Moyen Âge.*

Quand ce mot désigne une période de la vie ou un courant de pensée, il s'écrit avec une minuscule.

- *L'âge adulte, le troisième âge.*

Le *nouvel âge* est un courant de pensée né en Californie. C'est pourquoi certains préfèrent le désigner par son nom anglais, le *New Age.*

agence

Ce mot prend une majuscule quand il désigne un organisme national ou international unique.

- *L'Agence spatiale.*
- *L'Agence de coopération culturelle et technique.*

Quand il désigne une entreprise, ce mot s'écrit avec une minuscule s'il est suffisamment individualisé par un nom propre ou par un équivalent.

- *L'agence Daigle & Larouche.*
- *L'agence de voyages Azur & Soleil.*

Il prend une majuscule s'il fait indiscutablement partie du nom de l'établissement.

- *L'Agence musicale.*
- *L'Agence du livre français.*

agenda

En français, l'*agenda* désigne un « carnet où l'on peut écrire ses rendez-vous et ce qu'on a à faire ». C'est sous l'influence de l'anglais qu'on utilise ce mot pour désigner le *calendrier* des activités, l'*ordre du jour* d'une réunion, le *programme* d'un événement ou le fait qu'un sujet est d'actualité.

- *L'ordre du jour de la réunion comprend quatre points.*
- *On peut se procurer le programme du Festival des films du monde au cinéma Le Parisien.*
- *Le débat linguistique est revenu à la une de l'actualité.*

agente

Féminin d'*agent.*

- *Une agente de police.*
- *Une agente d'assurances.*

agglomération

Une ville et sa banlieue forment une *agglomération.*

- *L'agglomération de Montréal.*
- *L'agglomération de Québec.*

L'*agglomération* de Montréal comprend, bien entendu, l'île de Montréal. Mais elle inclut aussi la Rive-Sud et Laval, ainsi que les régions de Lanaudière et des Laurentides.

Voir aussi *banlieue* et *métropolitain.*

agréé

Un enseignant titulaire d'un brevet d'enseignement n'est pas *agréé* mais *breveté.*

agressif

Quand une entreprise veut avoir des employés *agressifs*, ce n'est guère rassurant, à moins qu'il ne s'agisse d'une agence de sécurité, et encore. Les adjectifs *actifs, dynamiques, énergiques, fonceurs, hypermotivés* ou *persuasifs* conviendraient sans doute mieux. De la même manière, on ne qualifiera pas d'*agressif* un homme qui fait des avances à une femme ; on le dira plutôt *entreprenant.* La confusion vient de ce que ces sens sont empruntés à l'adjectif anglais *aggressive.*

Au passage, on notera que si l'adjectif anglais s'écrit avec deux *g*, son équivalent français n'en prend qu'un.

Le Petit Larousse accepte cependant *agressif* au sens de *choquant, provocant*.

- *Une publicité agressive.*

aide

Voir *assistant*.

aider

Ce verbe est un anglicisme au sens d'*être utile, servir*.

- *Puis-je vous être utile ?*
- *Est-ce que je peux vous servir ?*

air-conditionné

Calqué sur *air(-)conditioned*, cette expression est critiquée à juste titre. Les auteurs du Dictionnaire des anglicismes du Robert suggèrent pour leur part de remplacer le substantif *air-conditionné* par *climatisation* et l'adjectif *air conditionné* par *climatisé*.

- *Un motel climatisé.*
- *La climatisation est efficace.*

Quant à l'appareil qui assure la *climatisation* d'une pièce ou d'un bâtiment, c'est un *climatiseur*.

air (d'aller)

Voir *erre (d'aller)*.

ajouter l'insulte à l'injure

La locution *ajouter l'insulte à l'injure* est un calque de *to add insult to injury*. En français, on dira plutôt *doubler ses torts d'un affront, dépasser la mesure, aller trop loin, tourner le fer dans la plaie, et par-dessus le marché, et pour comble !*

- *Et pour comble ! les Red Wings ont limité leurs adversaires à six buts en finale de la Coupe Stanley.*
- *Le Parti réformiste est allé trop loin, cette fois.*

ajuster

Ce verbe ne se dit que des choses. On peut *ajuster* sa cravate, mais on *s'adapte* à un travail.

Par ailleurs, *ajuster* est un anglicisme au sens de *régler*, *réparer*. On *règle* la couleur d'un téléviseur et, si ce dernier ne fonctionne plus, on le fera *réparer*.

ajusteur d'assurances

La locution *ajusteur d'assurances* est un calque de *insurance adjuster*. On dira plutôt *expert en sinistres* ou *en assurances*.

- *L'indemnité à laquelle vous avez droit sera déterminée par l'expert en sinistres.*

à l'année longue

Cette expression est impropre. On dira plutôt *à longueur d'année* ou *toute l'année*.

alcootest

Voir *ivressomètre*.

à l'effet que

Voir *effet (à l'– que)*.

alignement des roues

L'expression *alignement des roues* (d'une automobile) est un calque de *wheel alignment*. En français, on parlera plutôt du *réglage du train avant*.

allégué

En français, le verbe *alléguer* a le sens d'« invoquer pour se défendre, se justifier, s'excuser ». Il s'applique correctement à des faits, mais non à des personnes.

- *Les faits allégués par la Couronne sont troublants.*

Sous l'influence de l'anglais *(alleged)*, le participe *allégué* est employé improprement dans notre langue au sens de *reproché, imputé, présumé.*

- *L'infraction reprochée à M. Untel remonte au mois de septembre.*
- *Les actes imputés à l'accusé sont choquants.*
- *Le meurtrier présumé a été arrêté ce matin.*

En ce dernier sens toutefois, *présumé* pose un problème, du moins chez nous. Car, comme le souligne Rodolphe Morissette dans *La presse et les tribunaux*, « notre droit prévoit précisément qu'un accusé est *présumé innocent* tant qu'il n'a pas été déclaré coupable ». Considérer quelqu'un comme un meurtrier (voleur, violeur, etc.) *présumé*, c'est donc adopter le point de vue de la police ou de la Couronne. Par souci d'objectivité journalistique, il vaut mieux s'en tenir à une formulation plus respectueuse du Code criminel. On peut parler, par exemple, du *prévenu*, de l'*inculpé* ou de l'*accusé* (selon le stade des procédures judiciaires). On peut également changer la formulation en disant d'une personne qu'elle est *soupçonnée* de meurtre (vol, viol, etc.) ou en employant le conditionnel.

- *Les soupçons pèsent sur l'ex-mari.*
- *Le meurtre aurait été commis par l'ex-mari.*

Dans les titres cependant, il me paraît difficile d'éviter totalement l'emploi de *présumé*.

aller en appel

Voir *appel (aller en)*.

aller en grève

Cette expression est un calque de *to go on strike*. On emploiera plutôt *débrayer, déclencher une grève, faire la grève* ou *se mettre en grève*.

aller en prolongation

Cette expression est un calque de *to go into overtime*. On dira plutôt *jouer en prolongation*.

aller sous presse

Il serait risqué d'*aller sous presse*. On dira plutôt *mettre sous presse*.

- *Au moment de mettre sous presse, on ne connaissait toujours pas le résultat du match.*

aller sur

De passage en France, certains Québécois sont étonnés d'entendre plusieurs personnes dire *aller sur* (une ville). À tel point qu'ils finissent par se demander si cette locution est juste. *Aller sur* appartient à la langue familière et son emploi est critiqué. On dira de préférence *aller à*.

- *Elle est allée à Nice.*

Aller sur s'emploie par contre correctement au sens d'« être sur le point d'atteindre un certain âge ».

- *Il va sur ses cinquante ans.*

Alliance Québec

Pas de trait d'union.

Alliés

Ce mot s'écrit généralement avec une majuscule quand il désigne les « pays qui ont conclu une alliance pour combattre un autre pays ».

- *Les Alliés ont affronté l'Allemagne pendant la Deuxième Guerre mondiale.*
- *Les Alliés ont combattu l'Irak pendant la guerre du Golfe.*

allocution

L'expression *brève allocution* est pléonastique, car l'*allocution* est un « petit discours » même si elle a souvent un caractère officiel.

Un « exposé d'une certaine longueur » est un *discours*.

- *Le discours de Paul Martin sera télévisé.*

On appelle *plaidoyer* le « discours d'un avocat » et *sermon* le « discours d'un prédicateur ».

allophone

Au Canada, ce mot désigne une « personne dont la langue maternelle n'est ni le français ni l'anglais ».

altération

Quand un tailleur annonce des *altérations*, c'est inquiétant pour ses clients. Car *altérer* une chose, c'est la détériorer. *Altérations* au sens de *retouches, réparations, rénovations* et *altérer* au sens de *retoucher, réparer, rénover* constituent des anglicismes.

altercation

Ce mot désigne un « échange verbal brutal ». C'est un synonyme de *prise de bec*. Une *altercation* peut bien sûr dégénérer en *empoignade* ou, pire, en *bagarre*, mais ce n'est plus une *altercation*.

altermondialiste

Voir *antimondialisation*.

altérer

Voir *altération*.

alternatif

Cet adjectif se dit aujourd'hui d'un « mode de production, d'éducation, de consommation, etc., plus adapté à l'individu que celui de la société industrielle ».

- *Le mouvement alternatif.*
- *Une école alternative.*
- *Une épicerie alternative.*

Bien que ce néologisme nous vienne de l'anglais, on voit difficilement par quoi on pourrait le remplacer dans certains contextes. Toutefois, on en abuse. Au lieu de parler, par exemple, de *sources alternatives* d'énergie, on pourrait dire tout simplement *des sources de remplacement* ou *d'autres sources*. Dans le domaine médical, on parle parfois de *médecines parallèles* ou de *médecines douces* plutôt que de *médecines alternatives*.

alternative

Être devant une *alternative*, c'est avoir le choix entre deux possibilités.

- *Je n'avais d'autre alternative que de me soumettre ou de démissionner.*

Sous l'influence de l'anglais, ce mot prend de plus en plus souvent le sens de « solution unique de remplacement », autant en France qu'au Québec.

- *Le Parti libéral se présente comme l'alternative au Parti québécois.*

Mais ce néologisme tenace reste critiqué. Dans beaucoup de cas, on peut le remplacer par *autre possibilité, solution de rechange* ou *de remplacement* ou tout simplement par *solution*.

aluminerie

Ce néologisme bien constitué désigne une « usine où l'on fabrique de l'aluminium ». Il est peu usité en France, où l'on parle plutôt d'*usine d'aluminium*.

ambages (sans)

Cette locution, qui signifie « sans détour », prend la marque du pluriel.

ambassade

Ce mot s'écrit généralement avec une minuscule.

- *L'ambassade des États-Unis a été la cible d'un attentat.*

amender

Ce verbe est un anglicisme au sens de *modifier* (un contrat).

amener

Première précision : *amener* et *emmener* sont relatifs aux personnes ou aux animaux, *apporter* et *emporter* sont relatifs aux choses. On *amène* ses enfants au gymnase, mais on *apporte* leur équipement. On peut *emmener* son chien en voyage, mais on *emporte* ses valises.

Autre distinction : contrairement à *emmener*, *amener* « suppose que l'accompagnateur quitte la personne à l'arrivée », comme le souligne le Petit Robert. On *amène* donc son enfant à la garderie, mais on l'*emmène* en vacances.

Il faut aussi distinguer *apporter* et *emporter*. Comme le fait remarquer le Multidictionnaire, « le verbe *apporter* comporte l'idée de point d'arrivée, d'aboutissement, alors que le verbe *emporter* comprend l'idée de point de départ ».

- *Je vous ai apporté des bonbons.*
- *Les voleurs ont emporté toute ma collection de disques.*
- *Votre sandwich, est-ce pour emporter ?*

Quant à *transporter*, il désigne l'action de « déplacer d'un lieu à un autre en portant ». Il peut donc s'appliquer tant aux personnes qu'aux objets. Un camion, par exemple, peut *transporter* aussi bien des gens que des marchandises. Notons qu'on n'emploierait pas *transporter* pour des objets légers. En revanche, on peut sans doute utiliser *apporter* même pour des objets lourds.

- *Il a apporté une caisse de livres.*

Amérindien

Le mot *autochtone* désigne une « personne originaire du pays où elle habite ». Mais chez nous, le terme s'applique plus spécialement « aux premiers habitants du pays, par opposition à ceux qui sont venus s'y établir ». En ce sens, *autochtone* est synonyme d'*aborigène*.

- *L'entente conclue entre le Québec et les autochtones a suscité une vive polémique.*
- *Les Amérindiens et les Inuits sont les autochtones du Canada.*

Amérindien est préférable à *Indien*, ne serait-ce que pour éviter une confusion inutile. À Montréal, en effet, on rencontre bien plus de vrais *Indiens*, c'est-à-dire des gens originaires de l'Inde, que d'*Amérindiens*, nom donné aux Indiens d'Amérique.

Les substantifs *Amérindien* et *Inuit* prennent une majuscule parce que ce sont des noms de peuples. Mais ce n'est le cas ni d'*autochtone* ni d'*aborigène*. Il y a des gens que cette absence de majuscule gêne, notamment lorsqu'il est question des *Blancs* et des *autochtones*. Il est possible de contourner la difficulté en parlant des *Blancs* et des *Amérindiens*, ou encore, des *Blancs* et des *peuples autochtones*.

ameublement

Ce mot désigne l'« ensemble des meubles, tapis et tentures d'un logement ou d'une maison ». L'expression *magasin d'ameublement* est une impropriété ; il s'agit plutôt d'un *magasin de meubles*.

amour

Au singulier, *amour* est toujours masculin. Au pluriel, l'usage contemporain a imposé également le masculin, le féminin étant maintenant considéré comme un archaïsme.

Être en amour avec est un calque de *to be in love with* ; *tomber en amour avec*, un calque de *to fall in love with*. En français, on dira plutôt *être amoureux de*, *tomber amoureux de*.

ampli-tuner

Ce composé bâtard formé du mot français *amplificateur* et du mot anglais *tuner* désigne un « élément d'une chaîne stéréo comprenant un amplificateur et un poste récepteur de radio ». Il est recommandé d'employer plutôt *ampli-syntoniseur*.

ancienneté

Voir *séniorité*.

anicroche (sans)

L'expression *sans anicroche* s'emploie généralement au singulier.

animal

Les noms de races ou d'espèces d'animaux s'écrivent avec une minuscule.

- *Un éléphant, un mammifère, une perruche, un saint-bernard, un siamois, une truite.*

animalerie

Voir *pet shop*.

année

Les locutions *année de calendrier* et *année fiscale* sont des anglicismes. La première se traduit par *année civile*, la seconde par *exercice financier*. Dans ce dernier cas, on peut également parler d'*année financière* ou *budgétaire*.

Année s'écrit avec une majuscule quand ce mot désigne une grande manifestation nationale ou internationale.

- *L'Année des enfants.*

année-lumière

Au pluriel : *années-lumière*.

annonces classées

Cette locution est un calque de *classified advertisements*. L'expression française est *petites annonces*.

annonceure

Féminin d'*annonceur*. On peut aussi dire *annonceuse*.

antagoniser

Ce néologisme, calqué sur *to antagonize*, est inutile. Le français dispose déjà de *contrarier*, *indisposer*, *irriter*, *mécontenter*, *se mettre à dos*, *vexer*, pour rendre la même idée.

anthrax

Les médias du Québec ont d'abord employé le terme *anthrax* pour désigner la dangereuse bactérie utilisée par des terroristes aux États-Unis. Mais en ce sens, le mot est anglais. La bactérie en question se nomme dans notre langue le *bacille du charbon*. La maladie qu'elle engendre, souvent mortelle, est connue sous l'appellation de *maladie du charbon*.

- *Les cas de maladie du charbon augmentent chaque jour.*

Le mot *anthrax* désigne correctement en français une « lésion infectieuse caractérisée par une accumulation de furoncles ».

anti

Les mots composés avec *anti* s'écrivent habituellement sans trait d'union.

- *Antivol, antibuée, antihéros.*

Les exceptions sont cependant nombreuses. On met un trait d'union lorsque le second élément est un nom propre *(les anti-Charest)* ; lorsque le second élément prend lui-même un trait d'union *(anti-franc-maçon)* ; lorsque le second élément commence par un *i (anti-inflammatoire, anti-inflationniste)* ; ou lorsque le mot composé est nouveau ou éphémère *(les anti-tout)*.

Lorsque le second élément d'un mot composé avec *anti* est un adjectif, l'accord se fait en genre et en nombre.

- *Des médicaments antidiurétiques.*

Lorsque le second élément est un substantif, l'accord est davantage problématique. Deux cas sont à distinguer. Lorsqu'un substantif forme avec *anti* un composé qui a valeur d'adjectif, il est le plus souvent invariable.

- *Des vaccins antigrippe.*
- *Des mines antipersonnel* (il s'agit d'engins employés contre le personnel plutôt que contre le matériel).

Mais cette règle n'est pas absolue.

- *Des mines antichars.*
- *Des missiles antimissiles.*
- *Un bouclier antimissile.*

Lorsqu'un substantif forme avec *anti* un nouveau substantif, il prend généralement la marque du pluriel.

- *Des antibuées, des antivols.*

anti-balles

Ce mot est un néologisme inutile au sens de *pare-balles*.

- *Les policiers portaient des gilets pare-balles.*

anticiper

Certains voient un anglicisme dans l'emploi d'*anticiper* au sens de *prévoir*. Aussi condamnent-ils *anticiper* un surplus, un déficit, une victoire, un échec, etc. Mais le Petit Larousse, le Petit Robert et le Multidictionnaire acceptent avec raison cet usage.

antidater

On confond souvent les verbes *antidater* et *postdater*. Le premier signifie « mettre une date antérieure à la date véritable », le second, « mettre une date postérieure ». Les chèques qu'un locataire fait à l'avance pour payer son loyer, sont des chèques *postdatés*, non des chèques *antidatés*.

antimissile

Le composé *antimissile* est considéré comme un adjectif variable.

- *Des missiles antimissiles.*
- *Un bouclier antimissile.*

antimondialisation

Antimondialisation vient de faire son apparition dans les dictionnaires, qui l'écrivent, comme il se doit, sans trait d'union, car, de toute évidence, ce composé n'a rien de temporaire. On écrit donc *antimondialisation* comme on écrit *anticapitalisme* ou *antiaméricanisme.*

Antimondialisation a engendré *antimondialiste,* qu'on peut employer à la fois comme substantif et comme adjectif.

- *Pas de grandes manifestations antimondialistes cette année à Davos. Les antimondialistes se sont plutôt réunis à Porto Alegre.*

Antimondialiste cède peu à peu du terrain à *altermondialiste,* terme qui désigne une mondialisation à visage humain.

- *Le Forum social mondial est devenu cette année un grand rassemblement altermondialiste.*

antimondialiste

Voir *antimondialisation.*

antipersonnel

Cet adjectif invariable se dit d'une « arme qui vise le personnel ennemi ».

- *Des mines antipersonnel.*
- *Des armes antipersonnel.*

anxiété

Voir *anxieux.*

anxieusement

Cet adverbe est un anglicisme au sens d'*impatiemment.*

- *Je l'attendais impatiemment.*

anxieux

L'anglais a emprunté au français l'adjectif *anxieux,* qui veut dire *inquiet, préoccupé,* et lui a donné, entre autres, le sens de *désireux de, impatient de, pressé de.* On commet des anglicismes lorsqu'on donne à *anxieux* ces sens en français. Ainsi, on ne dira pas à quelqu'un qu'on a *hâte de* voir qu'on est *anxieux* de le voir. Pas plus qu'on ne dira d'un boxeur qui est *impatient d'*affronter un adversaire qu'il est *anxieux de* le faire, ce qui supposerait qu'il a peur de lui faire face. Quant à l'état d'*excitation* qui précède une rencontre souhaitée, il serait erroné de la qualifier d'état d'*anxiété.*

a posteriori

Pas d'accent sur le *a* de cette locution latine.

appareil photo

Voir *caméra.*

appartement

En français moderne, ce mot ne désigne plus une pièce, mais un « ensemble de pièces ». On dira, par exemple, qu'on a un *appartement* de quatre pièces et non quatre *appartements.*

appel

L'expression *retourner un appel* est un anglicisme.

Emplois critiqués :

- *Je lui ai retourné son appel.*
- *Le ministre n'a pas retourné nos appels.*

Emplois suggérés :

- *Je l'ai rappelé.*
- *Le ministre n'a pu être joint.*

appel (aller en)

Lorsqu'on veut contester une décision devant une juridiction supérieure, on ne *va pas en appel,* pas plus qu'on ne *loge un appel.* On dira plutôt qu'on *en appelle* de la décision, qu'on *interjette appel*, qu'on *se pourvoit en appel* ou encore qu'on *porte sa cause en appel.*

appel de personne à personne

Cette locution est un calque de *person-to-person call.* Mais elle s'est imposée chez nous. Les Français parlent plutôt d'*appel avec préavis* ou d'*appel en PAV.*

appeler

L'emploi de ce verbe est grandement influencé par le verbe anglais *to call.* En français, au lieu d'*appeler*, on *annonce* des élections, on les *déclenche*, on les *décrète* ; on *demande* un arrêt du jeu ; on *impose* une pénalité, on la *signale* ; on *indique* une prise, on la *signale.*

Par ailleurs, l'expression « qui appelle ? » est un calque de « who's calling ? ». En français, on dira plutôt :

- *Qui est à l'appareil ?*
- *C'est de la part de qui ?*

appert (il)

Le verbe *apparoir* n'est plus usité qu'à la troisième personne du singulier de l'indicatif présent. *Il appert* appartient au vocabulaire du droit, où il a le sens de *il est manifeste.* Il se construit avec l'indicatif.

- *Il appert que les preuves sont accablantes.*

application

Application n'a pas en français le sens de *demande d'emploi* ou d'*offre de services.* On ne fait pas *application* pour un emploi, pas plus qu'on n'*applique.* On *propose ses services*, on *fait une demande d'emploi*, on *postule un emploi*, on *le sollicite*, ou encore on *pose sa candidature.* Pour la même raison, on ne remplit pas un *formulaire d'application*, mais un *formulaire de demande d'emploi.*

appliquer

Voir *application.*

appointement

Ce mot est un anglicisme au sens de *rendez-vous.*

- *J'ai un rendez-vous chez le médecin.*

apporter

Voir *amener.*

apposition

Vraisemblablement sous l'influence de l'anglais, on met souvent à tort un article devant des mots ou groupes de mots placés en apposition. Ainsi, il faudrait dire *M. Untel, directeur de l'école*, et non *M. Untel, le directeur de l'école.*

Toutefois, comme le fait remarquer Grévisse, l'apposition conserve l'article si elle garde toute sa valeur substantive.

- *Robert Redford, l'acteur, est plus connu que Robert Redford, le réalisateur.*

apprécier

Jadis condamné, l'emploi d'*apprécier* au sens de *aimer, goûter, juger bon, porter un jugement favorable, trouver agréable* est passé dans l'usage.

approche

Sous l'influence de l'anglais, ce mot a pris le sens de « manière d'aborder un sujet ».

- *L'approche émotivo-rationnelle est novatrice en psychologie.*

Cet emploi est parfois critiqué. Les auteurs du Dictionnaire des anglicismes du Robert estiment, pour leur part, qu'il comble une lacune. Il est vrai qu'*approche* ne peut être remplacé par *étude*, *examen*, *optique* ou *point de vue*, dans de nombreux contextes du moins.

approcher

On n'*approche* pas quelqu'un pour sonder ses intentions, on le *pressent*.

- *Larry Robinson a été pressenti par plusieurs équipes pour devenir entraîneur-chef.*
- *Le Parti libéral a sondé les intentions de cet homme d'affaires en vue des prochaines élections.*

appui(e)-bras

On écrit au pluriel *appuis-bras* ou *appuie-bras*.

appui(e)-livre

On écrit au pluriel *appuis-livres* ou *appuie-livres*.

appui(e)-main

On écrit au pluriel *appuis-main* ou *appuie-main*.

appui(e)-tête

On écrit au pluriel *appuis-tête* ou *appuie-tête*.

après que

Un verbe utilisé avec la locution *après que* se conjugue avec l'indicatif (généralement le passé antérieur) alors qu'un verbe utilisé avec *avant que* se conjugue avec le subjectif.

- *Avant qu'elle n'arrive, il ne tenait pas en place.*
- *Après qu'elle fut partie, il s'est calmé.*
- *Après qu'elle l'eut quitté, il s'est effondré.*

C'est sans doute l'analogie avec *avant que* qui explique qu'on emploie fréquemment le subjonctif avec *après que*. Mais ce choix, si répandu soit-il, reste indéfendable sur le plan grammatical. *Avant que* introduit en effet un élément qui n'est pas encore accompli, ce qui justifie le subjonctif. *Après que*, au contraire, présente un fait déjà réalisé, ce qui appelle l'indicatif.

a priori

Pas d'accent sur le *a* de cette locution latine.

- *A priori, je suis d'accord avec vous.*

aquaplaning

Le français a emprunté ce mot à l'anglais pour désigner la « perte d'adhérence d'un véhicule automobile sur une chaussée mouillée ». Il est conseillé de le franciser en *aquaplanage*.

aqueduc

Ce mot désigne un « canal destiné à transporter l'eau ». Au Québec, on lui donne souvent le sens de *réseau de distribution d'eau*, de *service d'eau* ou de *service des eaux*. Ces dernières locutions sont préférables.

- *Les Neuvillois ont refusé l'installation d'un service d'eau.*

Arabie Saoudite

Deux majuscules.

aréna

Les puristes condamnent ce mot au sens de *patinoire* ou de *centre sportif*. Mais ce mot masculin est passé dans l'usage québécois. En outre, il entre dans la dénomination officielle de plusieurs centres.

- *L'aréna Maurice-Richard.*

argent

L'emploi de ce mot au pluriel *(les argents)* est une traduction littérale de *the moneys*. On peut traduire cette locution, selon le contexte, par *argent* (singulier), *argent liquide* ou *comptant, budget, capitaux, crédits, encaisse, espèces, fonds, recettes, ressources financières* ou *somme(s)*.

- *Les crédits alloués aux garderies ont été augmentés.*
- *Il préfère payer son loyer en espèces.*
- *Sucre Lantic recevra une somme de dix-sept millions du gouvernement du Québec.*

argent neuf

L'emploi de cette locution est un calque de *new money*. On parlera plutôt d'*argent frais*.

- *Le nouveau budget contient de l'argent frais.*

argument

Ce mot n'a pas en français le sens d'*altercation*, de *dispute*, de *discussion* ou de *prise de bec*.

- *L'accident a provoqué une altercation entre les deux conducteurs.*
- *L'homme et la femme ont eu une violente dispute au cours de la nuit.*
- *La vedette de l'équipe a eu une prise de bec avec son entraîneur.*

à risque(s)

Voir *risque (à)*.

arrérages

À l'origine, ce mot désignait une « dette échue et due ». Ce sens est demeuré vivant chez nous, mais il a pratiquement disparu ailleurs dans la francophonie, où on lui a substitué le terme *arriérés*, qu'il convient d'employer en français standard.

- *Les arriérés d'impôt foncier atteignent la somme de 10 000 $.*

De nos jours, le mot *arrérages* désigne plutôt le « montant échu d'une rente ».

arrêt

Voir *stop*.

arrêt/marche

L'OLF propose *arrêt/marche* pour traduire *on/off*.

arrêt (mettre sous)

Mettre sous arrêt est un calque de *to put under arrest*. On dira tout simplement *arrêter*. On peut aussi dire *mettre en état d'arrestation*.

arrêt-court

Ce mot du vocabulaire du baseball est un calque de *short stop*. On dira plutôt *inter*.

- *Ce club a un inter peu fiable.*

arrondissement

Lorsque le mot *arrondissement* est déterminé par un nom propre, il faut

utiliser la préposition *de*.
- *L'arrondissement de Saint-Laurent.*
- *L'arrondissement de Sillery.*
- *L'arrondissement de Brompton.*

articulé

En français, cet adjectif ne s'applique pas à une personne *éloquente*, qui *s'exprime avec aisance*, dont la pensée est *claire et nette*, ou dont les idées sont *bien structurées*. On peut cependant dire d'un *bon communicateur* que sa pensée est bien articulée.
- *Le skieur Jean-Luc Brassard s'exprime avec aisance.*

Articulé est également un anglicisme au sens d'*expliqué*.
- *Les réformes, mieux expliquées, auraient été mieux acceptées.*

Assemblée nationale

Pas de majuscule à *nationale*.

assermentation

Le Petit Larousse et le Multidictionnaire acceptent avec raison le néologisme *assermenter*, qui est plus pratique que *faire prêter serment*. Le Petit Larousse mentionne également *assermentation*, au sens de *prestation de serment*, en soulignant qu'il s'agit d'un usage suisse. C'est aussi un usage québécois.

assermenter

Voir *assermentation*.

assiette froide

Cette expression est un calque de *cold plate*. En français, on parlera plutôt de *plats froids* ou de *viandes froides*.

assigner

Un juge peut *assigner* des témoins à comparaître. Mais il ne peut être *assigné* à un dossier. C'est en effet sous l'influence de l'anglais qu'on emploie *assigner* là où il faudrait utiliser *affecter* ou *confier*.
- *Il a demandé à être affecté à un autre poste.*
- *On ne confiera plus de dossiers à la juge Ruffo, à Saint-Jérôme.*

Les mêmes remarques valent pour *assignation* et *affectation*.
- *On a retiré à la juge Ruffo ses affectations, à Saint-Jérôme.*

assistant

On emploie ce mot abusivement pour qualifier certaines fonctions ou certains métiers. Pour les titres de fonctions, on emploiera plutôt *adjoint*, en apposition et sans trait d'union.
- *Une directrice adjointe.*

Pour les métiers, c'est le mot *aide* qui convient.
- *Un aide-menuisier.*

Quant à *assistant*, on le réservera aux fonctions qui supposent une aide occasionnelle.
- *Un chirurgien assistant.*

association

Ce mot s'écrit avec une majuscule lorsqu'il désigne un organisme unique.
- *L'Association des manufacturiers canadiens.*

Il prend une minuscule lorsqu'il désigne un organisme multiple.
- *L'association des étudiants en droit de l'Université de Montréal.*

associer (s')

Ce verbe se construit indifféremment avec les prépositions *à* ou *avec*.

assurance

Faut-il employer un trait d'union dans les mots composés avec *assurance*? L'usage est, à cet égard, assez flottant. Au Québec, la Régie de l'assurance maladie a choisi de faire disparaître le trait d'union dans *assurance maladie* et *assurance médicaments*. On écrit également *assurance automobile, assurance incendie, assurance multirisques, assurance tous risques*. L'usage hésite pour *assurance(-)vie, assurance(-)décès, assurance (-)maternité*. Je conseille l'absence de trait d'union. En revanche, on écrit toujours *assurance-emploi*.

assurance automobile

Au pluriel : *assurances automobiles*.

assurance-feu

Ce mot composé est un calque de *fire insurance*. En français, on parlera plutôt d'une *assurance incendie*.

assurance maladie

Voir *assurance-santé*.

assurances

Ce mot s'écrit au pluriel dans les locutions *agent(e) d'assurances, compagnie d'assurances, expert(e) en assurances*.

assurance-santé

Le composé *assurance-santé* est un calque de *health insurance*. En français, on dit *assurance maladie*.

- *Les compressions budgétaires menacent la qualité de l'assurance maladie.*

assurance tous risques

Au pluriel : *assurances tous risques*.

assurance vie

Au pluriel : *assurances vie*.

astre

Les noms d'astres, d'étoiles, de constellations et de planètes s'écrivent avec une majuscule au mot déterminant ainsi qu'à l'adjectif qui précède.

- *L'étoile Polaire, la Grande Ourse, la Voie lactée.*

Les mots *lune, terre* et *soleil* s'écrivent avec une majuscule quand ils désignent le satellite, la planète ou l'astre lui-même ; avec une minuscule dans les autres cas.

- *C'est le Soleil qui réchauffe la Terre.*
- *Un splendide coucher de soleil.*

atelier

Ce mot, au sens de « groupe de travail ou de discussion », constitue une traduction correcte de *workshop*.

- *Une bonne partie du congrès se déroulera en ateliers.*

athlète

Ce mot qualifie, bien entendu, la personne qui pratique l'*athlétisme*, mais il est aussi considéré, par extension, comme un synonyme de *sportif*.

atmosphère

Au Québec, on oublie souvent que ce mot est féminin.

à travers

Cette locution signifie « en traversant quelque chose » et implique souvent une notion d'obstacle.

- *Elle a filé à travers la foule.*

- *Le jour passe à travers la toile.*

Vraisemblablement sous l'influence de l'anglais, on emploie souvent *à travers* au sens de *partout au, autour de, aux quatre coins de.* Cet usage est si répandu, tant ici qu'en France, qu'il ne peut être considéré comme fautif.

attaché-case

Le français a emprunté ce mot à l'anglais pour désigner une *mallette* rigide qui sert de *porte-documents.*

Au pluriel : *attachés-cases.*

attarder (s')

On s'attarde *sur* et non *à* un sujet.

attentat

Quand un attentat échoue, on peut parler d'*attentat raté*, mais pas de *tentative d'attentat.* Cette expression est pléonastique.

attentat suicide

Voir *suicide.*

attractif

Cet adjectif est un anglicisme au sens de *attirant, attrayant, séduisant.*

attrition

Ce mot désigne la « réduction de l'effectif d'une entreprise, d'une société ou d'un organisme par suite des décès et des retraites ». Ce sens est apparu en 1972 en français, vraisemblablement sous l'influence de son homonyme anglais, qui signifie *usure.* Bien que son emploi soit parfois contesté, on voit mal par quoi on pourrait le remplacer, sinon par une périphrase.

- *Ottawa compte sur l'attrition pour réduire l'effectif de la fonction publique.*

On traduit parfois *attrition* par *départs volontaires.* Mais cette locution ne tient pas compte de la mortalité, la mort étant rarement un départ tout à fait volontaire.

aubaine

Voir *vente.*

auberge

Ce mot prend une majuscule s'il fait indiscutablement partie du nom de l'établissement.

- *L'Auberge du Capitaine.*
- *L'Auberge des Gouverneurs.*

Il prend une minuscule quand il est suffisamment déterminé par un nom propre ou par un équivalent.

- *L'auberge Chomedey.*
- *L'auberge La Forêt noire.*

auburn

Le français a emprunté à l'anglais cet adjectif invariable pour désigner une « chevelure brune ou châtaine tirant sur le roux ».

- *Des cheveux auburn.*

aucun

Cet adjectif ne s'emploie au pluriel que lorsqu'il est accolé à un mot qui n'a pas de singulier ou qui change de sens au pluriel.

- *Aucun comptant, aucuns frais.*
- *Il n'a aucunes manières.*

D'aucuns a le sens de *quelques-uns.* Son emploi est littéraire et presque archaïque.

Lorsque plusieurs sujets sont introduits par *aucun*, le verbe reste au singulier.

- *Aucun argument, aucun fait ne me fera changer d'idée.*

au-delà

Cette locution signifie *plus loin que.*

- *Ils demeurent au-delà de la rivière.*

Elle ne signifie pas *de plus de.*

- *La foule était de plus de 10 000 personnes.*

audience

Ce mot ne désigne pas en français l'« ensemble des personnes qui écoutent ». Le mot juste est *auditoire. Audience* ne désigne pas davantage l'*assistance*, le *public* ou les *spectateurs.*

Voir aussi *audition.*

au dire de

Cette locution est invariable.

audit

On trouve tant dans le Petit Robert que dans le Petit Larousse le mot *audit* (du latin *auditus*), au sens de « contrôle de la comptabilité et de la gestion d'une entreprise ». Son emploi a été contesté chez nous, en raison de son origine anglaise. « Malheureusement, comme le fait remarquer le Multidictionnaire, le terme *audit* est maintenant le seul utilisé en français dans les normes comptables internationales. » *Audit* a engendré le verbe *auditer* et le substantif *auditeur*, qui sont également employés dans les normes comptables internationales. Dommage pour *vérification, vérifier* et *vérificateur*, réduits au rôle de synonymes d'occasion.

- *L'affaire entache davantage la réputation du cabinet d'audit Andersen, qui était le vérificateur des comptes de Merck.*

auditer

Voir *audit.*

auditeur

Voir *audit.*

audition

Lorsqu'un juge entend les témoins, il en fait l'*audition*. Mais la « séance au cours de laquelle le tribunal entend les témoins et les plaidoiries » ne s'appelle pas une *audition* mais une *audience*. L'*audition* des témoins fait partie de l'*audience.*

au niveau de

Voir *niveau de (au).*

au plan de

Voir *plan de (au).*

aussi peu que

Cette locution est un calque de *as little as*. On dira plutôt *seulement.*

- *Ce pantalon coûte seulement 40 $.*

autant (en – que je suis concerné)

La locution en *autant que je suis concerné* est un calque de *as far as I am concerned*. En français, on dira plutôt *en ce qui me concerne, pour ma part, quant à moi.*

auteure

L'usage québécois tend à imposer *auteure* comme féminin d'*auteur.*

autobus

On évitera de confondre *autobus* et *autocar*. Le rayon d'action du premier se limite aux villes tandis que le second relie les villes entre elles. L'un et l'autre sont masculins.

• *Il préfère l'autocar à l'automobile.*

autobus scolaire

La condamnation d'*autobus scolaire* découle d'une conception erronée, mais néanmoins fréquente, du rôle de l'adjectif en français. On peut trouver plusieurs exemples d'une construction analogue. Ainsi, on dit une *boucherie chevaline* pour une *boucherie de viande de cheval*, un *correspondant étranger* pour un *correspondant à l'étranger*, un *critique littéraire* pour un *critique de littérature*, une *grammaire française* pour une *grammaire du français*, le *président américain*, pour le *président des États-Unis*, etc. Ce type d'extrapolation, explique le grammairien Georges Dupont, fait de l'adjectif une épithète de transfert. On reconnaît ce type d'épithète à ce « qu'elle n'admet pas d'être reliée à un adjectif ordinaire par une conjonction de coordination ». Ainsi, on ne pourrait dire un *autobus scolaire et bondé*. Mais on peut très bien parler d'un *autobus scolaire*, comme l'attestent d'ailleurs l'OLF, le Petit Robert et le Multidictionnaire. Bien sûr, on peut également parler d'un *autobus d'écoliers*. Mais ce n'est pas pour autant plus français.

Voir aussi *hypallage*.

autocaravane

Voir *roulotte*.

autochtone

Voir *Amérindien*.

autodidactisme

L'OLF a créé ce néologisme pour désigner le « fait de s'instruire par soi-même ». Elle a créé un autre néologisme, *auto-éducation*, pour décrire une « forme d'apprentissage où le sujet étudie principalement par lui-même mais à l'intérieur d'un contexte scolaire favorable ».

auto-école

Au pluriel : *auto-écoles.*

auto-éducation

Voir *autodidactisme.*

auto-patrouille

Ce mot composé est un calque de *patrol car*. On dira plutôt une *voiture de police.*

• *Les émeutiers se sont attaqués aux voitures de police.*

autorité (sous l')

Une section n'est pas *sous l'autorité (under autority)* de quelqu'un ; elle *relève de sa compétence.*

auto-stop

Les Français ont créé ce composé pour décrire la « pratique qui consiste à voyager gratuitement en arrêtant les automobiles ». Les *autostoppeurs* font de *l'auto-stop* ou du *stop*. La locution *faire du pouce* est un québécisme familier.

auto-stoppeur, euse

Voir auto-stop.

avalanche

L'expression *avalanche de neige* est pléonastique, car, au sens propre, l'*avalanche* est constituée d'une « masse de neige qui dévale les flancs d'une montagne ».

avantage (prendre)

Prendre avantage de est un calque de *to take advantage of*. En français, on dira plutôt, selon le contexte, *profiter* ou *abuser*.

- *Elle a profité de la situation.*
- *Il a abusé de sa patience.*

avantages (sociaux)

Les « éléments qui s'ajoutent au contrat de travail », tels que le régime de retraite, l'assurance de groupe, etc., sont des *avantages sociaux*, et non des *bénéfices marginaux*. Ce calque de *fringe benefits* est en voie de disparition.

avant que

Voir *après que*.

avenue

Ce mot prend une minuscule, sauf lorsqu'il constitue lui-même le mot déterminant. *L'avenue des Pins* mais *la 12e Avenue*. À l'instar de la *rue*, l'*avenue* est considérée comme un contenant. On marche donc dans une *avenue*. Mais l'usage québécois est à cet égard hésitant. Aussi rencontre-t-on souvent *sur*. Avec le verbe *habiter*, on peut faire l'ellipse de la préposition.

- *Elle habite avenue du Mont-Royal.*

avérer (s')

S'avérer ne s'emploie plus guère aujourd'hui au sens d'« être reconnu comme vrai ». Une phrase comme « le fait s'est avéré », sans autre précision, est maintenant jugée littéraire. En français moderne, *s'avérer* est généralement accompagné d'un adjectif et considéré comme un synonyme de *se révéler*, *se montrer*, *se manifester*. Ce qui explique qu'on emploie parfois ce verbe dans des expressions comme *s'avérer faux*, *s'avérer inexact* ou *s'avérer vrai*. Les grammairiens restent divisés quant à cette évolution. Les puristes jugent de telles tournures abusives. Pour ma part, elles m'agacent et je ne les emploierais pas. Comme l'esprit établit encore un rapport, même vague, entre *vrai* et *s'avérer*, il me paraît préférable de les éviter.

- *Nous avons reçu deux nouvelles : la première s'est avérée exacte, la seconde s'est révélée fausse.*

averse

Peut-on parler d'une *averse de neige* ? Certains linguistes soutiennent mordicus que non. Les météorologues rétorquent qu'on peut le faire et l'OLF leur donne raison. On pourra préférer, selon le contexte, *chute de neige*, *tempête*, *giboulée* ou *bordée*.

- *La météo annonce des chutes de neige pour le week-end.*
- *Mars est habituellement le mois des tempêtes et des giboulées.*

avertir

Ce verbe a le sens général d'*informer*. Lorsqu'on veut décrire l'action d'une personne qui prévient la police d'un danger, il vaut mieux employer le verbe *alerter*.

- *Ce sont les voisins qui ont alerté la police.*

avionnerie

Ce québécisme de bon aloi a le sens d'*usine de construction aéronautique*.

aviser

Ce verbe est un anglicisme au sens de *conseiller, donner des conseils*.

aviseur légal

Cette locution est un calque de *legal adviser*. On la traduira par *conseiller juridique*.

avoir l'air

Lorsque cette locution verbale a le sens d'« avoir un air, une mine, une allure », l'accord de l'épithète se fait avec *air*, même si le sujet est féminin.

- *Elle a l'air sérieux.*

Lorsque *avoir l'air* signifie « sembler, paraître », l'accord se fait avec le sujet.

- *La maison a l'air vieille.*

Quand il est question de choses, l'accord se fait presque toujours avec le sujet. Quand il s'agit de personnes, les deux sens sont souvent possibles.

azimuts (tous)

Cette locution prend la marque du pluriel.

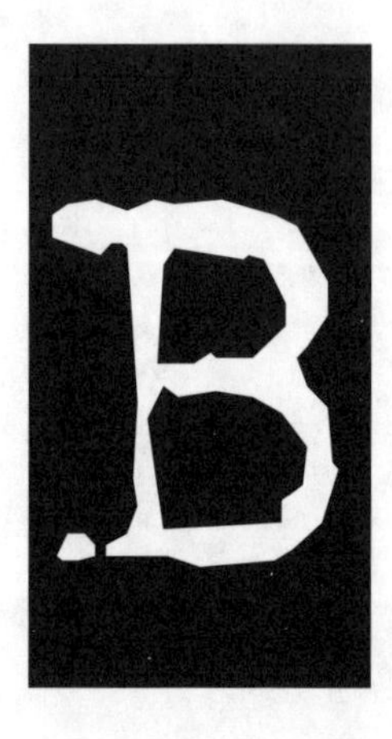

baba cool

Cette expression venue au français par l'intermédiaire de l'anglais est l'équivalent en France des québécismes *grano, granola, écolo-grano* ou *granole*. Le *baba cool* est un marginal épris d'écologie et de spiritualité. Il se passionne généralement pour le nouvel âge. Au pluriel : *babas cool, granos, granolas, granoles, écolo-granos.*

babillard

Ce mot est un québécisme familier au sens de *tableau d'affichage.*

baby-boom

On appelle *baby-boom* la « soudaine augmentation de la natalité qui a suivi la Deuxième Guerre mondiale », et *baby-boomers* les « personnes nées pendant cette période ».

baby-boomer

Voir *baby-boom.*

baby-sitter

Au Québec plus qu'en France, on appelle *gardien* ou *gardienne d'enfants* la « personne qui, moyennant rétribution, vient garder des enfants au domicile des parents, en leur absence ». Cet usage est préférable à *baby-sitter*, mot américain qui s'intègre mal au français. Pour la même raison, la locution *garde d'enfants* sera préférée à *baby-sitting.*

baby-sitting

Voir *baby-sitter.*

back-bencher

On traduit généralement cette expression anglaise par *simple député.*

background

Ce mot a été emprunté à l'anglais pour désigner l'*arrière-plan*, la *toile de fond* d'une situation ; l'*acquis*, les *antécédents*, le *bagage*, l'*expérience*, la *formation*, le *passé* d'un individu ; ou encore une *musique de fond* ou *d'atmosphère*. Les équivalents français sont préférables.

bâcler

Ce mot est péjoratif ; il signifie « expédier un travail sans soin ». Il ne veut donc pas dire « exécuter rapidement ». On emploie souvent improprement *bâcler* au sens de *conclure*.

- *Power Corporation et Hollinger ont conclu une transaction.*

badge

Ce mot désigne aujourd'hui, outre le *badge* des scouts, un « insigne porté en broche, sur lequel on peut voir une inscription ou un dessin ». Jadis de genre féminin, *badge* est maintenant masculin.

bagage

On écrit *baggage* en américain, mais *bagage* en français.

baie

Ce mot prend une minuscule s'il désigne un toponyme naturel, une majuscule et un trait d'union s'il désigne un toponyme administratif.

- *La baie des Anglais est située en face de Baie-Comeau.*

baie James

Ce toponyme s'écrit avec une minuscule à *baie* et sans trait d'union lorsqu'il désigne le lieu naturel.

- *De nombreuses rivières se déversent dans la baie James.*

Mais il prend une majuscule et un trait d'union quand il désigne l'entité administrative.

- *Québec et les Cris s'entendent pour mettre en valeur les ressources naturelles de la Baie-James.*
- *La convention de la Baie-James a fêté ses 25 ans en 2001.*

Dans les années 70, Radio-Canada avait lancé *baie de James* et de nombreux médias avaient emboîté le pas. Les tenants de la particule soutenaient que c'est ainsi qu'il faut écrire les toponymes de cette catégorie. On dit, il est vrai, *baie des Anglais, baie d'Hudson, baie des Chaleurs*, etc. Leurs adversaires s'appuyaient plutôt sur l'usage populaire et la tradition nationale. Pour sa part, la Commission de toponymie du Québec, qui fait autorité en la matière, a entériné *baie James* en 1981.

bâillon

La « procédure par laquelle une autorité gouvernementale empêche l'ajournement d'un débat et force la tenue d'un vote sur le sujet » s'appelle en français standard la *clôture*.

- *Le gouvernement a procédé à la clôture des débats. La séance de clôture s'est terminée mercredi matin.*

Chez nous, on appelle souvent cette procédure *imposer le bâillon*. Cette locution s'inspire du sens figuré du mot *bâillon*, qui signifie « empêchement à la liberté d'expression ». Notre usage est donc conforme à l'esprit du français.

Cela dit, *procéder à la clôture* et *imposer le bâillon ne* sont pas pour autant de parfaits synonymes. En effet, la première locution est neutre, la seconde péjorative. L'opposition qui s'estime lésée peut affirmer qu'on lui *impose le bâillon*. Un éditorialiste en désaccord avec la décision du gouvernement peut écrire que ce dernier a eu tort d'*imposer le bâillon*.

Mais dans un contexte dénué de tout parti pris, il vaut mieux parler de la *clôture des débats*.

bain

On confond souvent ce mot avec la *baignoire* dans laquelle on prend des *bains*.

Voir aussi *salle de bains*.

balade

On confond parfois *balade* et *ballade*. Le premier désigne une *promenade*, le second un *poème* ou une *pièce musicale*.

- *J'écoute les ballades de Miles Davis en faisant une balade dans le parc des Îles.*

balance

Ce mot est un anglicisme au sens de *solde*.

- *Votre compte indique un solde impayé de 55 $.*

Balance est aussi un anglicisme au sens de *reste*.

- *Le reste du temps, je lis.*

Par ailleurs, le mot *balance* est un terme générique désignant un « instrument qui sert à peser ». Il ne doit pas nous faire oublier des termes plus précis comme *pèse-bébé*, *pèse-lettre* ou *pèse-personne*.

balancement

L'expression *balancement des roues* (d'un véhicule) est un calque de *wheel balancing*. On parlera plutôt d'*équilibrage des roues*.

balancer

On ne *balance* pas un budget, on l'*équilibre*.

balconville

Ce québécisme désigne un « quartier pauvre », c'est-à-dire un quartier où l'on passe ses vacances au balcon.

ballade

Voir *balade*.

balle (frapper la longue)

Voir *frapper*.

banc (sur le)

Une décision rendue sans être mise en délibéré par un ou des juges est une décision prise *séance tenante* ou *sans délibéré*, non une décision rendue *sur le banc*. Cette dernière locution est en effet un calque de *on the bench*.

- *La Cour d'appel a rendu une décision sans délibéré, donnant raison à la société ADM.*

Être sur le banc, peut-on lire dans le Colpron, est un calque de *to be on the bench*. En français, on dira plutôt *être magistrat*, *siéger au tribunal*.

Quant à *monter sur le banc*, c'est un calque de *to ascend to the bench*. On dira plutôt *être nommé juge*, *entrer dans la magistrature*.

bande-annonce

Au pluriel : *bandes-annonces*.

bande publique

L'OLF recommande d'appeler *bande publique* la « bande de fréquence affectée aux communications privées par émetteur-récepteur de petite puissance ». L'abréviation est *BP*.

L'émetteur-récepteur lui-même est un *poste bande publique*. Quant à la personne qui s'en sert, c'est un *radioamateur*. *Bande publique* et *radioamateur* sont peu usités en France, où l'on parle plutôt de *Citizen's Band* et de *cibiste*.

banlieue

Ce mot désigne l'« ensemble des villes qui environnent un centre urbain ». On distingue généralement la *proche banlieue* de la *banlieue éloignée*.

- *Lachine fait partie de la proche banlieue de Montréal ; Saint-Jérôme, de la banlieue éloignée.*

On peut aussi diviser la *banlieue* de Montréal en *banlieue nord, sud, est* et *ouest*.

Contrairement au Petit Larousse, le Petit Robert accepte l'emploi de *banlieue* au sens de « localité de la banlieue ». Cet usage, vraisemblablement influencé par l'anglais, peut être source de confusion. Aussi me paraît-il préférable d'éviter d'employer le mot *banlieue* pour désigner une ville seule. On ne dira pas, par exemple, que Longueuil est une *banlieue* de Montréal, mais *en banlieue* de Montréal, ou encore une ville de la *banlieue* de Montréal.

Voir aussi *agglomération* et *métropolitain*.

bannière

Certains linguistes considèrent ce mot comme un anglicisme au sens d'*étendard d'une corporation*. Mais, le Multidictionnaire et le Petit Larousse acceptent cet usage.

- *Les marchands regroupés sous la bannière Rona.*

banque

Ce mot prend une majuscule s'il est suivi d'un adjectif ou d'un nom commun.

- *La Banque Nationale.*
- *La Banque de développement économique.*

Il prend une minuscule s'il est déterminé par un nom propre.

- *La banque Toronto-Dominion.*

On écrira cependant la *Banque du Canada* avec une majuscule parce qu'elle désigne un organisme unique au pays. La locution *banque à charte* est un calque de *chartered bank*. En français, on parlera tout simplement de *banque*.

Par ailleurs, le français a emprunté à l'américain *(bank)* le mot *banque* au sens de *banque d'aliments, de données, de sang, des yeux*, etc. Ces emprunts comblent un manque certain.

Enfin, *banque* est un anglicisme au sens de *tirelire*.

banqueroute

La *banqueroute* désigne une « faillite accompagnée d'actes délictueux ». On évitera donc d'en faire un synonyme anodin de *faillite*.

bar

Ce mot prend une majuscule s'il fait indiscutablement partie du nom de l'établissement.

- *Au Bar de l'eau.*

Il prend une minuscule s'il est suffisamment déterminé par un nom propre ou par un équivalent.

- *Le bar Gatsby.*

• *Le bar Au Vieux Chêne.*

Les mêmes remarques valent pour *bar-salon, bar-restaurant, bar-pub* ou *bar-spectacle.*

L'expression *bar laitier* est un calque, mais il est entériné par l'OLF et par le Bureau de la traduction. Les Français se contentent pour leur part d'ajouter un trait d'union à *milk-bar*, une solution qui ne sera pas acceptée ici.

La locution *bar d'essence* est également un anglicisme *(gas bar)*. On la remplacera par *poste d'essence.*

On traduira *snack-bar*, un autre anglicisme, par *casse-croûte.*

Enfin, l'expression *bar à salades* est un calque de *salad bar*. On peut la remplacer par *comptoir à salades* ou par le joli néologisme *saladerie*, qu'on trouve notamment au casse-croûte du Biodôme.

barbecue

Le français a emprunté ce mot à l'anglais pour désigner un « appareil au charbon de bois ». Le mot est aussi utilisé comme adjectif pour désigner ce qui est grillé sur un *barbecue.*

• *Du poulet barbecue.*

Par contre, *barbecue* est inutile au sens de *rôtisserie* (restaurant).

barmaid

Barmaid désigne une *serveuse* de bar et *barman*, un *serveur*. Au pluriel : *barmaids, barmen* ou *barmans.*

barman

Voir *barmaid.*

barre

Ce mot est un anglicisme au sens de *tablette* de chocolat ou de *pain* de savon.

barrer

Ce verbe est une québécisme familier au sens de *fermer à clé, verrouiller. Barrer*, c'est en effet « fermer au moyen d'une barre », une pratique de plus en plus rare.

barrière du son

Cette locution est un anglicisme. On la remplacera par *mur du son.*

• *Ces avions de combat percent le mur du son.*

bas

Le mot *bas* désigne un vêtement qui « gaine à la fois le pied et la jambe ». Le *bas* monte donc plus haut que le genou, contrairement à la chaussette, qui « enveloppe le pied et le bas de la jambe ».

• *Les chaussettes de laine sont plus chaudes que les bas de nylon.*

Comme le souligne l'OLF, l'emploi de *bas* au sens de *chaussette* prête à confusion. C'est pourquoi, son emploi devrait se limiter au langage familier.

bas-culottes

Ce composé est un calque de *panty hose*. En français, on dira *collant.*

• *Elle portait un collant bleu.*

Bas-du-Fleuve

Ce toponyme désigne un territoire administratif, d'où les majuscules aux mots clés et les traits d'union.

base(-)ball

Au Canada, on écrit généralement ce mot sans trait d'union.

base militaire

Cette locution ne prend pas de majuscule lorsqu'elle est déterminée par un nom propre.

- *La base militaire de Valcartier.*

basique

Cet adjectif est un anglicisme au sens de *fondamental, de base*.

- *Le français fondamental.*

baskets

On appelle *baskets* les « chaussures de sport ». *Baskets* est plus usité en France que chez nous. Les Français en ont même tiré une expression, *lâche-moi les baskets*, qui a le sens de *fiche-moi la paix*. Le mot *tennis* désigne à peu près le même type de chaussures. Quant au mot *espadrilles*, qu'on emploie ici au sens de *baskets* ou de *tennis*, il désigne plus particulièrement des « chaussures de toile ».

basilique

Ce mot ne prend pas de majuscule lorsqu'il est déterminé par un nom propre.

- *La basilique Notre-Dame.*

basse ville

Cette locution désigne la « partie inférieure d'une ville ».

- *À Québec, les quartiers pauvres sont situés dans la basse ville.*

bâtiments publics

Les noms de bâtiments publics (bibliothèque, centre, cinéma, complexe, édifice, habitation, hôpital, immeuble, maison, musée, palais, terrasse, théâtre, tour, etc.) s'écrivent avec une majuscule quand ils sont suivis d'un adjectif ou d'un nom commun.

- *La Bibliothèque nationale.*
- *La Grande Bibliothèque.*
- *Le Palais des congrès.*
- *Le Stade olympique.*

Les noms de bâtiments publics s'écrivent aussi avec une majuscule lorsqu'ils sont employés de façon elliptique.

- *Le Palais (de justice).*
- *La Tour (de Londres).*

On emploiera également une majuscule quand le mot générique n'est pas employé au sens propre.

- *Le Château Frontenac (qui n'est pas un château mais un hôtel).*
- *La Place des Arts (qui n'est pas une place mais un complexe).*

En revanche, les noms de bâtiments publics prennent une minuscule quand ils sont déterminés par un nom propre de personne ou de lieu.

- *Le complexe Desjardins.*
- *Le palais de justice de Montréal.*

bâtisse

Ce terme est rarement neutre. Il désigne généralement un « gros bâtiment sans caractère et plutôt laid ». On pourrait très bien qualifier de *bâtisse*, par exemple, l'affreux Institut d'hôtellerie qui dépare le square Saint-Louis, à Montréal. Mais ces écriteaux qui annoncent *Bâtisse à vendre* font sourire. C'est comme si on disait *Immeuble laid à vendre*. Comme argument de vente, on repassera…

batterie

Ce mot est une impropriété au sens de *pile électrique*. Les *piles* ne sont qu'un des éléments de la *batterie*.

- *Il faut quatre piles pour faire fonctionner ce baladeur.*

bayer aux corneilles

Bayer est un verbe rare, qui ne s'utilise plus que dans la locution *bayer aux corneilles*. Ce n'est pas un doublet de *bâiller* mais de *béer*, qui signifie « être grand ouvert ».

bay-window

Le français a emprunté ce mot à l'anglais pour désigner une « fenêtre en saillie ». On trouve aussi l'orthographe *bow-window*. Le Journal officiel a recommandé, en 1973, l'emploi d'*oriel* comme synonyme de *bay-window*. Mais cette recommandation paraît d'autant moins justifiée qu'elle vient aussi de l'anglais, puisqu'il s'agit de la forme abrégée d'*oriel window*. Si l'on tient absolument à traduire *bay-window*, il vaudrait mieux parler de *fenêtre en saillie*, locution qui dit bien ce qu'elle veut dire.

beat

Le Petit Larousse décrit le *beat* comme le « temps fort de la musique, dans le jazz, le rock, la pop music ». On peut parfois substituer à ce mot d'origine anglaise les mots *rythme* et *tempo*.
Beat désigne aussi « ce qui se rapporte aux beatniks ».

- *Jack Kerouac est l'écrivain le plus important de la* beat generation.

bébé éprouvette

Pas de trait d'union. On écrit *bébés éprouvette* au pluriel.

bed and breakfast

Cette locution désigne « un petit hôtel ou une maison privée où l'on offre aux touristes de passage la chambre et le petit déjeuner ». Comme cette expression anglaise s'intègre mal au français, plusieurs traductions ont été proposées. L'OLF a suggéré *gîte touristique*, que je préfère à *chambres d'hôte, couette et café* ou *lit et café*.

Au Québec, des propriétaires de gîtes se sont regroupés. Leur réseau englobe un peu plus de 400 « gîtes du passant » et seuls les membres peuvent utiliser cette appellation.

bee

Ce mot est un anglicisme au sens de *corvée*.

behaviorisme

Ce mot désigne une « théorie psychologique fondée sur l'étude expérimentale du comportement ». Comme il s'intègre mal au français, on lui préfère maintenant *psychologie du comportement* ou *psychologie comportementale*.

beigne

Ce mot est un québécisme familier au sens de *beignet*.

Belarus

Voir *Biélorussie*.

Belle Province (la)

Ce surnom géographique qui désigne le Québec s'écrit avec deux majuscules.

bénéfice

Mis en apposition, ce mot s'écrit avec un trait d'union et reste invariable.

- *Des dîners-bénéfice.*

bénéfice (pour le – de)

Pour le bénéfice de est un calque de *for the benefit of*. On lui substituera, selon le contexte, *au bénéfice de, en faveur de, à l'intention de, au profit de*.

bénéfices marginaux

Voir *avantages (sociaux)*.

bénévole

Les mots *volontaire* et *bénévole* ont des sens assez semblables. Le *volontaire* est une « personne bénévole qui offre ses services par dévouement ». Mais le terme s'emploie surtout pour désigner une « personne qui se propose pour une mission difficile, une action dangereuse ».

- *L'Irak est à la recherche de volontaires qui voudraient servir de boucliers humains en cas d'intervention militaire américaine en Irak.*
- *Les organisateurs du Tournoi de hockey pee-wee et bantam sont à la recherche de bénévoles.*

biais (par le – de)

Cette locution adverbiale signifie « par un moyen détourné, artificieux, indirect ».

- *Ce politicien tirait d'importants revenus par le biais de pots-de-vin.*
- *Le phosphore pénètre dans les lacs par le biais des eaux usées.*

Elle n'est donc pas neutre, encore moins positive. C'est pourquoi, on évitera de l'employer là où les expressions suivantes seraient plus justes : *à l'aide de, à l'occasion de, au moyen de, avec le concours de, grâce à, par l'entremise de, par l'intermédiaire de* ou *par le truchement de*.

biaiser

Une personne qui *biaise* est une personne qui *louvoie*, qui *tergiverse*. Certains hommes politiques sont passés maîtres dans cet art. Mais *biaiser* n'a pas le sens de *dire des faussetés*, de *déformer les faits*. Une personne *biaisée* est une personne qui a un *parti pris évident*, qui est *remplie de préjugés*. Quant à une information *biaisée*, c'est une information *déformée, faussée*.

bible

Ce mot s'écrit avec une majuscule quand il désigne les Saintes Écritures. Mais il prend une minuscule au sens figuré.

- *Cet ouvrage est la bible des journalistes.*

bibliothèque

Ce mot prend une majuscule quand il est suivi d'un adjectif ou d'un nom commun.

- *La Bibliothèque nationale.*

Il prend une minuscule quand il est déterminé par un nom propre de personne ou de lieu.

- *La bibliothèque Gabrielle-Roy*
- *La bibliothèque de Sainte-Foy.*

Biélorussie

Ce pays voisin de la Russie se nomme en français *Biélorussie* ou *république de Biélorussie*. Ses habitants sont des *Biélorusses*. Le mot *Belarus* n'est pas anglais, mais biélorusse. Dans notre langue, il est évidemment préférable de dire *Biélorussie* plutôt que *Belarus*, de la même façon qu'on dit *Italie* et non *Italia*, ou *Angleterre* et non *England*. Quant au mot *Bélarussie*, il est incorrect.

biénergie

Pas de trait d'union.

bien-être social

On ne vit pas des prestations du *bien-être social*, mais de l'*aide sociale*. Le mot *bien-être* est français, mais il n'a rien à voir avec l'assistance aux défavorisés. Par ailleurs, on ne vit pas *sur* l'aide sociale, mais *de* l'aide sociale. Quant au sigle *BS*, il appartient à la langue populaire.

bien-fondé

Trait d'union.

biennale

Ce mot prend une majuscule quand il désigne une manifestation d'envergure qui revient tous les deux ans.

- *La Biennale de Venise.*

bilan

Ce mot est désormais passé dans l'usage, au figuré, pour désigner le « résultat global ».

- *Le bilan routier de la fin de semaine s'établit à huit morts.*

bilan de santé

Voir *examen médical*.

bill

Ce mot est un anglicisme au sens de *projet de loi*. Quant à *bill privé*, c'est un anglicisme au sens de *projet de loi présenté par un seul député*.

billet de saison

Cette locution est un calque de l'anglais *(season ticket)*, qu'on traduira par *abonnement*.

- *Le Canadien espère vendre plus d'abonnements l'an prochain.*

billet d'infraction

L'automobiliste pris en défaut ne reçoit pas un *billet d'infraction*, pas plus qu'un *ticket*, mais une *contravention*.

bio

Le préfixe *bio* se joint au mot qui suit sans trait d'union.

- *Biologie, bioénergie, biorythme, biomasse, etc.*

Font exception les mots commençant par un *i*.

- *La bio-industrie.*

biscuits soda

Cette locution est un calque de *soda biscuits*. On dira plutôt *craquelins*.

bistro

Voir *restaurant*.

blackbouler

Blackbouler est tiré du verbe anglais *to blackball*, qu'on a francisé, *boule* prenant la place de *ball*. Il signifie principalement *évincer*, *rejeter*, *repousser*. Il a donné les dérivés *blackboulé* et *blackboulage*, qui sont peu usités au Québec.

black-out

Ce mot a d'abord été emprunté à l'anglais pour désigner une « mesure de défense antiaérienne qui consistait à plonger un lieu dans l'obscurité totale pendant la Deuxième Guerre mondiale ». On l'utilise aujourd'hui au théâtre pour désigner la « coupure de courant qui plonge la scène dans le noir ». On l'emploie aussi, surtout en France, dans l'expression *faire le black-out* pour décrire une « opération qui consiste à faire le silence complet sur une affaire ». En ce sens, la locution *faire le black-out* peut être remplacée avantageusement par le verbe *étouffer*.

- *Le parti a tout fait pour étouffer cette affaire dans l'œuf.*

Black-out reste un anglicisme inutile tant au sens de *panne de courant* qu'au sens de *délestage* ou de *coupure d'électricité*.

blâmer

Ce verbe s'applique aux personnes, pas aux choses. On peut, par exemple, *blâmer* le président de la Banque du Canada. Mais on *attribuera* la récession à la politique pratiquée par l'organisme qu'il dirige.

blanc comme un drap

Cette locution est un calque de *as white as a sheet*. En français, on dira de préférence *blanc comme un linge*, *blanc de peur* ou *pâle comme un linge*.

blanc de mémoire

Il s'agit d'un calque de l'anglais *(blank)*. En français, on parlera plutôt de *trou de mémoire*, de *perte* ou d'*oubli*.

blanchir

Blanchir un adversaire est un québécisme, qui vient vraisemblablement de *to blank an opponent*. Cette locution solidement implantée et commode donne à l'occasion des titres amusants, du genre : *Saint-Joseph blanchit L'Immaculée-Conception*. Je ne suis pas opposé à son emploi, mais on peut, bien entendu, lui substituer *battre un adversaire à zéro*.

blanchisserie

Voir *nettoyeur*.

bleuet

Le *bleuet* est la « myrtille du Canada ». Le terrain où poussent les *bleuets* est une *bleuetière*.

bleus (avoir les)

La locution populaire *avoir les bleus*, qui signifie *avoir le cafard*, *broyer du noir*, *être triste*, est calquée sur l'expression anglaise *to have the blues*.

bloc

Le français a emprunté au mot américain *block* le sens de « pâté de maisons en forme de quadrilatère ». On évitera la graphie anglaise.

Au Canada, on a aussi emprunté à *block* le sens de *bloc d'appartements*. Cet anglicisme est inutile. On dira plutôt *immeuble d'habitation* ou *immeuble résidentiel*.

Voir aussi *rapport (maison de)*.

blockbuster

Chaque été, les grands studios lancent leurs *blockbusters*. Le Harrap's traduit ce terme par « film à grand spectacle ». Mais il existe déjà un mot français pour désigner une « œuvre cinématographique à grand spectacle, réalisée avec de gros moyens financiers » : il s'agit de *superproduction*. Alors pourquoi s'encombrer de *blockbuster* ?

- *La superproduction* Godzilla *sera-t-elle la plus courue de l'été ?*

bloc-note

Au pluriel : *blocs-notes*.

blonde

Voir *époux*.

blooper

Les dictionnaires traduisent généralement ce mot américain par *gaffe* ou par *faux pas*. Mais l'un et l'autre rendent mal l'idée d'une « scène ratée au cinéma ou à la télévision ». Aussi, serait-il préférable de parler, comme on le fait à Radio-Canada, de *gaffe de tournage* ou de *raté de tournage*. Et quand on réalise un montage de séquences ratées, on peut employer le mot *bêtisier*.

blue-jean(s)

On écrit indifféremment *blue-jean* ou *blue-jeans*. On abrège parfois en *jean(s)*. *Blue* reste invariable au pluriel.

bluff

Le français a emprunté ce mot au vocabulaire du poker pour désigner l'« attitude de celui qui cherche à donner le change, en se montrant plus puissant qu'il ne l'est en réalité ». *Bluff* a donné *bluffer* et *bluffeur, se*.

boat-people

On appelle *boat-people* un « réfugié qui quitte son pays par bateau ». Ce composé est invariable. On peut le traduire par *réfugié de la mer*.

bogue

Certains auteurs contestent l'emploi de *bogue*. Certes, ce terme vient du mot anglais *bug*, mais il a été francisé. De plus, il a fait l'objet d'une recommandation officielle pour désigner un « défaut d'un logiciel ou d'un programme se manifestant par des anomalies de fonctionnement ». Enfin, on le trouve dans tous les bons dictionnaires. Alors, où est le bogue ?

boisé

En français standard, ce mot est un adjectif. Chez nous, on l'emploie souvent au sens de « terrain boisé ». À mon avis, ce québécisme est inutile. Le mot *bois*, qui désigne une « étendue de terrain peuplée d'arbres et généralement associée à l'habitat humain », peut, en effet, être substitué à *boisé* dans la majorité des cas.

- *Le suspect a été retrouvé dans le bois derrière l'école.*

On peut aussi utiliser les mots *boqueteau* et *bosquet*, qui désignent tous deux de petits bois, *pinède*, qui désigne un bois de pins, sans compter les locutions *lot boisé* et *terrain boisé*.

boisson

Voir *breuvage*.

boîte

Dans la majorité des cas, c'est la préposition *à* qu'il faut employer pour qualifier un récipient destiné à recevoir une chose. On dit, par exemple, *boîte à outils, boîte à onglets, boîte à bijoux, boîte à lunch, boîte à ordures*, etc. Cela dit, la locution *boîte aux lettres* est tout à fait correcte. Son emploi est même plus fréquent que *boîte à lettres*.

Par ailleurs, c'est généralement la préposition *de* qu'on emploie lorsqu'on qualifie un récipient contenant quelque chose.

- *Une boîte de chocolats, de biscuits*, etc.

boîte aux témoins

Cette locution est un calque de *witness-box*. En français, on parlera plutôt de la *barre des témoins*.

bol de toilette(s)

Cette expression populaire vient sans doute du *bowl* anglais. Le mot juste est *cuvette*.

bol(l)é, e

Voir *douance*.

bomper

Voir *bumper*.

Bonhomme Carnaval

Deux majuscules.

bonus

Ce mot se dit correctement en français d'un « rabais sur une prime d'assurance automobile ». Il est un anglicisme au sens d'*indemnité* de vie chère, de *prime* de rendement, de *prime* d'intéressement, de *boni*, de *prime* ou de *gratification* de fin d'année. Quant au *bonus* offert par certains magasins, c'est un *article* donné en cadeau ou en prime.

- *Le versement de primes de rendement est très répandu au Japon.*

boom

Ce mot anglo-américain désigne « une hausse soudaine, spectaculaire ». Plus fort que le mot *expansion*, il n'a pas d'équivalent véritable en français. On le francise parfois en *boum*, dont l'étymologie est similaire.

- *Le boom pétrolier des années 70.*
- *Le boom de la construction résidentielle est bel et bien terminé.*

borne-fontaine

On considère généralement *borne-fontaine* comme un synonyme de *borne d'incendie* chez nous, mais la seconde appellation est souhaitable.

boss

Ce mot anglo-américain est un synonyme familier de *patron*.

bouc émissaire

Pas de trait d'union. Au pluriel : *boucs émissaires*.

bouche (de la – du cheval)

La locution *de la bouche du cheval* est un calque de l'anglais *(from the horse's mouth)*. Son sens n'étant pas évident en français, il est préférable de la traduire de façon moins littérale. Dans beaucoup de cas, l'expression *de source sûre* convient très bien.

- *Il tient de source sûre qu'une décision sera bientôt prise.*
- *Sa source est inattaquable.*

bouger

Ce verbe est aujourd'hui à la mode, dans le langage sportif, au sens de « passer à l'action ».

- *À quelques jours de la fin de la période des échanges, le Canadien n'avait toujours pas bougé.*

Cet emploi est donc tout à fait correct. Tout au plus peut-on reprocher à ses utilisateurs d'en abuser et leur rappeler l'existence de *faire un geste, agir, aller de l'avant, passer à l'action, procéder à*, etc.

boulevard

Ce mot prend une minuscule.

- *Le boulevard Talbot est le théâtre de nombreux accidents.*

boum

Voir *boom*.

bouquin

Ce mot est un synonyme familier de *livre*.

bourse

En français, ce mot désigne un « petit sac destiné à mettre de l'argent ». C'est apparemment sous l'influence du mot anglais *purse* qu'on lui donne improprement le sens de *sac à main*.

Bourse

Ce mot prend une majuscule lorsqu'il désigne une « institution où se déroule le marché des valeurs mobilières ».

- *La Bourse de Montréal.*

Le mot *Bourse* s'écrit également avec une majuscule dans les locutions où on le retrouve.

- *Jouer à la Bourse.*
- *Coup de Bourse.*
- *Valeur cotée en Bourse.*
- *La Bourse électronique Nasdaq.*

Le terme *Bourse* commande la majuscule même quand il est employé au pluriel.

- *La baisse des Bourses inquiète les épargnants.*

En ce sens, *Bourses* est synonyme de *marchés boursiers*.

bout de chou

Au pluriel : *bouts de chou*. On notera l'absence de traits d'union.

bout (en – de ligne)

La locution *en bout de ligne* est un calque de *at the end of the line*. Elle a le sens de *au bout du compte, en définitive, en fin de compte, finalement, tout compte fait, tout bien considéré*. On rencontre également chez nous la locution *en bout de piste*, qui a le même sens. Ces deux régionalismes familiers n'ajoutent rien aux expressions existantes.

- *Finalement, le directeur général du Canadien a jugé qu'il valait mieux rompre avec la tradition.*

bout (en – bout de piste)

Voir *bout (en – de ligne)*.

boutique

Ce mot prend une majuscule quand il fait indiscutablement partie du nom de l'établissement.

- *La Boutique du livre.*

Il prend une minuscule quand il est déterminé par un nom propre ou un équivalent.

- *La boutique Benetton.*
- *La boutique Le Petit Chaperon rouge.*

box-office

Ce mot anglais désigne la « cote de succès d'un film, d'un spectacle, etc., calculée d'après les recettes ». Les auteurs du Dictionnaire des anglicismes du Robert jugent avec raison cet anglicisme intraduisible. Au pluriel : *box-offices*.

Boxing Day

Beaucoup de gens n'aiment pas cette appellation anglaise qui décrit la « cohue du lendemain de Noël dans les magasins ». C'est sans doute pourquoi l'Association pour le soutien et l'usage du français (ASULF) mène, depuis quelques années déjà, une campagne afin de convaincre les commerces du Québec d'adopter une traduction. L'ASULF en propose d'ailleurs plusieurs : *soldes du lendemain de Noël, l'après-Noël, soldes d'après Noël, liquidation de Noël, braderie de Noël*, etc. Pour ma part, je dois avouer que *Boxing Day* ne m'agace pas. Aussi n'hésiterais-je pas à l'employer. Mais je veux bien qu'on lui substitue une appellation plus française.

boyau (d'arrosage)

Boyau d'arrosage, au sens de *tuyau d'arrosage*, est un archaïsme qu'on ne rencontre plus guère qu'au Canada.

Quant aux pompiers, ils ne se servent pas de *boyaux* pour lutter contre le feu mais de *lances d'incendie*. La peur peut cependant leur *tordre les boyaux*.

boycott

Le français a emprunté ce mot à l'anglais pour désigner la « rupture des relations avec un individu, un groupe ou un pays pour exercer des pressions sur lui ». On a francisé *boycott* en *boycottage*, mais les deux graphies sont acceptées.

- *Les syndiqués ont menacé de lancer une campagne de boycottage contre Molson.*

Boycott a engendré *boycotter*.

boycottage

Voir *boycott*.

brainstorming

La meilleure traduction de ce mot américain désignant un « échange libre d'idées sur une question » a été proposée par l'académicien Louis Armand ; il s'agit de *remue-méninges*. Peu usitée en France, cette expression invariable connaît un certain succès au Québec.

- *Rien de mieux qu'un remue-méninges pour trouver un bon slogan.*

branche

Ce mot est un anglicisme au sens de *division*.

brancher

On ne *connecte* pas un appareil sur une prise de courant, on le *branche*.

brasserie

Ce mot prend une majuscule quand il fait indiscutablement partie de la raison sociale de l'établissement.

- *La Brasserie olympique.*

Il prend une minuscule quand il est déterminé par un nom propre ou un équivalent.

- *La brasserie Bourget.*
- *La brasserie Le Verseau.*

breaker

Ce mot est un anglicisme au sens de *coupe-circuit* (au pluriel : *coupe-circuits*) ou de *disjoncteur*. Le *disjoncteur* interrompt le courant de tous les circuits d'une maison ou d'un immeuble, le *coupe-circuit* ne stoppe qu'un seul circuit.

bref d'élection

Cette locution est un anglicisme *(election brief)* au sens de *décret d'élections*.

breffage

Ce néologisme est une francisation du mot *briefing*, qu'on peut traduire, selon le contexte, par *réunion, rencontre* ou *séance d'information, exposé, séance d'instructions*, *conférence* ou *point de presse*.

Comme les équivalents français sont nombreux et précis, je ne vois pas vraiment l'intérêt de *breffage*, même s'il est bien constitué.

Voir aussi *briefer*.

bretelle

La « voie qui relie une autoroute à une autre route » est une *bretelle*, non une *rampe*.

breuvage

C'est sous l'influence du mot anglais *beverage* qu'au Canada on donne à ce mot le sens neutre de « liquide que l'on boit ». Lorsqu'une serveuse demande à la fin d'un repas : *Qu'allez-vous prendre comme breuvage ?* un francophone d'ailleurs risque d'être un peu surpris. Car, pour lui, le *breuvage* désigne un « liquide d'une nature spéciale et n'ayant pas très bon goût ». Il vaudrait mieux demander : *Thé, café ou tisane ?* La serveuse pourrait aussi dire : *Quelle boisson désirez-vous ?* Mais là, c'est l'interlocuteur canadien qui risque d'être confus. Car, pour lui, la *boisson* est indissociable de l'alcool. Or, *boisson* est un terme générique qui s'applique aussi bien aux liquides alcoolisés que non alcoolisés.

briefer

Les dictionnaires Petit Larousse et Petit Robert acceptent tous deux *briefer*, au sens de « renseigner par un bref exposé ». Ce verbe est formé à partir du mot anglais *briefing*, que l'on retrouve de plus en plus au sens de *réunion* ou *séance d'information* entre personnes devant accomplir une tâche commune. On trouve aussi parfois *briefing* au sens d'*exposé*, *instructions*, *synthèse* et parfois même de *conférence* ou *point de presse*.

briefing

Voir *breffage*.

bris

Bris de contrat est un calque de l'anglais *(breach of contract)*. On parlera plutôt de *rupture de contrat*. De la même façon, on parlera de *rupture de promesse* plutôt que de *bris de promesse*.

bris d'égalité

Au Québec, on appelle *bris d'égalité* le « jeu décisif d'une manche de tennis ». Il s'agit d'une traduction littérale de *tie break*. Pour ma part, je préfère l'expression française *jeu décisif*.

- *Kuerten a perdu le jeu décisif de la première manche, ce qui ne l'a pas empêché de battre Corretja en finale des Internationaux de France.*

briser (un record)

En français, on ne *brise* pas un record, on le *bat*.

brûlement d'estomac

Ce québécisme désigne une *brûlure d'estomac*.

brunch

Voir *dîner*.

bruncher

Voir *dîner*.

buanderie

Voir *nettoyeur*.

building

Dans la dernière édition de son dictionnaire, cette bonne vieille Académie française, dans l'espoir sans doute de se donner des airs de jeunesse, a accepté *building*, ce qui lui confère une certaine légitimité. Mais il faut reconnaître que l'Académie fait plutôt cavalier seul, *building* étant encore considéré comme un mot anglais dans la plupart des grands ouvrages, qu'il s'agisse du Petit Larousse, du Petit Robert, du Multidictionnaire ou du Grand Dictionnaire terminologique.

Il existe plusieurs termes français pour remplacer *building : édifice, ensemble, gratte-ciel, (vaste) immeuble, tour*, etc.

bulldozer

Ce mot américain désigne un « puissant engin de terrassement ». Il existe une recommandation officielle pour qu'on le traduise par *boutoir*, mais *bulldozer* est bien implanté dans l'usage.

bullying

Les médias parlent de plus en plus d'un phénomène que les Américains appellent le *bullying*. Ce terme est trop peu clair et sa graphie trop anglaise pour qu'on puisse l'employer en français. En outre, ce phénomène déborde largement l'Amérique. Les Japonais, qui le connaissent bien, lui ont donné le nom d'*ijime*.

De quoi s'agit-il au juste ? Le *bullying* fait partie d'un phénomène plus large qu'on peut appeler la *violence scolaire* ou la *violence à l'école*. Il s'agit d'une « pratique qui consiste à menacer, intimider, persécuter ou harceler d'autres élèves ». On traduit parfois *bullying* par *persécution* ou par *intimidation scolaire*. Ce sont des traductions intéressantes. Mais je préfère *harcèlement scolaire* (on peut dire également *harcèlement à l'école)*, qui s'ajoute tout naturellement à *harcèlement sexuel* et à *harcèlement professionnel*. Le terme *harcèlement* décrit d'ailleurs fort bien le caractère répétitif et harassant de cette pratique.

- *Un programme vise à contrer le harcèlement scolaire.*
- *La Cour suprême de Suède a rejeté la plainte d'une jeune femme victime de harcèlement à l'école.*

La *violence scolaire* englobe un autre phénomène, qu'on appelle chez nous le *taxage*. Ce néologisme est un dérivé d'un sens familier du verbe *taxer* : « extorquer quelque chose à quelqu'un par l'intimidation ou la violence ».

- *Les durs de la classe ont taxé leur souffre-douleur de 50 $.*

Pour ma part, je ne m'oppose pas à *taxage*, qui est bien constitué et largement répandu, mais je ne crois pas qu'il ajoute grand-chose au mot *extorsion*. Tout au plus précise-t-il qu'il s'agit d'une « extorsion à l'école ».

- *Un colloque sur le taxage et l'intimidation à l'école.*

bumper

La « procédure par laquelle un employé est délogé de son poste par un collègue, en vertu de l'ancienneté » se nomme la *supplantation*, terme qu'on préférera à *bumping*. On dira de la victime de la *supplantation* qu'elle est *délogée, évincée* ou *supplantée*, et non *bumpée*.

- *La supplantation a engendré un grand remue-ménage dans cet hôpital, où de nombreuses infirmières ont été supplantées.*

bumping

Voir *bumper.*

bungalow

Voir *maison (types de).*

bureau

Ce mot prend une majuscule lorsqu'il désigne un organisme national ou international unique.

- *Le Bureau d'assurance du Canada.*

Il prend une minuscule quand il désigne un organisme multiple.

- *Le bureau de crédit de Québec.*

Par ailleurs, l'expression *bureau-chef* est un anglicisme *(head office)*. On utilisera plutôt *siège social*. On appelle *bureau principal* ou *succursale principale* un « établissement qui n'est pas le *siège social* mais où s'exerce une autorité administrative locale ».

bureaux (espace à)

Voir *espace à bureaux.*

burn-out

Cette expression anglaise à la mode peut être traduite par *épuisement* ou *surmenage professionnel.*

business

Ce mot anglais est souvent employé par les Français et parfois par les Québécois pour désigner les *affaires*. Cet emprunt est inutile et sa graphie s'intègre mal à notre langue.

buteur

Voir *compteur.*

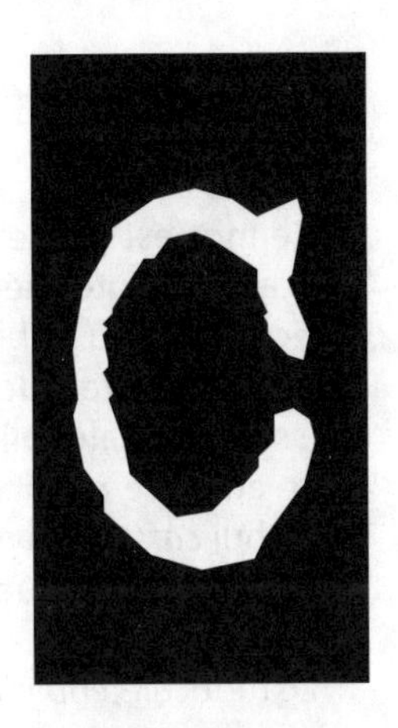

ça

Ça est une contraction familière de *cela*. Le mot s'est d'abord répandu dans la langue parlée, mais il gagne du terrain dans la langue écrite. En principe, *ça* ne s'élide pas.

- *Ça ira mieux.*

En pratique toutefois, l'usage est parfois hésitant lorsque *ça* est suivi de *a* ou d'un mot commençant par *a*. Doit-on dire, par exemple, *ça a marché* ou *ç'a marché ?* La seconde tournure est plus euphonique.

cabinet

Ce mot s'écrit avec une minuscule.

- *Le cabinet Charest.*

cabinet d'avocats

Voir *étude légale*.

câblage

Voir *filage*.

cadre

Mis en apposition, ce mot s'écrit avec un trait d'union et prend la marque du pluriel le cas échéant.

- *Des accords-cadres devront être conclus entre le gouvernement et les syndicats.*

café

Ce mot prend une majuscule s'il fait indiscutablement partie du nom de l'établissement.

- *Le Café chrétien.*
- *Le Café de la Paix.*

Il prend une minuscule quand il est suffisamment individualisé par un nom propre ou par un équivalent.

- *Le café Zorba.*
- *Le café Le Petit Château.*

Les mêmes remarques valent pour *café-théâtre, café-concert, café-restaurant, café-terrasse*, etc. Les deux éléments de ces composés prennent la marque du pluriel.

- *Les cafés-théâtres.*

cafétéria

Ce mot est passé de l'espagnol au français par l'intermédiaire de l'anglais. Il décrit un « lieu public où l'on sert des repas sommaires, des sandwichs, des boissons non alcoolisées, le plus souvent en libre-service ». On écrit aujourd'hui *cafétéria* avec des accents. Le mot prend la marque du pluriel, le cas échéant.

Le mot *cafétéria* n'a pas tout à fait le même sens que le mot *cantine*, qui désigne plus précisément un « lieu où l'on sert des repas pour les membres d'une collectivité ».

- *La cantine de l'école (de l'entreprise).*

caisse

Lorsque ce mot désigne un organisme unique, il prend une majuscule.

- *La Caisse populaire des fonctionnaires du Québec.*

Dans les autres cas, la minuscule est préférable.

- *La caisse populaire Belvédère.*

caisse de retraite

Voir *fonds de pension*.

cake

Les Français ont emprunté ce mot aux Anglais pour désigner ce que nous appelons chez nous un *gâteau aux raisins* ou *aux fruits*.

calculer

Ce verbe est un anglicisme au sens de *compter*, *projeter de*. On peut *calculer* ses revenus de façon à pouvoir prendre sa retraite à 55 ans. Mais on ne *calcule* pas prendre sa retraite à 55 ans, on *compte* le faire, on *projette de* le faire.

Calculer est également un anglicisme au sens de *croire*, *estimer*, *penser*. On ne dira pas, par exemple, qu'on *calcule* avoir fait une erreur, mais qu'on *estime* avoir fait une erreur.

call-girl

Ce mot anglais décrit une « prostituée qui travaille de façon indépendante et qu'on peut joindre à domicile ». Au pluriel : *call-girls*.

caméra

Ce mot est un anglicisme au sens d'*appareil photo* (au pluriel : *appareils photo*). Et le fait que certains appareils soient aujourd'hui numériques ne change rien à l'affaire. Le mot *caméra* existe en français, mais il a le sens d' « appareil de prise de vues pour le cinéma, la télé ou la vidéo ». L'anglais, pour sa part, appelle *cine-camera* l'appareil cinématographique. Le composé *ciné-caméra* est en français un anglicisme au sens de *caméra*.

On notera que l'emploi de *caméra* au sens d'*appareil photographique* tend à se répandre, même en France, ce qui ne paraît pas souhaitable, car le français y perdrait une nuance importante.

caméraman

Ce mot emprunté à l'américain désigne un « opérateur de prise de vues de cinéma ou de télévision ». On le rencontre tantôt avec une graphie française (*caméraman*, *caméramans*), tantôt avec une graphie anglaise (*cameraman*, *cameramen*). Dans un cas comme dans l'autre, son emploi reste critiqué. Il existe une recommandation officielle pour traduire *caméraman* par *cadreur*, terme qu'on retrouve au générique de certains films et qui passe peu à peu dans l'usage.

Sur un plateau de tournage, le *directeur de la photographie*, qu'on appelle aussi parfois le *chef-opérateur*, dirige l'équipe de prises de vues et les électriciens. Il peut arriver qu'il manipule lui-même la caméra. Mais il arrive aussi qu'il confie cette tâche à un *cadreur*.

camp

La locution *camp d'entraînement* est un calque de *training camp*. On dira plutôt *période d'entraînement*.

Certains auteurs, notamment Colpron et Dagenais, considèrent la locution *camp de vacances* comme un anglicisme, qu'on devrait remplacer par *colonie de vacances*. Mais comme on trouve *camp de vacances* dans le Petit Robert, le Multidictionnaire et le Grand Dictionnaire de l'OLF, on peut trouver cette condamnation un peu excessive.

Camp est en revanche, incontestablement, un anglicisme au sens de *chalet*, *maison de campagne*.

camper

Voir *camping*.

camping

Le français a emprunté ce mot à l'anglais pour désigner à la fois un « genre d'activité consistant à séjourner sous la tente » et un « terrain aménagé pour les campeurs ». Certains auteurs ont bien tenté de remplacer *camping* par *campisme*, mais sans grand succès, jusqu'ici du moins.

Les Français appellent *camping-car* et les Québécois *camper* un « véhicule aménagé pour le camping ». Il existe une recommandation officielle pour remplacer l'un et l'autre par *autocaravane*.

campus

Le français a emprunté ce mot à l'américain pour désigner le « terrain et les bâtiments d'une université ou d'un collège ». Ce mot que les Américains ont emprunté au latin s'intègre bien au français. Au Québec, on emploie parfois l'expression *cité universitaire* pour décrire la même réalité.

canadien

On écrit un *Canadien anglais*, un *Canadien français*. Lorsque ces composés sont employés comme adjectifs, ils prennent une minuscule et un trait d'union.

- *La mentalité canadienne-anglaise est différente de la mentalité canadienne-française.*

canal

Ce mot est un anglicisme au sens de *chaîne de télévision*.

- *Cette émission sera diffusée par la deuxième chaîne.*

cancellation

Voir *canceller*.

canceller

Le verbe *to cancel* a engendré en franglais *canceller*, terme qui a donné naissance à de nombreux anglicismes, tous inutiles. Au lieu de *canceller*, on dira qu'on *annule* un rendez-vous, qu'on *contremande* un spectacle, qu'on *décommande* un taxi, qu'on *lève* une hypothèque, qu'on *résilie* un contrat, qu'on *révoque* un testament, qu'on *supprime* un train, etc.

Certains se portent à la défense de *canceller* en soutenant qu'il s'agit d'un archaïsme plutôt que d'un anglicisme. Mais l'un n'empêche pas l'autre. Il est vrai que l'anglais a emprunté le verbe *cancel* au vieux français. Mais ce mot a depuis longtemps disparu partout dans la francophonie, sauf chez nous, où il est demeuré vivace à cause de son faux ami anglais. Il s'agit donc d'un anglicisme.

Soit dit en passant, *cancellation* a suivi le même chemin. C'est pourquoi son emploi au sens d'*annulation* constitue également un anglicisme.

canoë

Au pluriel : *canoës.*

cantine

Voir *cafétéria.*

cap

Ce mot prend une minuscule s'il désigne un toponyme naturel.

- *Le cap Tourmente.*

Il prend une majuscule et un trait d'union s'il désigne un toponyme administratif.

- *La réserve faunique du Cap-Tourmente.*

capacité

Ce mot est un anglicisme au sens de *charge utile.*

- *La charge utile de l'ascenseur est de 1000 kilos.*

capacité (en ma)

Cette expression est un calque de *in my capacity*. On la remplacera par *en ma qualité.*

capacité (rempli à)

La locution *rempli à capacité* est un calque de *to capacity*, qu'on rendra en français par *bondé, comble.*

- *L'autobus était bondé.*

capita (per)

Voir *per capita.*

capital politique

La locution *se faire du capital politique* est un calque de *to make political capital.* On peut facilement la remplacer par *exploiter à des fins politiques, favoriser ses intérêts politiques, se gagner des avantages* ou *des faveurs politiques.*

- *On accuse le ministre Dingwall d'avoir présenté le projet de loi antitabac pour favoriser ses intérêts politiques.*
- *Le premier ministre Chrétien compte exploiter à des fins politiques l'entente sur la main-d'œuvre.*

capitation

Ce mot désigne en français une forme d'impôt aujourd'hui disparue. Sous l'influence de l'anglais, le terme est réapparu au Québec, dans le vocabulaire de la santé, où l'on étudie un nouveau mode de rémunération (des médecins, des infirmières, etc.) en fonction du nombre de patients traités. Au lieu de parler de *rémunération par capitation*, il vaudrait mieux parler de *rémunération par patient.*

Et quand le mode de financement projeté touche des institutions et non des personnes, il conviendrait de parler de *dotation par patient*. Le mot *dotation* désigne en effet les « fonds assignés à un service ou à un établissement d'utilité publique ».

car

Il est préférable de faire précéder la conjonction *car* d'une virgule, mais la chose n'est pas obligatoire. Cet usage est d'ailleurs en train de se perdre.

caractère

Au pluriel, ce mot est un anglicisme au sens de *personnages* (d'une pièce de théâtre, d'une émission, d'un film, etc.).

caravanage

Voir *caravaning*.

caravane

Voir *roulotte*.

caravanier, ère

Voir *caravaning*.

caravaning

Le français a emprunté ce mot à l'anglais pour désigner le « tourisme en caravane ». Il existe une recommandation officielle, *caravanage*, pour le remplacer, mais elle ne s'est pas encore imposée. Quant aux adeptes du *caravanage*, ce sont des *caravaniers* et des *caravanières*.

cardio(-)vasculaire

L'usage est hésitant quant à l'emploi du trait d'union. Je conseille son absence.

- *Les maladies cardiovasculaires.*

carnaval

Ce mot prend une majuscule quand il désigne une manifestation unique en son genre.

- *Le Carnaval de Québec.*
- *Le Carnaval de Rio.*

carpette

Le français a emprunté ce mot à l'anglais (*carpet*), qui lui-même l'avait emprunté à l'ancien français (*carpite*), pour désigner un « petit tapis ».

carport

On traduit ce mot anglais par *abri d'auto*.

carré

Ce mot est un anglicisme au sens de *place* ou de *square*. Une *place* est un « espace découvert, généralement assez vaste, et sur lequel débouchent plusieurs voies de circulation ».

- *La place d'Armes.*

Quant au *square*, c'est un « petit jardin public, généralement situé sur une place ».

- *Le square Victoria.*

carte d'affaires

Cette locution est un calque de *business card*. En français, on parlera plutôt de *carte (professionnelle)*.

- *Voici ma carte.*

carte-soleil

Ce composé désigne au Québec la « carte donnant accès à l'assurance maladie ».

carton

Ce mot est un anglicisme au sens de *cartouche* de cigarettes, de *pochette* d'allumettes, de *panier* de boissons gazeuses.

cas (c'est un)

L'expression *c'est un cas*, en parlant d'une personne, est un anglicisme au sens de *c'est un original, un phénomène.*

cascade (en)

La locution *en cascade*, qui signifie « par rebondissements successifs », s'écrit au singulier.

case load

Cet anglicisme du vocabulaire de la santé et des services sociaux désigne le « nombre de malades, de patients ou de cas confiés à un intervenant » . On peut le traduire par *nombre* ou *volume de cas.*

- *Je ne peux pas la recevoir. J'ai trop de cas en ce moment.*

caserne

Plusieurs dictionnaires ne donnent à ce mot que le sens de « bâtiment militaire » ou de « bâtiment peu avenant ». Mais le Petit Robert emploie aussi *caserne* pour désigner le « lieu de rassemblement des pompiers ».

Cet emploi est considéré comme vieilli en France, mais pas chez nous. L'usage moderne favorise toutefois le terme *poste.*

- *Des lances d'incendie ont été percées dans certains postes de pompiers.*

cash

On retrouve ce mot anglais dans plusieurs expressions : *payer cash, avoir du cash, manquer de cash, vouloir du cash, payer au cash.* Tous ces anglicismes sont inutiles, car ils ont des équivalents bien français.

- *Payer comptant.*
- *Avoir du liquide.*
- *Manquer de liquide.*
- *Vouloir être payé en argent liquide, en espèces.*
- *Payer à la caisse.*

cash and carry

Le français a emprunté cette expression à l'américain pour désigner un « libre-service où le client doit payer comptant et emporter la marchandise ». Il existe une recommandation officielle pour traduire ces mots anglais qui s'intègrent mal au français par *payer-prendre.* On rencontre aussi *payer-emporter.*

cash-flow

Le français a emprunté cette expression à l'américain pour désigner la « capacité globale d'autofinancement d'une entreprise ». Il existe un équivalent français, *marge brute d'autofinancement.* L'expression est un peu longue, il est vrai, mais on peut l'abréger en *MBA.*

casier

Ce mot désigne l'« ensemble des cases ». Il constitue une impropriété au sens de *case* ou de *boîte postale.*

Casque bleu

Majuscule à *Casque* mais pas à *bleu.*

casse-croûte

Voir *bar.*

casser

Ce verbe a subi l'influence de son double anglais *to break*. Dans notre langue, au lieu de *casser*, on *entame* un billet de 20 $, on *gâche* un plaisir, on *parle* une langue *avec un accent*, on *résilie* un bail, on *rompt* ses fiançailles, on *viole* une promesse.

Par ailleurs, le participe passé *cassé* est un anglicisme au sens de *désargenté, fauché, sans le sou, sans un rond*.

casserole

L'expression *casserole* (de poulet, de veau, etc.) est un calque de l'anglais (*chicken casserole*, etc.). En français, on emploiera plutôt la locution *à la casserole* pour désigner un « plat préparé dans une casserole ».

- *Vous m'apporterez le veau à la casserole.*

Lorsqu'un mets préparé *à la casserole* est recouvert de chapelure ou de fromage et forme une croûte légère, on le qualifie de *gratin*.

- *Le gratin dauphinois est composé de pommes de terre et de lait.*

casting

Ce mot anglais tenace, fort répandu dans les milieux du cinéma et de la télévision, est peu utile, car le français dispose déjà du terme *distribution (artistique)*.

- *Ce long métrage réunit une distribution prestigieuse.*

catch

Les Français ont emprunté le mot *catch* à l'anglais pour désigner une « forme de lutte très libre pratiquée par des professionnels ». *Catch* a engendré les dérivés *catcher*, *catcheur* et *catcheuse*. Au Québec, on parle tout simplement de *lutte*, de *lutter*, de *lutteur* et de *lutteuse*.

catcher

Voir *catch*.

catcheur, se

Voir *catch*.

cathédrale

Ce mot prend une minuscule.

- *La cathédrale Notre-Dame.*

caucus

Au Canada, on emploie ce mot américain pour désigner l'« ensemble des députés d'un parti », la « réunion de ses députés » ou encore la « réunion préparatoire d'un groupe quelconque ». *Caucus* peut être remplacé par *aile parlementaire* pour désigner l'« ensemble des députés d'un parti ».

Caucus est inusité ailleurs dans la francophonie.

CB

Voir *bande publique*.

CD

Voir *compact*.

ceci

Voir *cela*.

cédez

Cédez, dans le vocabulaire routier, est un calque de *yield*. Il serait plus français de parler de *priorité* (à gauche ou à droite, selon le cas).

cédule

Ce mot est un anglicisme *(schedule)* au sens de *calendrier, horaire* ou *programme.*

- *Le calendrier de la saison de hockey.*
- *L'horaire des autocars.*
- *Le programme du congrès.*

céduler

Ce verbe est un anglicisme *(to schedule)* au sens de *mettre à l'horaire, prévoir, programmer.*

cégep

Ce québécisme qualifie un « établissement scolaire d'importance locale ou régionale et de niveau collégial ». On l'écrira avec une minuscule lorsqu'il est individualisé par un nom propre de personne ou de lieu.

- *Le cégep Édouard-Montpetit.*
- *Le cégep de Limoilou.*

cégépien, ne

L'« élève qui poursuit des études dans un cégep » est un *cégépien* ou une *cégépienne.* Bien sûr, on peut aussi parler de *collégien* ou de *collégienne.*

Voir aussi *étudiant,e.*

cela

Ceci désigne une chose qu'on va énoncer, *cela* une chose déjà énoncée. Sous l'influence de l'anglais, qui emploie *this* là où le français emploie *cela*, on confond souvent ces deux pronoms démonstratifs. Par exemple, lorsqu'on veut rappeler ce qui vient d'être dit, c'est *cela* et non *ceci* qu'il convient d'employer.

- *Cela dit, je partage votre point de vue.*

cellophane

Contrairement à un usage assez répandu au Canada, ce mot est féminin.

cellulaire

Chez nous, l'usage a effectivement choisi *cellulaire* au sens de *téléphone cellulaire* et l'OLF a entériné ce choix. L'Encyclopédie Larousse souligne d'ailleurs qu'au Québec on emploie *cellulaire* au sens de *téléphone portable* ou de *portable,* termes qu'on utilise généralement dans le reste de la francophonie. L'usage du substantif *cellulaire* y est inconnu, mais pas celui de la locution *téléphone cellulaire,* qu'on rencontre assez souvent dans la presse française.

Par ailleurs, la locution *téléphone sans fil* n'est pas un véritable synonyme de *téléphone portable.* On l'emploie généralement pour désigner les appareils sans fil avec lesquels on peut se déplacer dans une maison.

censeure

Féminin de *censeur.*

centre

Ce mot prend une majuscule lorsqu'il désigne un organisme national ou international unique.

- *Le Centre de recherche industrielle.*
- *Le Centre des dirigeants d'entreprise.*

Il prend une minuscule quand il qualifie un organisme multiple.

- *Les centres de main-d'œuvre du Canada.*

centre commercial

Voir *centre d'achats.*

centre d'accueil

L'OLF définit le centre d'accueil comme un « établissement destiné à recevoir des personnes qui ont besoin d'être traitées ou gardées en résidence protégée ».

centre d'achat(s)

Le Petit Robert mentionne qu'au Québec on utilise cette expression pour traduire *shopping center*. L'OLF recommande plutôt *centre commercial*. Ce dernier avis paraît d'autant plus justifié que l'expression *centre d'achats* désigne déjà en français un « bureau central responsable des achats ».

- *Les chaînes de cinéma s'établissent de plus en plus dans les centres commerciaux.*

centre de détention

Ce mot s'écrit avec une minuscule lorsqu'il est suffisamment individualisé par un nom propre de personne ou de lieu.

- *Le centre de détention de Québec.*

centre-ville

Ce mot s'écrit avec des minuscules. Au pluriel : *centres-villes*.

cercles d'affaires

Le mot *cercle* peut avoir en français le sens de « groupement de personnes ». On parlera, par exemple, d'un *cercle d'études*. Mais c'est sous l'influence de l'anglais qu'on l'utilise au pluriel dans les expressions *cercles d'affaires (business circles)* et *cercles politiques (political circles)*. On parlera plutôt des *milieux d'affaires* et des *milieux politiques*.

cercles politiques

Voir *cercles d'affaires*.

certificat

Ce mot est un anglicisme au sens d'*acte* de naissance, d'*extrait* de baptême.

César

Voir *récompenses (noms de)*.

C'est quoi ?

Il y a une façon très facile de savoir si un film a été doublé au Québec : il suffit de compter le nombre de *c'est quoi* dans les phrases interrogatives. Si l'on arrive à cinq en moins de cinq minutes, c'est que l'œuvre a été traduite chez nous. Nos comédiens-traducteurs semblent ignorer qu'on peut rendre *what's* par *quel est, qu'est-ce qui, qu'est-ce que*, etc., et non seulement par *c'est quoi*.

On pourrait traduire, par exemple, *what's the problem ?* par *quel est le problème ?, y a-t-il un problème ?, il y a un pépin ?, qu'est-ce qui ne va pas ?, quelque chose ne va pas ?, qu'est-ce qui cloche ?*, etc.

chaîne (en)

Pas de *s* à *chaîne*.

- *Une réaction en chaîne.*

challenge

Ce mot que l'anglais avait emprunté à l'ancien français (*chalenge*) est revenu dans notre langue au sens de « défi sportif ».

- *Le challenge Bell de tennis.*

On trouve aussi *challenge* au figuré comme synonyme de *défi, entreprise difficile*. La lointaine origine française du mot devrait contribuer à le faire accepter dans notre langue.

Challenge a engendré *challenger*. On trouve parfois la graphie française *challengeur*, qui est d'ailleurs préférable.

challengeur

Voir *challenge*.

chambre

Ce mot est un anglicisme au sens de *bureau, local, salle*.

- *Ce cabinet juridique est situé au complexe Guy-Favreau, bureau 2500.*

chambre de bain

Cette locution est un anglicisme *(bathroom)* au sens de *salle de bains*.

chambre de commerce

Lorsque ce mot désigne un organisme national unique, il prend une majuscule.

- *La Chambre de commerce du Québec.*

Dans les autres cas, la minuscule est préférable.

- *La chambre de commerce de Laval.*

Chambre des communes

On ne mettra une majuscule à *communes* que si l'on fait l'ellipse de *Chambre*.

- *Les Communes.*

On peut également faire l'ellipse de *communes* et dire *la Chambre*.

chambre des joueurs

Cette expression est un calque de *players' room*. On dira plutôt *vestiaire*.

- *Après la défaite, les reporters ont dû attendre un long moment avant qu'on ne leur ouvre la porte du vestiaire du Canadien.*

chambre des maîtres

Cette locution est un anglicisme *(master bedroom)* au sens de *chambre principale*.

chambre forte

Le « lieu où les banques gardent précieusement leurs valeurs » est une *chambre forte*, non une *voûte*.

chambre (simple, double)

Les expressions *chambre simple* ou *double* sont des calques de *single* ou *double bedroom*. En français, on parlera plutôt de *chambres à une* ou *à deux personnes*.

- *Je voudrais réserver une chambre à deux personnes.*

champ (dans le)

L'expression *dans le champ* n'est pas française, c'est un calque de *in the field*. On dira plutôt *sur place* ou *sur le terrain*.

- *Les fonctionnaires prendront de meilleures décisions sur le terrain que dans leurs bureaux.*

chance

On confond parfois *chance* et *risque*. Un fumeur, par exemple, court plus de *risques* (et non de *chances*) de mourir d'un cancer du poumon qu'un non-fumeur. À l'inverse, on court davantage la *chance* (et non le *risque*) d'avoir du beau temps en voyageant l'été.

Par ailleurs, *prendre des chances* est un calque de *to take chances*. En français, on dira plutôt *courir* ou *prendre des risques*.

change

Ce mot désigne correctement l'« action d'échanger des monnaies ».

- *Je suis passé au bureau de change pour convertir en dollars les euros qui me restaient.*

Change constitue en revanche un anglicisme au sens de *monnaie* ou de *menue monnaie.*

- *Pouvez-vous me rendre la monnaie, s'il vous plaît ?*
- *Désolé, je n'ai plus de menue monnaie.*

Notons au passage que le mot *change* est au singulier dans la locution *bureau de change.*

changement d'huile

Cette expression est un calque de *oil change*. Le mot juste est *vidange. Lubrification* est également un calque (*lubrication*) au sens de *graissage.*

- *Vous ferez la vidange et le graissage, s'il vous plaît.*

Bien sûr, *changer l'huile* et *lubrifier* sont aussi des anglicismes. On dira *vidanger* et *graisser.*

changer (pour le mieux, le pire)

Les expressions *changer pour le mieux* et *changer pour le pire* sont des calques de *to change for the better* et de *to change for the worse*. En français correct, on dira *changer en mieux* ou *en pire*. On peut aussi *s'améliorer* ou *empirer.*

changeur

La « personne préposée à un guichet » se nomme *guichetier* (fém. : *guichetière*), et non *changeur*, comme s'entête à l'appeler la Société de transport de Montréal.

Cependant, le terme *changeur* désigne correctement en français une « personne qui effectue des opérations de change ».

- *La création de l'euro a facilité le travail des changeurs.*

chanson (pour une)

L'expression *pour une chanson*, qui signifie « pour un prix dérisoire », est un calque de *for a song*. En français soigné, on dira plutôt *pour une bouchée de pain.*

chanson-thème

Ce composé est un calque répandu de *theme song*. Les usagers que son origine anglaise agacent pourront lui substituer *chanson* ou *mélodie (principale)* d'un film ou d'une comédie musicale. On peut aussi employer le mot *leitmotiv* pour désigner « une chanson ou un fragment musical qui marque un état d'âme ou accompagne un personnage ».

- *Patricia Kaas est l'interprète de* Piano-Bar, *la chanson du film* Toute une vie, *de Claude Lelouch.*

Il ne faut pas confondre la *chanson-thème* et l'*indicatif musical* d'une émission de radio ou de télévision.

- *La Semaine verte a un très bel indicatif musical.*

chapelière

L'emploi de ce mot pour désigner une personne qui produit des chapeaux de femmes n'est pas incorrect. Il existe, il est vrai, un mot *(modiste)* qui désigne une « personne qui fabrique ou vend des chapeaux de femmes ». Mais le terme *chapelier, ère* peut s'appliquer à toute « personne qui fabrique ou vend des chapeaux ».

chapelle

Ce mot s'écrit généralement avec une minuscule.

- *La chapelle du Bon-Pasteur.*

chapitre

Ce mot désigne une « assemblée de religieux ». Il constitue un anglicisme au sens de *section* d'une association, de *groupe* ou de *bande.*

- *La section montréalaise du Congrès juif du Canada.*
- *La bande de Saint-Nicolas des Hells Angels.*

Quel que soit le sens qu'on lui donne, le *i* de *chapitre* ne s'écrit jamais avec un accent circonflexe.

chaque

Chez nous, l'emploi de *chaque* en fin de phrase, à la place de *chacun*, est considéré comme un anglicisme. C'est ainsi qu'une phrase comme *les brocolis coûtent deux dollars chaque* est jugée fautive.

En France, on trouve le même usage, sans qu'il soit pour autant taxé de calque de l'anglais. On estime plutôt qu'il s'agit d'une tournure familière. Mais en français soigné, comme le rappelle Hanse, il convient plutôt d'employer *chacun.*

- *Les brocolis coûtent deux dollars chacun.*

Enfin, soulignons que *chaque* ne s'emploie que devant un nom singulier. On ne dira pas, par exemple, *chaque deux semaines*, mais *toutes les deux semaines.*

char

Ce mot est un anglicisme au sens de *voiture, auto* ou *automobile.*

charge

Ce mot est un anglicisme au sens de *frais* ou de *prix.*

- *Il faut ajouter au prix de cet article des frais de trois dollars pour l'expédition.*
- *Un supplément est exigé pour excédent de bagages.*

Charge est également un anglicisme au sens de *chef d'accusation.*

- *Il subira son procès sous trois chefs d'accusation.*

charge (être en)

L'expression *être en charge* est une tournure anglaise. En français, on dira plutôt *chargé de, être responsable de, préposé à* quelque chose.

- *C'est le ministre des Transports qui est responsable de la réalisation de ce projet.*

charge (personne en)

L'expression *la personne en charge* est un calque de *the person in charge.* Le français emploie, selon le contexte, les mots *directeur, préposé, responsable.*

- *J'aimerais parler au directeur. Est-ce possible ?*

charge (prendre)

L'expression *prendre charge de* est un calque de *to take charge of.* On dira plutôt *prendre à sa charge, prendre en charge* ou *se charger de.*

- *Comptez sur moi, je m'en chargerai.*

charge renversée

Cette expression est un calque de *reversed charge.* Au Canada, on la traduit par *à frais virés.*

- *Un appel à frais virés.*

En France, on emploie plutôt *PCV (payable contre vérification)*.

- *Appeler en PCV.*

Bien entendu, si l'on veut être compris chez nous, il vaut mieux employer la locution locale.

charger

En français, ce mot n'a pas le sens de *compter, débiter, demander, exiger, facturer, mettre au compte, porter au compte*. Ce sont des anglicismes.

- *La banque a débité mon compte.*
- *Le plombier demande 75 $ pour ce travail.*
- *Des frais de distribution sont exigés des clients.*
- *J'ai fait porter ces achats à mon compte.*

La question « *pour payer ou charger ?* » est une traduction littérale de « *to pay or charge ?* ». Elle se traduit par « *comptant ou crédit ?* ».

chargeuse

Voir *loader*.

charisme

On dit aujourd'hui d'une personnalité qui exerce une fascination qu'elle a du *charisme* ou qu'elle est *charismatique*.

- *Ce ministre manque de charisme. Cela risque de nuire à ses ambitions.*

charismatique

Voir *charisme*.

charnière

Mis en apposition, ce mot s'écrit généralement sans trait d'union et prend, le cas échéant, la marque du pluriel.

- *Des années charnières.*

charter

Ce mot anglais a pour équivalent français *avion nolisé*. Les Français l'emploient aussi à l'occasion en apposition : *train charter, autocar charter*. Il vaudrait mieux parler de *train* ou d'*autocar nolisé*.

chat

L'anglais utilise le mot *chat* pour désigner une « conversation écrite et interactive entre internautes, par clavier interposé ». Ce terme s'intègre mal au français, ne serait-ce que parce qu'il s'agit d'un homonyme d'un mot désignant déjà un animal familier particulièrement populaire. On a donc cherché des traductions. L'OLF a proposé *bavardage-clavier*, terme un peu longuet, *cyberbavardage* et, mieux encore, *clavardage*. De son côté, la Commission générale de terminologie et de néologie de France a suggéré *causette*. Je préfère, pour ma part, *clavardage*, qui fait davantage nouvelle technologie. Mais une fois de plus, on peut déplorer que deux organismes voués à la modernisation du français ne soient pas parvenus à s'entendre sur un seul et même terme.

Clavardage a engendré *clavarder, clavardeur* et *clavardeuse*.

- *Cyberpresse invite les internautes à venir clavarder avec une vedette de la chanson. Le clavardage aura lieu mercredi.*

Quant à la locution *hot chat*, on peut la traduire par *drague électronique* ou par *bavardrague*.

chat (le – est sorti du sac)

La locution *le chat est sorti du sac* nous vient de l'anglais. Le français dispose de quelques expressions pour rendre la même idée.

- *On a découvert le pot aux roses.*
- *La mèche est éventée.*

chauffe

Comme premier élément de substantifs composés, *chauffe* ne prend pas la marque du pluriel.

- *Des chauffe-assiettes.*

chauffeur, se

On appelle *chauffeur* (fém. : *chauffeuse*) une « personne dont le métier consiste à conduire un véhicule ».

- *Un chauffeur d'autobus.*

Quant à *conducteur* (fém. : *conductrice*), c'est un terme générique qui désigne « toute personne conduisant un véhicule ».

check-list

Le français a d'abord emprunté ce mot à l'américain pour décrire la « liste de contrôle des appareils avant le décollage ou l'atterrissage d'un avion ». Par extension, le mot désigne maintenant toute *liste de contrôle*. Il existe une recommandation officielle pour traduire *check-list* par *liste de vérification*. On peut aussi parler de *liste de contrôle*.

check out

Le Grand Dictionnaire terminologique traduit *to check out* par *régler la note*. Il donne aussi comme synonymes *libérer la chambre, quitter la chambre* ou *quitter l'hôtel*. Ce sont de bonnes traductions. Ajoutons qu'on ne peut traduire directement *checkout time*. On rendra, par exemple, *the checkout time is at 11 a.m.* par *les chambres doivent être libérées avant 11 heures.*

check-up

Ce mot est un anglicisme au sens de *vérification, inspection* d'un objet (appareil, automobile, etc.). Pour les personnes, voir *examen médical*.

cheer leader

L'OLF propose *meneuse de claque* ou *de ban*. À vous de juger si ces traductions désignent adéquatement la « jeune fille en minijupe qui encourage son équipe et suscite les cris des supporters pendant les matchs de basket ou de football ». L'Office propose aussi *meneur de ban*, mais on voit mal l'utilité du masculin dans ce cas précis.

cheeseburger

Ce mot américain désigne un « hamburger au fromage ». Il n'existe pas de traduction valable.

chefferie

Ce mot désigne un « territoire sous l'autorité d'un chef de tribu », non la direction d'un parti politique. Les candidats qui participent à une *course à l'investiture* n'aspirent pas à la *chefferie*, mais à la *direction* ou à l'*investiture* de leur parti. Quant aux congrès où sont choisis les chefs de parti, il s'agit de *congrès de direction* ou *d'investiture*, non de *congrès à la chefferie*.

chef-opérateur

Voir *caméraman*.

cheftaine

Le français a emprunté ce mot à l'anglais pour désigner une « jeune fille ou une jeune femme responsable d'un groupe » dans le vocabulaire du scoutisme. Le mot est bien constitué et bien francisé.

chelem

Ce mot est une adaptation du mot anglais *slam*. Il a d'abord désigné la « réunion de toutes les levées dans un même camp, au bridge ou au whist ». Par extension, on l'emploie aujourd'hui avec l'adjectif *grand* pour désigner un exploit sportif. Ainsi au tennis, le *Grand Chelem* décrit l'« exploit d'un joueur ou d'une joueuse qui remporte les quatre principaux tournois au cours d'une même année ». Ces quatre tournois s'appellent d'ailleurs les tournois du Grand Chelem.

- *Capriati a perdu tout espoir de réaliser le Grand Chelem en perdant à Wimbledon.*

cheval-vapeur

Au pluriel : *chevaux-vapeur.*

chewing-gum

Les Français emploient ce mot américain pour désigner notre *gomme à mâcher.*

chez

Chez ne s'écrit avec un trait d'union que lorsqu'il forme un composé désignant un domicile.

- *Voici mon chez-moi.*
- *Notre chez-nous est modeste.*

Lorsque *chez* introduit un complément circonstanciel, il ne prend pas de trait d'union.

- *Nous irons chez toi après le spectacle.*

chic

Cet adjectif est toujours invariable en genre, mais l'accord en nombre tend à se généraliser.

- *Des endroits chics.*

chien

Toutes les races de chien s'écrivent avec une minuscule.

- *Un airedale, un braque, un saint-bernard, un setter,* etc.

chimie

Les anglophones emploient le mot *chemistry* au figuré pour décrire un « groupe dont les éléments fonctionnent très bien ensemble ». Les francophones donnent parfois à *chimie* un sens vaguement semblable. C'est ainsi qu'on parlera, par exemple, de *la merveilleuse chimie de l'amour*. Cela dit, le français recourt habituellement à d'autres termes ou locutions pour décrire le bon fonctionnement d'un groupe. Ainsi, on dira d'une équipe qu'elle *travaille en synergie*, que *le courant passe*, qu'elle *est bien soudée* ou *étroitement unie*. On peut aussi parler de *l'esprit de corps* d'une équipe ou, tout simplement, de son *esprit d'équipe.*

- *L'esprit d'équipe est actuellement à son zénith chez le Canadien.*

chiffres

Les tranches de trois chiffres sont séparées par une espace insécable et non par une virgule *(1 000 000)*. Les chiffres inférieurs à 10 000 s'écrivent toutefois sans espace.

La virgule est utilisée à la place du point pour séparer le nombre entier de la décimale.

- *22,5 km, 14,47 %.*

Les chiffres inférieurs à 10 s'écrivent en lettres.

On écrit *1er, 1ers, 2e* (et non *2ième*), *2es*.

chips

Ce mot anglais désigne des « pommes de terre frites en fines rondelles ». L'OLF a proposé de le remplacer par *croustilles*, une recommandation qui gagne peu à peu du terrain.

chiquer la guenille

Cette expression québécoise est calquée sur l'expression anglaise *to chew the rag*. Elle est inconnue dans le reste de la francophonie, où l'on emploie plutôt le verbe *ronchonner*.

- *Depuis qu'on lui a refusé ce poste, il n'arrête pas de ronchonner.*

chiropracteur

Ce mot est une francisation de l'américain *chiropractor*. Au Canada, on parle plutôt de *chiropraticien, ne*.

Pour ce qui est du traitement, les Français hésitent entre *chiropractie* et *chiropraxie*. Au Canada, on parle plutôt de *chiropratique*.

chiropractie

Voir *chiropracteur*.

chiropraticien

Voir *chiropracteur*.

chiropratique

Voir *chiropracteur*.

choc

Mis en apposition, *choc* s'écrit généralement avec un trait d'union et prend la marque du pluriel.

- *Des déclarations-chocs.*

Par ailleurs, le sens médical du mot *choc* vient de l'anglais *shock* : *choc nerveux, choc opératoire*. Ce sens est passé dans l'usage. Il n'en va pas de même de *choqué* au sens de « qui a subi un choc », dont l'emploi reste critiqué.

choix (avoir deux)

On ne peut employer l'expression *avoir deux choix*. Il faut plutôt dire qu'on *a le choix* entre deux possibilités. On pourrait aussi dire qu'on *est devant une alternative*. Dans ce dernier cas, c'est également le singulier qui s'impose, car une *alternative* implique deux possibilités.

- *Il n'avait d'autre alternative que de se soumettre ou de démissionner.*

chou (bout de)

Voir *bout de chou*.

chum

Voir *époux*.

chute

Ce mot s'écrit avec une minuscule.

- *La chute Montmorency.*
- *Les chutes du Niagara.*

Par ailleurs, le « conduit dans lequel on fait glisser le courrier, le linge sale ou les ordures ménagères » n'est pas une *chute*, mais une *descente*.

- *La descente d'ordures est au bout du couloir.*

cible

Ce mot ne prend pas de trait d'union lorsqu'il est mis en apposition.

- *Des utilisateurs cibles.*

cidre

Le *cidre* est une « boisson obtenue par fermentation alcoolique du jus de pomme ». L'expression *cidre de pomme* est donc pléonastique.

ciné-caméra

Voir *caméra*.

cinéma

Ce mot prend une majuscule s'il fait indiscutablement partie du nom de l'établissement.

- *Le Cinéma du Parc.*

Ce mot s'écrit avec une minuscule quand il est suffisamment individualisé par un nom propre ou par un équivalent.

- *Le cinéma Paramount.*
- *Le cinéma Le Clap.*

cinémomètre

L'appareil dont les policiers se servent pour « déceler à distance les véhicules qui dépassent la vitesse permise » est le *cinémomètre*, connu aussi sous le nom de *radar (routier)*. Lorsqu'il est muni d'un dispositif qui photographie les véhicules, ce mouchard devient un *cinémomètre photographique* ou *cinémomètre photo*. On dit aussi *radar photographique* ou *radar photo*, mais on ne devrait pas dire *photo-radar*, car il s'agit d'un anglicisme.

- *Des cinémomètres photo seront bientôt utilisés sur les routes du Québec. Mais l'emploi des radars photo ne sera pas généralisé, affirme le ministre.*

cire

En français, on ne *cire* pas ses skis, on les *farte*. L'opération s'appelle le *fartage* (non le *cirage*) et le produit employé est le *fart* (non la *cire*).

cirer

Voir *cire*.

cirrhose

La *cirrhose* est une maladie du foie. C'est commettre un pléonasme que de parler de *cirrhose du foie*.

citations

Faut-il rapporter textuellement les propos incohérents, les mots familiers ou grossiers, les anglicismes, les termes impropres, les régionalismes ou les expressions joualisantes des gens que l'on interviewe ? Pour certains journalistes, la réponse est oui. Pour ma part, j'estime que ce choix est indéfendable sur le plan stylistique, car il engendre des citations lourdes et difficiles à lire.

Entendons-nous bien ! Je ne dis pas qu'il faut faire disparaître des propos rapportés tout ce qui s'écarte du français standard ; un tour populaire, un mot familier, voire un anglicisme, peuvent avoir une valeur stylistique certaine. Mais il ne faut pas abuser de ce procédé. Il est inutile, par exemple, de mettre entre parenthèses un mot que notre interlocuteur, dans son énervement, a omis de dire. Un tel oubli n'a aucun intérêt pour le lecteur. Il ne faut donc pas hésiter à améliorer les propos tenus, comme le font d'ailleurs régulièrement les grands magazines.

Bien entendu, il ne faut pas faire parler un ouvrier comme un prof d'université.

Encore qu'au Québec, la différence ne soit pas toujours bien grande. Il convient de rester fidèle au niveau de langage d'un interlocuteur, mais sans pour autant reproduire intégralement ses hésitations, ses imprécisions, ses tics de langage, etc.

Ce n'est pas toujours facile, j'en conviens. Une des bonnes façons de le faire consiste à recourir, on l'oublie trop souvent, au style indirect. Voici deux exemples : un en style direct, l'autre en style indirect.

- *Le Dr X a déclaré : « Le ministre de la Santé n'a fait que du damage control. L'alternative aurait été d'augmenter drastiquement les argents. »*
- *Le Dr X soutient que le ministre de la Santé s'est borné à limiter les dégâts. La solution devrait passer, selon lui, par une augmentation substantielle des budgets.*

La seconde solution permet d'éviter quatre anglicismes, tout en respectant la pensée de la personne concernée.

Notons toutefois que le passage du style direct au style indirect entraîne des modifications de personnes et, le cas échéant, de temps, du moins en français. On pourra lire à ce sujet l'entrée *style direct et indirect*.

L'emploi du style indirect n'exclut pas le recours occasionnel à des termes impropres ou fautifs. Il faut alors les mettre en italique ou entre guillemets. Dans *La Presse*, on opte généralement pour l'italique, et c'est très bien ainsi. Dans les citations entre guillemets, il arrive que l'on conserve l'italique pour les mots ou locutions qui s'écartent du langage standard. Il ne faut pas abuser de ce procédé, car la présence de guillemets autorise certains écarts par rapport à la norme. Il convient donc de réserver l'italique aux termes qui, de toute évidence, sont impropres ou fautifs. On évitera notamment d'étendre l'italique aux mots familiers ou aux québécismes de bon aloi.

Précisons qu'il y a au moins un cas où il faut rapporter fidèlement ce qui a été déclaré, c'est quand un personnage public fait une déclaration reprise par tous les postes de radio et toutes les chaînes de télé.

Voir aussi *guillemets* et *style direct et indirect*.

cité

Ce mot est un anglicisme au sens de *municipalité*, *ville*.

cité-dortoir

Ce mot désigne une « localité située près d'une ville importante, qui fournit la majeure partie des emplois ». On dit aussi une *ville-dortoir*.

- *Les métropoles sont entourées de cités-dortoirs.*

citizen(s') band

Voir *bande publique*.

civique

Cet adjectif est un anglicisme au sens de *municipal*.

- *Le congrès aura lieu au centre municipal d'Ottawa.*

clabord

Ce mot anglais qui désigne un « matériau de construction s'imbriquant dans un autre » se traduit par *planche à clin* ou par *bardeau* (s'il s'agit d'une planchette).

claim

Dans le domaine minier, ce mot anglais désigne une *concession* (minière). La locution *réclamer un claim* se traduit par *réclamer le droit d'exploitation* (d'un gisement minier).

- *Les concessions de nickel et de cuivre de la région de Sept-Îles opposent le gouvernement et les Montagnais.*

Le mot *claim* est peu employé ailleurs dans la francophonie et son emploi est partout critiqué.

clam

Le français a emprunté ce mot à l'anglais pour désigner un « petit mollusque d'Amérique ressemblant à la palourde ». Le mot est masculin.

classe (de première)

L'expression *de première classe* est un calque de *first class*. On la rend en français par *de première qualité*.

- *Ce sont des chaussures de première qualité.*

classification

Sous l'influence de l'anglais, on confond parfois *classification* et *classe*. Le mot *classification* a en français le sens de « action d'établir des classes » ; il n'est pas un synonyme de *classe*.

- *À la suite d'un long travail de classification, le comité paritaire a établi sept classes d'employés.*

classique

Ce mot constitue une impropriété au sens d'« épreuve sportive secondaire ou nouvelle ». Il désigne, en effet, une « épreuve importante que la tradition a consacrée ». Dans le domaine du cyclisme, *classique* désigne une « course d'une seule journée, disputée chaque année sur un parcours identique et à la même époque ». Dans les autres cas, il vaut mieux employer, selon le contexte, les mots *championnat, coupe, omnium, tournoi*, etc.

clauses orphelin

Cette locution du jargon syndical désigne les « conditions de travail inférieures imposées aux nouveaux travailleurs ». Il s'agit d'un calque de *orphan clauses*, lequel ne veut rien dire en français. De plus, son usage pose un problème d'accord : faut-il parler de *clauses orphelin* ou *orphelines ?* Une traduction s'impose donc. On pourra parler de *clauses d'exclusion* ou de *clauses discriminatoires* (à l'égard des jeunes).

- *Une commission parlementaire a étudié la multiplication des clauses d'exclusion.*

clavardage

Voir *chat*.

clé

Ce mot est un anglicisme au sens de *touche* (d'une machine à écrire, d'un clavier d'ordinateur).

Mis en apposition, le mot *clé* s'écrit généralement sans trait d'union et prend la marque du pluriel, le cas échéant.

- *Des mots clés.*

clérical

L'expression *erreur cléricale* est un calque de l'anglais. En français, on dira plutôt *faute de copiste, erreur d'écriture* ou *de transcription*. Le *travail clérical* est aussi un anglicisme. On dira plutôt *travail de bureau.*

clés en main

Cette locution désigne « ce qui est vendu prêt à fonctionner ».

- *Des usines clés en main.*

client

Ce mot qualifie « toute personne qui achète un bien ou qui requiert des services rémunérés ». Les magasins ont des *clients.* C'est également le cas des avocats, des notaires, des dentistes ou des médecins.

clientèle

Ce mot est une impropriété au sens de *population scolaire* (ensemble des élèves inscrits dans les établissements d'enseignement) ou de *population étudiante* (ensemble des étudiants inscrits dans les universités). Lorsqu'on veut parler du nombre d'élèves dans un établissement ou une classe, on emploiera le mot *effectif.*

climatisation

Voir *air conditionné.*

climatisé

Voir *air conditionné.*

climatiseur

Voir *air conditionné.*

clinique

Ce mot désigne en français un « établissement de soins privé » ou un « enseignement médical ». Sous l'influence de l'anglais, on l'emploie abusivement au sens de *collecte, conférence* ou *cours pratique, démonstration, école, leçon, stage.*

- *Une collecte de sang.*
- *Une conférence sur le jardinage.*
- *Un cours d'anglais.*
- *Une démonstration de produits.*
- *Une école de hockey.*
- *Des leçons de tennis.*
- *Un stage de journalisme.*

L'expression *clinique externe* est également un anglicisme *(outpatient clinic).* On la traduira par *consultations externes.*

clôture

Voir *bâillon.*

club

Ce mot prend une majuscule s'il fait indiscutablement partie du nom de l'établissement.

- *Le Club automobile du Québec.*
- *Le Club international vidéo.*

Il s'écrit avec une minuscule quand il est suffisamment individualisé par un nom propre ou par un équivalent.

- *Le club Patenaude.*
- *Le club Le Canadien.*

club de nuit

Il s'agit d'une traduction littérale de *night club.* En français, on dira *boîte de nuit.*

club-ferme

Cette expression du vocabulaire sportif est un calque de *farm club.* On la traduira par *club-école.*

co

Les composés formés avec *co* s'écrivent généralement sans trait d'union. Mais l'usage est flottant.

- *L'expérience des cocapitaines s'est révélée peu heureuse.*

cockpit

Ce mot est un anglicisme au sens de *cabine* ou de *poste de pilotage.*

cocooning

Ce mot emprunté à l'anglais désigne un « mode de vie où l'on préfère la chaleur du foyer aux sorties ».

- *Fini, restos, bars, spectacles. Vive le cocooning !*

code

Ce mot prend une majuscule quand il désigne un recueil de textes juridiques.

- *Le Code civil.*
- *Le Code de la route.*
- *Le Code pénal.*

On peut aussi écrire le *Code* dans un sens absolu.

Par ailleurs, c'est dans un *code de déontologie*, et non dans un *code d'éthique*, qu'on trouve l'« ensemble des règles et des devoirs des membres d'une profession ».

- *Le code de déontologie des médecins.*

col blanc

Le français a emprunté à l'américain les expressions *col blanc (white collar)* et *col bleu (blue collar)*, qui désignent respectivement les « employés de bureau ou de magasin » et les « ouvriers ». Ces termes sont passés dans l'usage.

collant

Voir *bas-culottes.*

collecter

Ce mot est un anglicisme au sens de *percevoir, recouvrer, récupérer.*

- *En période de récession, certains propriétaires ont du mal à percevoir les loyers.*

collégien, ne

Voir *étudiant.*

colline parlementaire

Pas de majuscule.

colloque

Ce mot prend une majuscule quand il désigne une manifestation unique en son genre.

- *Le Colloque international des linguistes.*

columnist

Ce mot, même francisé en *columniste*, est un anglicisme inutile au sens de *chroniqueur* (d'un journal ou d'une revue). Le féminin est *chroniqueuse*, et non *chroniqueure* comme tente de nous l'imposer une certaine mode.

combat à finir

Les locutions *combat, guerre* ou *lutte à finir* sont des calques de *fight to finish.* En français, il est préférable de parler de *guerre à outrance*, de *lutte sans merci*, de *bataille sans trêve*, de *combat sans pitié* ou *impitoyable.*

- *Guerre à outrance entre l'Hôpital juif et un de ses cadres.*

Dans certains cas, on pourrait également parler de *guerre des nerfs.*

combler

On peut *combler* un déficit ou une lacune. Mais on *pourvoit* un poste, on ne le *comble* pas.

come-back

Ce mot est un anglicisme au sens de *retour* d'une célébrité au premier plan. Au Québec, on emploie parfois *come-back* au sens de *commentaires défavorables* ou de *plaintes*.

comédien

Voir *acteur*.

comics

Ce mot est un anglicisme au sens de *bande dessinée*.

comité

L'expression *comité ad hoc* est un calque de l'anglais. On dira plutôt *comité spécial* ou *comité d'étude*.

Comité conjoint est également un calque *(joint committee)*. On emploiera *comité mixte* ou *paritaire*.

Par ailleurs, on n'est pas *sur* un comité. On en est *membre*, on y *siège*.

commandement (sous le)

On n'est pas *sous le commandement* de quelqu'un *(under command)*, mais *sous ses ordres*.

commanditaire

On appellera la « personne, physique ou morale qui apporte son soutien matériel à une manifestation en vue d'en retirer des avantages publicitaires » un *commanditaire* ou un *parraineur*, plutôt qu'un *sponsor*, terme qui reste un emprunt inutile à l'anglais malgré sa popularité en France, notamment dans les milieux sportifs.

Le soutien du *commanditaire* ou du *parraineur* s'appelle une *commandite* ou un *parrainage*, plutôt qu'un *sponsoring*.

Les verbes correspondants sont *commanditer* et *parrainer*, qu'on préférera à *sponsoriser*.

commencer

La locution *commencer avec* semble calquée sur *to begin with*. En français, on dira plutôt *commencer par*.

commentaire

Ce mot s'écrit au singulier dans la locution *sans commentaire* mais au pluriel dans l'expression *cela se passe de commentaires*.

commenter

Contrairement à *to comment*, *commenter* commande un complément, lequel ne peut être introduit par *sur*.

- *Le chef de l'opposition a commenté la décision du premier ministre.*

commercial

On ne traduira pas les *spots* de la télé ou de la radio par *commerciaux*, mais par *annonces* ou *messages publicitaires*. Si on emploie le mot *réclame*, il est inutile de lui ajouter l'adjectif *publicitaire*.

commettre (se)

Se commettre est synonyme de *se compromettre*. Il n'a pas le sens de *s'engager, se prononcer*.

- *Interrogé par les journalistes, le maire n'a pas voulu se prononcer sur cette question.*

commission

Ce mot prend une majuscule quand il désigne une institution nationale unique.

- *La Commission de la santé et de la sécurité du travail.*
- *La Commission des écoles catholiques de Montréal.*

Il prend une minuscule lorsqu'il désigne une institution multiple.

- *La commission parlementaire du Travail.*
- *La commission scolaire Tardivel.*

communauté

Ce mot prend une majuscule quand il désigne une institution unique.

- *La Communauté urbaine de Montréal.*
- *La Communauté économique européenne.*

Communication Québec

Pas de pluriel et pas de trait d'union.

compact

Cet adjectif bien français a emprunté à son homonyme anglais le sens de « ce qui est d'un faible encombrement ». Un *appareil photo compact*, un *disque compact* (on dit aussi un *CD*), une *voiture compacte*.

Comme substantif, on emploie *compact* au féminin pour désigner une voiture (une *compacte*) et au masculin pour désigner un disque (un *compact*).

compagnie

Ce mot prend une majuscule s'il fait indiscutablement partie du nom de l'établissement.

- *La Compagnie américaine de fer et métaux.*

Il prend une minuscule quand il est suffisamment individualisé par un nom propre ou par un équivalent.

- *La compagnie d'assurances New Hampshire.*

Les abréviations *ltée, inc. enr.* s'écrivent avec une minuscule.

compagnie de finance

Cette expression est un calque de *finance company*. En français, on dira plutôt *société de crédit*.

comparer

Certains auteurs font une distinction entre *comparer à* et *comparer avec*. La première locution aurait le sens de « rapprocher des objets semblables », la seconde, de « rapprocher des objets différents ou opposés ». Cette distinction est toutefois rarement observée. Aussi le Petit Larousse et le Petit Robert donnent-ils les deux expressions comme équivalentes.

compensation

Ce mot est un anglicisme au sens d'*indemnisation*.

- *Elle a reçu une indemnisation de la CSST.*

compenser pour

Cette locution verbale est un anglicisme de syntaxe. En français, on ne *compense* pas quelqu'un *pour* ses pertes, on *compense* les pertes de quelqu'un.

compétiteur

Le Petit Robert accepte ce mot au sens de « société, individu capable d'entrer en concurrence avec d'autres ». Mais à mon sens, le mot *concurrent* reste préférable.

compétition

Sous l'influence de l'anglais, le mot *compétition* est de plus en plus souvent employé au sens de *concurrence* dans le domaine des affaires, particulièrement chez nous. L'emploi de *concurrence* est préférable.

Le mot *compétiteur* a suivi une évolution semblable, puisqu'on lui donne aujourd'hui le sens de « société ou individu capable d'entrer en concurrence avec d'autres ». Mais *concurrent* reste souhaitable dans ce contexte.

Compétition s'emploie cependant avec justesse dans les autres domaines pour décrire la « recherche simultanée d'un même objectif, objet ou résultat ».

- *La compétition spatiale entre Russes et Américains.*

compétitionner

On ne trouve pas ce québécisme dans les dictionnaires français. Il est d'ailleurs peu utile puisqu'on peut y substituer *concurrencer, être en concurrence* ou *faire concurrence* dans le domaine économique et commercial. Et on peut le remplacer par *affronter, concourir, participer à* ou *prendre part à* dans le domaine sportif.

- *Le jet régional de Pratt & Whitney concurrencera celui de Bombardier.*
- *Les Capitals affrontent les Wings.*

complet

Voir *habit*.

compléter

Ce verbe signifie « ajouter ce qui manque pour rendre complet ».

- *Il lui manque un tailleur pour compléter sa garde-robe.*

Le verbe anglais *to complete* a un sens beaucoup plus étendu. Il signifie notamment *accomplir, conclure, contracter, exécuter, faire, remplir, réunir, satisfaire, terminer*. Ces sens ont peu à peu contaminé notre verbe.

- *Accomplir une tâche.*
- *Conclure un marché, une transaction.*
- *Contracter un emprunt.*
- *Exécuter, faire, réussir une passe.*
- *Faire une année scolaire.*
- *Remplir un questionnaire.*
- *Réunir des informations.*
- *Revenir d'un voyage, y mettre fin, le terminer.*
- *Satisfaire ses besoins.*
- *Terminer des travaux, les exécuter (à l'intérieur d'un certain délai).*

complexe

Au sens d'édifice public, ce mot prend une minuscule s'il est suivi d'un nom propre.

- *Le complexe Desjardins.*

compresser

Une *réduction* de dépenses peut être qualifiée de *compression*. Mais on ne *compresse* pas une dépense, on la *comprime*, on la *réduit*.

compte de dépenses

La « somme allouée par un employeur à un employé pour rembourser des dépenses que ce dernier a effectuées dans le cadre de son travail » est une *allocation de dépenses*, non un *compte de dépenses*.

- *Il a droit à une généreuse allocation de dépenses.*

Quant au « relevé des dépenses que le salarié a dû engager et dont il demande le remboursement », il s'agit d'une *note* ou d'un *compte de frais*.

compte de taxes

Voir *taxe foncière*.

compte rendu

Pas de trait d'union. Au pluriel : *comptes rendus*.

compteur

Le mot *compteur* se dit d'un appareil de mesure : *compteur* de vitesse, *compteur* de taxi (et non *meter*), *compteur* de pompe à essence, etc. Mais le mot ne peut désigner un « joueur qui marque des buts ». Dans ce cas, il faut plutôt parler de *marqueur* ou de *buteur*. On emploiera *marqueur* dans les contextes où le terme désigne à la fois « celui qui inscrit le but et celui qui fournit une aide ou une passe ». C'est le cas notamment au hockey. Quant à la personne qui fournit l'aide ou la passe, on l'appelle *passeur*.

- *Qui remportera le championnat des marqueurs cette année ?*
- *Le Canadien aurait besoin d'un excellent buteur.*
- *Saku Koivu est un bon passeur.*

concerné

Vraisemblablement sous l'influence de l'anglais *(concerned)*, le français donne aujourd'hui à ce participe passé le sens de *touché, intéressé, visé*. Bien que critiqués, ces emplois sont passés dans l'usage.

- *Ils ne se sentent pas concernés par ces problèmes.*

concerné (en autant que je suis)

La locution en *autant que je suis concerné* est un calque de *as far as I am concerned*. En français soigné, on dira plutôt, *en ce qui me concerne, pour ma part*.

conciergerie

En français standard, ce mot désigne, entre autres, le « logement du ou de la concierge », non un *immeuble d'habitation* ou *résidentiel*.

Voir aussi *rapport (maison de)*.

concours

Ce mot prend généralement une majuscule lorsqu'il désigne une manifestation périodique unique en son genre.

- *Le Concours Chopin.*

Toutefois, quand le *concours* a son propre titre, le mot est considéré comme un nom commun et s'écrit avec une minuscule.

- *Le concours L'Empire des futures stars.*

conditions de contrat

On appelle *cahier des charges*, et non *conditions de contrat (conditions of contract)*, le « recueil des caractéristiques que doit présenter un matériel ou une réalisation technique ».

condominium

Ce mot désigne d'abord en français la « souveraineté exercée par deux ou plusieurs États sur un pays ». Mais *condominium* est pratiquement inconnu en ce sens au Québec, où ce terme désigne plutôt un *immeuble en copropriété*. Souvent abrégé en *condo* (ce qui est fort commode dans les titres), cet emprunt à l'américain est solidement implanté dans notre usage, du moins dans la langue familière. On le trouve maintenant dans le Petit Robert, qui limite cependant son emploi aux pays anglo-saxons. On le rencontre aussi à l'occasion dans la presse française, mais le mot y est le plus souvent employé entre guillemets et accompagné d'une explication. Il reste préférable, du moins dans un registre soutenu, de parler de *copropriété* ou d'*immeuble en copropriété*.

Précisons qu'on peut acheter un *appartement*, un *bureau* ou un *studio* dans un *immeuble en copropriété*.

conducteur de train

Cette expression est un calque de *train conductor*. En français, on parlera plutôt du *chef de train*.

conduire une enquête

En français, on ne *conduit* pas une enquête, on la *fait*, on la *mène*.

- *Le sergent Laperrière mènera l'enquête.*

confédération

Voir *pays (noms de)*.

conférence

Ce mot prend une majuscule lorsqu'il désigne un événement unique.

- *La Conférence internationale sur l'environnement.*

conférencier invité

Cette expression est un calque de *guest lecturer*. Le français, plus simple dans ce cas, se contente de parler de *conférencier*.

confiant (être – que)

L'expression *être confiant que* est un calque de *to be confident that*. En français soigné, on dira plutôt *avoir bon espoir que (de), croire que, être persuadé que, ne pas douter que*.

- *Le premier ministre a bon espoir de conserver le pouvoir.*
- *La mairesse est persuadée que la population acceptera son projet de réforme.*

conflagration

En français moderne, le mot *conflagration* désigne un « conflit international ».

- *On a craint que la guerre en Irak ne provoque une conflagration généralisée.*

Jadis, ce terme était synonyme d'*incendie*, sens qu'il tend à conserver chez nous, sous l'influence de son double anglais *conflagration*. Mais c'est le mot *déflagration* qu'il convient d'employer aujourd'hui pour décrire un « incendie provoqué par une explosion ».

- *La déflagration a été très violente.*

conflit d'intérêts

Dans la locution *conflit d'intérêts*, le mot *intérêts* prend la marque du pluriel, sinon il n'y aurait pas de conflit. La même remarque vaut pour des locutions comme *conflit de générations, conflit de passions* ou *conflit de personnalités*.

- *Accusé d'être en conflit d'intérêts, Art Eggleton a été forcé de démissionner du Conseil des ministres.*
- *Il semble y avoir un conflit de générations entre la ministre Rita Dionne-Marsolais et le chef de l'ADQ, Mario Dumont.*
- *L'affrontement entre Jean Chrétien et Paul Martin cache-t-il un conflit de personnalités ?*

confortable

Cet adjectif se dit des choses, non des personnes. Un fauteuil peut être *confortable*, mais on est *à l'aise*, on est *bien* dans un fauteuil. De la même façon, le Centre Bell peut être *confortable*, mais les joueurs n'y sont pas *confortables*. On dira plutôt qu'ils y sont *à l'aise*, qu'ils y *excellent*, qu'ils s'y *sentent bien*, etc.

confronter

Ce verbe n'est pas synonyme d'*affronter*, mais de *comparer*. On peut, par exemple, *confronter* deux personnes pour *comparer* leurs versions des faits.

On rencontre de plus en plus souvent l'expression *confronté à* (une difficulté, un problème, etc.). Cet emploi, calqué sur l'anglais, est en train de passer dans l'usage, mais son emploi reste critiqué. Dans de nombreux cas, on peut lui substituer *aux prises avec*.

- *Aux prises avec un lourd déficit, le gouvernement a choisi de hausser les impôts.*

congédiement

Voir *mise à pied*.

congratulations

Voir *congratuler*.

congratuler

Le verbe *congratuler* n'est pas un anglicisme, c'est plutôt un archaïsme, du moins s'il faut en croire le Petit Robert et le Multidictionnaire. Précisons toutefois qu'il est encore régulièrement employé dans la presse française. Le Petit Larousse le considère de son côté comme un terme littéraire, ce qui surprend un peu, étant donné qu'il a surtout cours dans les milieux sportifs.

Ce qui constitue un anglicisme, par contre, c'est le fait d'employer « *congratulations !* » au sens de « *toutes mes félicitations !* » « *compliments !* ». On peut, en revanche, *échanger des congratulations*.

congrès

Ce mot prend une majuscule lorsqu'il désigne un événement unique.

- Le Congrès des agronomes.

conjoint

L'adjectif *conjoint* a en français le sens d'*intimement uni*. C'est ainsi qu'on parlera de *pétales conjoints*. Sous l'influence de l'adjectif anglais *joint*, *conjoint* prend aussi le sens de « ce qui est partagé par plusieurs ». Cet emploi est critiqué. En français, il est plus juste d'employer, selon le contexte, les adjectifs *collectif*, *conjugué*, *commun*, *intergouvernemental*, *mixte*, *paritaire*, etc.

- *Une décision collective.*
- *Une opération commune de l'armée et de la Sûreté du Québec.*
- *Les efforts conjugués.*
- *Un programme intergouvernemental.*
- *Un comité mixte du Sénat et des Communes.*
- *Une commission paritaire réunissant employeurs, salariés et représentants de l'État.*

connecter

Ce verbe est un anglicisme au sens de *brancher* (un aspirateur, une lampe, etc.).

connexions

Ce mot est un anglicisme au sens de *ficelles*, *influences*, *relations*.

- *Il a des relations dans la police.*
- *Elle sait sur quelles ficelles tirer.*

conscience (perdre ou reprendre)

Perdre ou *reprendre conscience* sont des calques de to *lose* ou de *to regain consciousness*. En français, on dira plutôt *perdre* ou *reprendre connaissance*.

conseil

Ce mot prend une majuscule quand il désigne un organisme unique.

- *Le Conseil de la langue française.*
- *Le Conseil du Trésor.*
- *Le Conseil des ministres.*

Il prend une minuscule quand il désigne un organisme multiple.

- *Le conseil municipal de Laval.*

Par ailleurs, mis en apposition, *conseil* s'écrit avec un trait d'union et prend la marque du pluriel.

- *Des avocats-conseils.*

conseil d'administration

Pas de majuscule à *conseil*. On notera qu'on siège *à* un conseil d'administration et non *sur*. On peut aussi dire qu'on est *membre* d'un conseil.

conseil de bande

Cette expression s'écrit sans majuscule.

- *Le conseil de bande de Kanesatake.*

conseil de ville

Cette expression est un anglicisme au sens de *conseil municipal*.

conseiller d'orientation

Ce titre de fonction est un calque de *guidance counsellor*. En français, on dira plutôt *orienteur, euse*.

conseil municipal

Cette expression s'écrit sans majuscule.

- *Le conseil municipal de Sillery.*

conservateur

Cet adjectif est un anglicisme au sens de *modéré, prudent, en deçà de la vérité.*

- *Ces chiffres me paraissent en deçà de la vérité.*
- *Son évaluation est prudente.*

conservatoire

Ce mot s'écrit avec une majuscule lorsqu'il qualifie un établissement d'importance nationale.

- *Le Conservatoire national de musique.*

Quand il désigne une institution locale ou régionale, il est considéré comme un nom commun et s'écrit avec une minuscule. Il est alors généralement individualisé par un nom propre de personne ou de lieu.

- *Le conservatoire Lasalle.*

considération

L'emploi de ce mot est beaucoup influencé par l'anglais. L'expression *pour aucune considération*, par exemple, est un calque de *on no consideration*. On dira plutôt *à aucun prix, en aucun cas, sous aucun prétexte*.

On rencontre aussi à l'occasion le mot *considération* au sens de *somme*.

- *Pour une somme de 50 $, il m'a offert ses services.*

Quant aux mystérieuses *considérations futures* qui font partie des échanges de joueurs au hockey ou au baseball, ce sont souvent des *sommes d'argent payables ultérieurement*.

considérer

Lorsque ce verbe a le sens de *juger, estimer*, il se construit avec *comme*.

- *La police le considère comme dangereux.*
- *Les phosphores sont considérés comme la principale cause de la dégradation des lacs.*

Dans Le Bon Usage, Grevisse mentionne que certains auteurs, pour des raisons d'euphonie, font parfois l'ellipse de *comme*. Mais cet usage demeure critiqué.

Par ailleurs, dans la locution *considérer comme tel*, *tel* s'accorde avec le complément.

- *Ce sont des radicales. Je les considère en tout cas comme telles.*

constable

Ce mot qualifie un *officier de police* en Grande-Bretagne. Chez nous, il vaut mieux parler d'un *agent de police* ou d'un *policier*. Quant à la *force constabulaire*, c'est une appellation vieillie.

constitution

Ce mot est un anglicisme au sens de *statuts* (d'une association, d'un club, etc.).

Constitution

Ce mot prend une majuscule quand il désigne les « textes qui définissent l'organisation politique d'un pays ».

- *La Constitution du Canada donne lieu à d'interminables débats.*

construction

Le mot *construction* est un anglicisme au sens de *travaux routiers*. Ce qui n'empêche pas de le retrouver sur tous les panneaux de signalisation. On peut aussi employer la locution *travaux de voirie*. Quand le contexte est clair, on parle tout simplement de *travaux*.

- *Encore cet été, les automobilistes devront faire preuve de patience, car les travaux routiers seront nombreux.*

contact (lentilles, verres de)

Les locutions *lentilles* et *verres de contact* sont calquées sur *contact lenses*, mais elles sont passées dans l'usage. On dit aussi *verres cornéens*.

contacter

L'emploi de ce verbe est critiqué par certains auteurs, qui lui reprochent son origine anglaise. *Contacter* est en effet une adaptation du verbe américain *to contact*, apparue en français vers 1940. Si *contacter* n'est pas indispensable, le français disposant déjà de *prendre contact avec, entrer en relation avec, se mettre en rapport avec*, il a l'avantage d'être plus court, ce qui explique peut-être sa popularité.

container

Ce mot anglais qui désigne une « caisse métallique pour le transport des marchandises » est aujourd'hui couramment francisé en *conteneur*.

contempler

Contempler, c'est « s'absorber dans l'observation » ou « regarder avec admiration ». C'est de toute évidence un calque, récemment apparu et parfaitement inutile, de *to contemplate* au sens d'*envisager de, songer à, penser à*.

- *Si vous envisagez d'agir…*
- *Si vous songez à partir…*

conteneur

Voir *container.*

continuer

Ce verbe se construit généralement avec la préposition *à.*

- *Sa sœur a continué à m'écrire.*

Mais, le cas échéant, on utilise le *de* pour éviter le hiatus.

- *Elle continue d'avancer* (et non *à avancer).*

contracteur

Contracteur est un calque de *contractor.* Le mot français est *entrepreneur.*

contrat (travail à)

L'expression *travail à contrat* est un calque de *contract work.* En français, on parlera plutôt de *travail à forfait.*

contre

Premier élément exprimant une idée d'opposition, *contre* se joint au mot qui suit par un trait d'union et reste invariable au pluriel.

- *Contre-culture, contre-enquête, contre-performance, contre-pouvoir.*

contribuer

On rencontre souvent ce verbe, dans les médias québécois, construit avec un complément d'objet direct. Cet emploi est fautif, car *contribuer* est un verbe transitif indirect qui se construit avec la préposition *à.* On ne peut dire, par exemple, que le gouvernement *a contribué* 50 000 $ à un programme d'aide, mais qu'il a *fourni* 50 000 $... On peut aussi dire, bien entendu, que le gouvernement a *contribué à* un programme en fournissant 50 000 $.

contrôle

Ce mot a un sens plus limité en français qu'en anglais. Dans notre langue, *contrôle* ne signifie habituellement pas *direction, dirigisme, domination, limitation, mainmise, maîtrise, régulation* ou *traitement.* On commet donc un anglicisme lorsqu'on parle de *contrôle des naissances* (au lieu de *régulation*) ou lorsqu'on dit qu'un incendie est *sous contrôle* (il est plutôt *circonscrit* ou *maîtrisé*), lorsqu'on parle du *contrôle* de l'État plutôt que de la *mainmise* de l'État, d'une situation *au-delà de notre contrôle* plutôt que d'une situation *indépendante de notre volonté* ou encore, du *contrôle* d'une maladie plutôt que de son *traitement.*

Mais l'influence de l'anglais poursuivant son œuvre, le Petit Larousse accepte maintenant les sens suivants de ce mot : *contrôle* d'un territoire, d'une entreprise, d'un véhicule et même de soi.

Par ailleurs, on n'utilisera pas *contrôles* (au pluriel) pour désigner les *manettes de commandes* ou les *commandes* d'un appareil.

Enfin, l'expression *sous contrôle* est un calque de *under control.* En français, on dira plutôt, selon le contexte, *circonscrit, bien en main, dominé, en ordre, enrayé, jugulé, maîtrisé, vaincu.*

- *Les pompiers ont circonscrit l'incendie.*
- *La direction tient la situation bien en main.*
- *Les policiers ont dominé la situation.*
- *Tout est en ordre.*
- *La Banque du Canada a jugulé l'inflation.*
- *La situation était tendue, mais il a su maîtriser ses émotions.*

contrôler

Comme *contrôle, contrôler* a subi l'influence de l'anglais. De sorte que les dictionnaires reconnaissent maintenant ce verbe au sens de *diriger* (une entreprise, une affaire), *être maître* (d'un territoire, d'une situation), de *maîtriser* (ses émotions, ses nerfs) ou de *régler* la circulation, entérinant du même coup la contamination du verbe français par son faux ami anglais. S'il est vrai que ces sens anglais sont largement passés dans l'usage, ils n'en restent pas moins sources de confusion. Si vous lisez, par exemple, que « le gouvernement veut davantage *contrôler* ses dépenses », devez-vous en conclure qu'on vérifiera davantage les dépenses (sens français) ou qu'on tentera de les réduire (sens anglais) ?

C'est pourquoi il paraît préférable de limiter *contrôler* à son sens premier, qui est d'« examiner pour vérifier ».

convaincu

Convaincu de est un calque de *convicted of*. On traduit généralement cette locution anglaise par *déclaré* ou *reconnu coupable*.

- *Un haltérophile indien reconnu coupable de dopage.*

convenance (à votre)

Cette locution a en français le sens de *à votre bon plaisir*. Elle n'a pas celui de *dès que cela vous sera possible*.

- *Faites-nous parvenir votre réponse dès que cela vous sera possible.*

convenir

Au sens de « reconnaître », le verbe *convenir* se construit sans préposition s'il est suivi d'un infinitif, avec *que* s'il est suivi d'un verbe à l'indicatif ou au conditionnel et avec *de* s'il est suivi d'un nom.

- *Il convient avoir manqué de prudence.*
- *Il convient qu'il a manqué de prudence.*
- *Il convient de son imprudence.*

convention

Quand ce mot désigne un texte politique, juridique ou législatif, il prend une majuscule s'il est suivi d'un nom commun ou d'un adjectif.

- *La Convention internationale des télécommunications.*
- *La Convention européenne des droits de l'homme.*

Il prend une minuscule s'il est suivi d'un nom propre.

- *La convention de la Baie-James.*
- *La convention de Genève.*

Les mêmes remarques valent pour les mots *accord, pacte, protocole, traité*.

- *Le protocole de Kyoto.*

Par ailleurs, le mot *convention* est un anglicisme au sens de *congrès* ou d'*assemblée d'investiture*.

- *Le Parti libéral tiendra son prochain congrès à Ottawa.*

Les dictionnaires reconnaissent cependant *convention* au sens de « congrès d'un parti pour choisir son candidat à la présidence des États-Unis ».

- *Qui sera désigné par la convention démocrate ?*

conventionné

Cet adjectif se dit d'un « médecin lié à la Régie de l'assurance maladie (au Québec) ou à la Sécurité sociale (en France) par une convention de tarifs ».

- *Les médecins du Québec sont conventionnés.*

conventionnel

Cet adjectif est un anglicisme *(conventional)* au sens de *classique, traditionnel.*

- *Des armes classiques.*
- *Des méthodes traditionnelles.*

convertible

Ce mot du vocabulaire de l'automobile est un anglicisme au sens de *décapotable.*

- *Les décapotables sont moins populaires de nos jours.*

coopérative

Ce mot prend une majuscule s'il fait indiscutablement partie du nom de l'organisme.

- *La Coopérative fédérée du Québec.*

Il prend une minuscule quand il est suffisamment individualisé par un nom propre ou par un équivalent.

- *La coopérative d'habitation Grandir en ville.*

coordinateur, trice

Coordinateur s'écrit avec un *n, coordonnateur* avec deux ; mais les deux mots ont le même sens. Les mêmes remarques valent pour *coordinatrice* et *coordonnatrice.*

coordonnateur, trice

Voir *coordinateur, trice.*

coordonné(e)s

Au masculin pluriel, ce mot désigne les « éléments assortis formant un ensemble dans le domaine de l'habillement ou de la décoration ».

- *Vous trouverez des coordonnés intéressants dans cette boutique.*

Au féminin pluriel, il désigne les « indications (nom, numéro de téléphone, adresse, etc.) permettant de joindre quelqu'un ».

- *Voulez-vous me laisser vos coordonnées ?*

copie

Chaque « objet (livre, journal, médaille, gravure, etc.) formé d'après un type commun » est un *exemplaire,* non une *copie.*

- *Le tirage de* La Presse *est supérieur à 200 000 exemplaires le dimanche.*

On peut par contre parler avec justesse de la *copie* d'une lettre, d'un contrat, d'une pièce officielle, etc.

copyright

Ce mot anglais s'est répandu en français au 20e siècle, où il fait concurrence à la locution *tous droits réservés.* On peut aussi employer, selon le contexte, *droits d'auteur, droits de diffusion, droits de reproduction, droits de traduction.*

coqueron

Ce mot est vraisemblablement une francisation du mot anglais *cook-room,* qui signifie littéralement « pièce du cuisinier ». Le langage populaire lui donne chez nous le sens de *logement exigu.*

corderoy

Les mots *corderoy* et *corduroy* sont des anglicismes au sens de *velours côtelé.*

corduroy

Voir *corderoy.*

corn flakes

Les *corn flakes* (ou *cornflakes*) sont des *flocons de maïs*.

corporatif

Cet adjectif se dit de « ce qui est relatif à une corporation ». C'est un anglicisme au sens de « ce qui est relatif à une compagnie, une société commerciale ». Dans ce cas, on traduira *corporate*, non pas par *corporatif*, mais, selon le contexte, par *de la compagnie, de l'entreprise, de la société* ou *général*.

Les loges louées à des compagnies au Centre Bell, par exemple, ne sont pas des *loges corporatives*. Le mot *loge* suffit dans ce cas. Un *client corporatif* est tout simplement une *compagnie*, une *entreprise* ou une *société*. Un *agenda corporatif* est un *plan d'activités d'entreprise*. Un *avocat corporatif* est un *avocat en droit des sociétés*. Un *conseiller corporatif* est un *conseiller d'entreprise*. Quant à la *planification corporative*, c'est une *planification générale*.

corporation

Ce mot désigne un « ensemble de personnes exerçant le même métier ou la même profession ». En ce sens, il prend une majuscule s'il désigne un organisme unique.

- *La Corporation professionnelle des ingénieurs.*

Corporation est un anglicisme au sens de *compagnie, entreprise, société, municipalité* ou *organisme public*. Cependant, comme le fait remarquer le Multidictionnaire, le mot *corporation*, au sens de *société*, est un anglicisme perpétué par les textes législatifs dans notre pays.

costume

Voir *habit*.

cotation

Ce mot est un anglicisme au sens de *devis, soumission*.

- *Les soumissions relatives à cet appel d'offres seront acceptées jusqu'au 20 janvier.*

côte

Ce mot prend une minuscule quand il désigne un toponyme naturel.

- *La côte de la Montagne.*

Il prend une majuscule quand il désigne un toponyme administratif.

- *Côte-Saint-Luc.*

coton à fromage

Cette expression est un calque de *cheese-cloth*. On la traduira par *étamine* pour les usages ménagers et par *gaze* pour les usages médicaux.

- *Il faut passer le tofu à l'étamine.*
- *Couvrez la plaie de gaze.*

cottage

Au Québec, on emploie maintenant ce mot d'origine anglaise pour désigner une « maison à deux niveaux d'habitation », par opposition à une maison à un niveau d'habitation, qui est le *bungalow*.

couche-tard

Ce composé est invariable

- *Des couche-tard.*

couche-tôt

Ce composé est invariable

- *Des couche-tôt.*

couler

La locution *(laisser) couler des informations* est un calque de *to leak information*. On traduira cette expression par *laisser filtrer* des informations, *ébruiter* une nouvelle, ou encore par *dévoiler, divulguer, révéler, rendre publics* des renseignements confidentiels, compromettants ou secrets.

- *Le motard Stéphane Gagné savait qu'on avait laissé filtrer des renseignements compromettants à son sujet.*

On peut aussi dire qu'il y a eu *fuites* (de renseignements, de documents, de pièces, etc.).

counselling

On traduira ce mot anglais par *aide psychologique*, par *aide pédagogique* ou par *assistance sociale*, selon le contexte.

coupable (trouvé)

Voir *trouvé coupable*.

coup de cœur

Employée comme adjectif, la locution *coup de cœur* est invariable.

- *Des films coup de cœur.*

coupe

Lorsqu'il désigne un trophée ou une compétition sportive, ce mot prend généralement une majuscule.

- *La Coupe Stanley.*
- *La Coupe du monde.*

couper

Ce verbe est contaminé par son double anglais *to cut*. En français, on ne *coupe* pas les prix, on les *réduit*, on *fait des rabais* ; on ne *coupe* pas la progression d'une maladie, on l'*arrête*, on la *stoppe* ; on ne *coupe* pas les dépenses, on les *comprime*, on les *réduit*, on les *sabre*.

couper (pour – court)

Pour couper court est un calque de *to cut short*. On peut lui substituer *en bref, pour résumer*.

coupon de caisse

Voir *ticket de caisse*.

coupure

C'est sous l'influence du mot anglais *cuts* que l'on parle aujourd'hui de *coupures budgétaires*. Il vaut mieux employer les termes *compressions budgétaires, coupe(s), économies, diminution, réduction(s), restrictions*. On peut aussi parler de *mesures d'austérité* ou d'une *politique d'austérité*.

- *Les compressions budgétaires compliquent la gestion des hôpitaux.*
- *Le gouvernement fédéral a pratiqué une coupe claire dans le budget des Forces armées.*
- *Bell a annoncé une diminution de son effectif.*
- *Le dernier budget de la Ville de Montréal comprend de nombreuses mesures d'austérité.*
- *L'Alberta a imposé une réduction de salaire à ses fonctionnaires.*

D'autre part, les *coupures de presse (press clippings)* sont en fait des *coupures de journaux*.

Quant à la locution *coupure d'électricité*, elle désigne une *interruption* (volontaire) *de courant*, non une *panne de courant*.

cour

Ce mot prend une majuscule lorsqu'il désigne une institution nationale ou internationale unique.

- *La Cour internationale de justice.*
- *La Cour suprême du Canada.*
- *La Cour d'appel du Québec.*

On mettra également une majuscule à *Cour* quand le mot est employé de façon absolue.

- *À quelques heures du délai fixé par la Cour, les syndiqués ont accepté plusieurs conditions.*
- *La Cour a ordonné sa détention préventive.*

En revanche, *cour* prend une minuscule quand le terme désigne une institution multiple.

- *La cour municipale de Montréal.*

cour de triage

Cour est une traduction littérale de *yard* dans la locution *cour de triage*. On parlera plutôt de *gare de triage*.

- *Deux mille logements devaient être construits sur les terrains de la gare de triage du Canadien Pacifique, à Outremont.*

couronne

Ce mot prend une minuscule quand il désigne une unité monétaire.

- *La couronne suédoise.*

Il prend une majuscule quand il désigne la royauté.

- *La Couronne d'Angleterre.*
- *Un avocat de la Couronne.*

courriel

Voir *e-mail*.

cours

L'expression *prendre un cours privé* comprend deux anglicismes. D'abord, on ne *prend* pas un *cours*, on le *suit*. Ensuite, un *cours* n'est pas *privé* mais *particulier*.

- *J'ai fait suivre un cours particulier (ou des leçons particulières) à ma fille.*

Par ailleurs, le pluriel de *cours prénatal* est *cours prénatals* ou *prénataux*.

course sous harnais

Cette expression est un anglicisme *(harness race)* au sens de *course attelée*.

courtoisie

Ce mot est un anglicisme au sens de *gracieuseté, fourni par, offert par*.

- *Cette montre est une gracieuseté de la maison Beauchamp.*
- *Photo fournie par le programme KEO.*

cousu main

Cette locution est synonyme de *cousu à la main*, par opposition à *cousu à la machine*.

coût d'opération

Cette expression est un anglicisme au sens de *frais d'exploitation*.

couturière

Le mot *couturier* peut-il avoir un féminin au sens de « personne qui dirige une maison de couture » ? Quand on consulte la section générale des dictionnaires, il semble que non. Le mot *couturier* n'a pas de féminin en ce sens, *couturière* désignant plutôt une « personne qui coud des vêtements ». Mais dans les noms propres, on définit la grande Coco Chanel, entre autres, comme une *couturière*. La chose semble donc possible.

L'autre solution consiste, comme le fait le Multidictionnaire, à utiliser la locution *grand couturier* tant pour les femmes que pour les hommes.

• *Sonia Rykiel est un grand couturier.*

L'une et l'autre solutions sont bien meilleures que l'affreux *designer* qu'on emploie chez nous et qui est un calque de *clothes designer*.

Voir aussi *designer*.

couvrir

Le français a emprunté au verbe anglais *to cover* le sens de « recueillir de l'information sur un événement ». En ce sens, *couvrir* comble un besoin certain. Le verbe a engendré le substantif *couverture* (d'un événement).

Par contre, *couvrir* est un anglicisme du vocabulaire sportif au sens de *contrer, surveiller, talonner* un adversaire.

• *Juneau a surveillé Sundin efficacement.*

cover-girl

Le français a emprunté ce mot à l'américain pour désigner une « jeune femme qui pose pour les photographies des magazines ». Au pluriel : *cover-girls*. Certains auteurs ont proposé de traduire *cover-girl* par *mannequin*, mais les *cover-girls* ne sont pas nécessairement *mannequins*. Si l'on tient absolument à employer un mot français, le mot *modèle* serait sans doute le plus juste.

cow-boy

Ce mot qui désigne un « personnage mythique de l'Ouest américain » est intraduisible en français. Bien que la graphie *cowboy* soit courante chez nous, il est préférable d'écrire le mot avec un trait d'union. Au pluriel : *cow-boys*.

crack

Voir *douance*.

craque

Ce mot a en français le sens de *mensonge*, de *vantardise*. C'est un anglicisme au sens de *craquelure, crevasse, fente, fissure, lézarde*.

• *Il faudra faire réparer les fissures de ce mur.*

Craque est également un anglicisme au sens de *moquerie, pique, pointe, raillerie, vanne*.

• *Il n'a pas son pareil pour lancer des pointes.*

crash

Ce mot anglais désigne l'« atterrissage forcé d'un avion, train rentré ». On ne peut l'employer pour décrire l'*écrasement* ou la *chute* d'un avion.

crédit

Ce mot est un anglicisme au sens d'*unité* menant à l'obtention d'un diplôme.

• *Ce cours donne droit à trois unités.*

Crédit est également un anglicisme au sens de *mérite*.

• *Le mérite de la victoire lui revient.*

crédit (à son)

L'expression *à son crédit* est une tournure anglaise qu'on rendra en français par *à son actif*.

credo

Ce mot invariable s'écrit avec une majuscule au sens propre, mais avec une minuscule au sens figuré.

• *L'assemblée récite des Credo.*

- *Le bilinguisme fait partie du credo du Parti libéral du Canada.*

Dans les deux cas, ce mot latin s'écrit sans accent.

crème glacée

Cette expression est un calque de *ice cream*. Elle est très répandue chez nous mais peu usitée en France, où l'on parle plutôt de *glace*. On évitera de confondre les mots *glace* et *crème glacée* avec le mot *sorbet*, ce produit ne contenant ni lait ni crème.

crime

On commet un crime *contre* une personne et non *sur* une personne.

Croix-Rouge

Deux majuscules et trait d'union.

cru, crû

On évitera de confondre ces deux participes passés. *Cru* appartient au verbe *croire*, *crû* au verbe *croître*.

cube

L'expression *cubes de glace* est un calque de *ice cubs*. En français, on parlera plutôt de *glaçons*.

Par ailleurs, la locution *couper en cubes* est un calque de *to cut in cubs*. En français, on dira plutôt, selon le contexte, *couper en morceaux, en rondelles* ou *en tranches*.

cueillette

Ce mot désigne l'« action de détacher de sa tige ». Il ne s'applique donc pas aux ordures, au sang, aux nouvelles, aux données ou aux fonds. Il est préférable de parler de *collecte*, de *ramassage* ou d'*enlèvement* des ordures, de *prélèvement* de sang, de *recherche* de nouvelles, de *collecte* de données, de *campagne* de souscription ou de financement.

cuiller

Cuiller à table est un calque de *tablespoon*. En français standard, on dira plutôt *cuiller à soupe*. Quant à *cuiller à thé*, c'est un *calque de teaspoon*. En français standard, on parlera plutôt de la *cuiller à café* ou de la *petite cuiller*.

culte

Mis en apposition, *culte* se dit d'une « personne ou d'une œuvre qui est l'objet d'une grande admiration, presque d'un culte ». Le mot s'écrit généralement sans trait d'union, mais il prend la marque du pluriel, le cas échéant.

- *James Dean est un acteur culte.*
- Pulp Fiction *est un film culte.*

cumulatif

Ce mot est un adjectif. Il signifie « qui s'additionne ou se combine ».

- *Il faut se méfier de l'effet cumulatif de ce médicament.*

Chez nous, dans le langage des sports, on a transformé *cumulatif* en substantif, au sens de *total*. Cet emploi constitue un néologisme inutile.

- *Le total de Tiger Woods après trois rondes est de 210.*
- *Cette ronde de 69 porte le total de Tiger Woods à 210.*

cumuler

Cumuler, c'est « réunir simultanément des avantages, des fonctions, des droits, etc. ».

- *Elle cumulera les deux fonctions par intérim.*

En revanche, on ne *cumule* pas des années d'expérience, on les *compte*, on les *a*, on les *affiche*, on *en bénéficie*, on *en dispose*, on *est fort* ou *riche d'*années d'expérience, on *a* des années d'expérience *derrière soi*.

- *Le nouvel entraîneur des Cavaliers compte huit années d'expérience dans la NBA.*

curateur

Ce mot est un anglicisme au sens de *conservateur*.

- *Le Musée du Québec aura bientôt un nouveau conservateur.*

curriculum vitæ

L'abréviation de *curriculum vitæ* est *CV*.

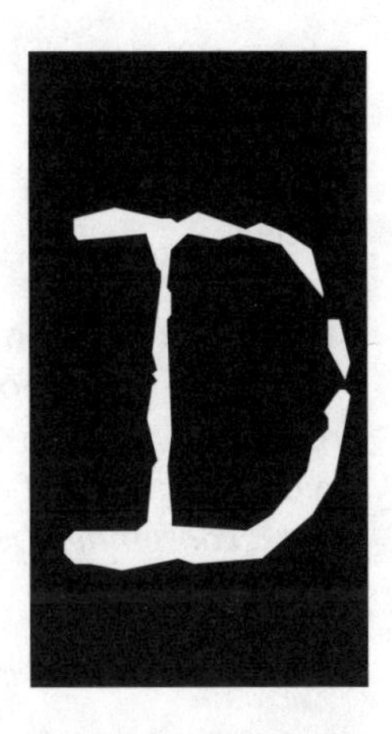

dactylo

Si l'on peut taper sur sa *machine à écrire*, il vaut mieux ne pas le faire sur sa *dactylo*, sous peine d'être poursuivi pour agression. Le mot *dactylo* désigne, en effet, non pas la machine elle-même, mais la « personne qui exerce son métier à l'aide de la machine ».

damage control

Cette locution anglaise appartient d'abord au vocabulaire de la sécurité. Dans la marine, par exemple, les anglophones l'emploient pour désigner les « dispositions prises pour effectuer rapidement des réparations matérielles ». Par extension, on l'emploie aujourd'hui chez nous pour désigner « toute situation où l'on tente de limiter les dégâts ». Mais cette expression s'intègre plutôt mal à notre langue. Aussi est-il préférable de la traduire par *limiter les dégâts* ou, dans un contexte plus familier, *limiter la casse*. Lorsqu'une tentative de *damage control* est critiquable, on peut dire que *les mesures proposées ne constituent qu'un cataplasme*.

date

On écrit *le mardi 5 septembre* et non *mardi le 5 septembre*. L'emploi du démonstratif au lieu de l'article défini pour parler d'un événement qui n'a pas encore eu lieu constitue un anglicisme. On dira donc, par exemple : *L'émission sera présentée le mercredi 15 décembre*, au lieu de *ce mercredi 15 décembre*.

Voir aussi *millésime*.

date (à)

À date est un calque de *to date* ou de *up to date*. On dira plutôt *à ce jour, jusqu'ici, jusqu'à maintenant, jusqu'à présent*. Lorsqu'il s'agit d'un logiciel ou d'une base de données, on dira simplement *à jour, actualisé(e)*.

date d'expiration

La « date d'échéance d'une carte de crédit ou de débit » s'appelle la *date d'expiration*.

date de péremption

La « date limite pour consommer un produit » s'appelle la *date de péremption*. On peut également employer les locutions *à consommer avant…*, *à utiliser de préférence avant…* pour traduire *best before…*

davantage que

La construction *davantage que* est critiquée. En français soutenu, on lui préférera *plus que*.

- *Elle gagne plus d'argent que moi.*

deadline

Ce mot anglais qui désigne l'« échéance pour terminer un article, un livre, etc. » se traduit, selon le contexte, par *l'heure de tombée* ou la *date limite*.

dealer

Voir *pusher*.

débat

Mis en apposition, ce mot s'écrit avec un trait d'union et prend, le cas échéant, la marque du pluriel.

- *Des dîners-débats.*

debater

Le mot *debater* désigne un « orateur politique excellent dans les débats ». Bien qu'il comble un besoin, cet emprunt à l'anglais est parfois critiqué. Sa francisation en *débatteur* contribuera sans doute à le faire pleinement accepter.

débatteur

Voir *debater*.

déboucher

Ce verbe se construit généralement avec la préposition *sur*.

- *Cette coopération débouchera sur des accords commerciaux.*

débours

Voir *déboursé*.

déboursé

Ce mot est un archaïsme qui n'est plus guère vivant qu'au Québec. En français moderne, on parlera plutôt de *débours*.

débuter

Ce verbe est intransitif. Il ne peut donc avoir de complément d'objet direct. On peut *débuter* dans un métier, par exemple, mais on ne peut *débuter* un match ; on le *commence*, on l'*entreprend*. On peut aussi utiliser, selon le contexte, les verbes *amorcer*, *ébaucher*, *engager*, *entamer*, *lancer*, *mettre en marche*, *mettre en train*, etc. Il n'y a donc aucun besoin de faire de *débuter* un verbe transitif, de sorte qu'il est peu probable que le français standard finisse par consacrer cet usage.

décade

Le mot anglais *decade* signifie à la fois *décade* et *décennie*, deux mots qui ont une signification bien différente dans notre langue. Le premier désigne une « période de dix jours », le second, une « période de dix ans ».

décarcération

Faut-il écrire *décarcération* ou *désincarcération* ? En fait, les deux mots désignent l'« action de dégager une personne coincée dans un véhicule accidenté ». Mais le premier est plus fréquent.

- *Les secouristes ont dû utiliser le matériel de décarcération.*

décéder

Voir *décès*.

décennie

Voir *décade*.

décès

Ce substantif désigne une mort naturelle. Quand il est question d'une *mort* accidentelle, c'est ce dernier mot qu'on emploiera.

- *Il y a eu quatre morts sur les routes au cours du week-end.*

Par contre, on dira qu'un *décès* a été constaté à l'hôpital, car ce mot appartient au vocabulaire administratif.

Le verbe *décéder* appartient lui aussi au vocabulaire administratif. Mais on l'emploie souvent comme synonyme de *mourir, s'éteindre, disparaître*. En ce sens, *décéder* constitue un euphémisme, le verbe *mourir* étant sans doute pour certains trop brutal.

décideur

Ce néologisme paraît venir de l'anglais *decider*. Il désigne une « personne ou un organisme qui a un pouvoir de décision ».

décriminalisation

Voir *décriminaliser*.

décriminaliser

Les verbes *décriminaliser* et *dépénaliser* sont pour ainsi dire synonymes, signifiant l'un et l'autre « soustraire une action ou une infraction du droit pénal ». *Décriminaliser* est cependant rarement employé en France, où on lui préfère *dépénaliser*. Quant au substantif *décriminalisation*, il est inconnu dans l'Hexagone, où l'on parle toujours de *dépénalisation*. Ces divergences viennent de ce que les Français ont un Code pénal alors que nous avons, sous l'influence de l'anglais, un Code criminel. Il n'est donc pas fautif d'utiliser chez nous *décriminaliser* et *décriminalisation*. Il faut simplement se souvenir que, dans le même contexte, l'Europe francophone emploiera *dépénaliser* et *dépénalisation*.

- *Joe Clark est favorable à la décriminalisation de la marijuana.*
- *Les Pays-Bas ont dépénalisé la marijuana.*

Il ne faut pas perdre de vue, non plus, que ni *décriminaliser* ni *dépénaliser* ne sont des synonymes de *légaliser*. La possession de cannabis, par exemple, pourrait ne plus constituer un crime, mais elle demeurerait une infraction. Un citoyen trouvé en possession de marijuana recevrait une contravention, mais en payant une amende, il éviterait de passer en cour et de se retrouver avec un casier criminel. En outre, vendre et cultiver du cannabis resteraient des crimes, à moins qu'on ne *décriminalise* également ces activités.

décrochage

Voir *drop-out*.

décrocher

Voir *drop-out*.

décrocheur, euse

Voir *drop-out*.

dedans (en – de)

En français, la locution *en dedans de* est relative au lieu, non au temps. Elle n'a donc pas le sens de *d'ici, en l'espace de, en moins de, dans un délai de*.

- *Ces deux meurtres ont eu lieu en moins de 24 heures.*
- *Vous devrez acquitter le solde dans un délai de six mois.*
- *Tout doit être vendu d'ici un mois.*

dédier

En français, on peut *dédier* quelque chose (une chanson, une œuvre) à quelqu'un, on peut *dédier* une église à un saint. Mais on ne peut dire d'une personne qu'elle est *dédiée* à une cause quelconque, d'une chaîne de télé qu'elle est *dédiée* à la nouvelle ou d'une taxe qu'elle est *dédiée* à un secteur en particulier. Ces emplois sont des anglicismes. En fait, on est aujourd'hui inondé de calques de *dedicated*.

On emploiera plutôt, selon le contexte, les verbes, locutions verbales ou adjectifs *consacrer, se consacrer, se donner à fond, s'investir dans, se dévouer, (être) dévoué, (être) consacré, (être) spécialement affecté, (être) spécialisé, particulier*, etc.

- *Elle consacre tout son temps aux études.*
- *Il se donne à fond pour l'équipe.*
- *Elle se dévoue pour ses enfants.*
- *Il est dévoué à la cause.*
- *Elle s'investit dans l'intégration des immigrants.*
- *Une place publique sera consacrée à Riopelle.*
- *Un impôt spécialement affecté au transport en commun.*

déductible

Ce mot est un anglicisme au sens de *franchise*.

- *Cette assurance comprend une franchise de 200 $.*

défense (avocat de la)

Pas de majuscule à *défense*, contrairement à *Couronne*.

- *Le plaidoyer de l'avocat de la défense était plus convaincant que celui du représentant de la Couronne.*

définitivement

Cet adverbe est un anglicisme *(definitely)* au sens de *certainement, assurément, décidément, hors de tout doute, indéniablement, indiscutablement, nettement, très certainement* ou *vraiment*.

- *Nous avons indéniablement mal joué.*

déflagration

Voir *conflagration*.

défonce

Voir *défoncer*.

défoncer

Ce verbe n'a pas le sens de *dépasser*, d'*excéder*. On ne *défonce* pas un budget, on le *dépasse*.

En revanche, on emploie *se défoncer*, depuis le début des années 70, au sens d'« atteindre un certain état après avoir absorbé certaines drogues ». Quant à l'état atteint, on le nomme la *défonce*.

défrayer

Ce mot est un anglicisme *(to pay somebody's expenses)* au sens de *rembourser* les dépenses de quelqu'un. On *défraie* quelqu'un en lui remboursant ses dépenses, mais on ne *défraie* pas les dépenses de quelqu'un.

- *Le voyage a coûté cher, mais son employeur l'a défrayé de tout.*
- *Son employeur a remboursé toutes ses dépenses.*

Défrayer est une impropriété au sens d'« assumer les coûts ».

- *Le coût de la rénovation sera assumé par le gouvernement.*

Par ailleurs, on dit correctement *défrayer la conversation* (faire parler de soi) et *défrayer la chronique* (faire grand bruit). Mais il est plus juste de dire *faire la manchette* quand on veut parler d'une personne ou d'un fait qui se retrouve à la une des journaux.

défusionner

On trouve dans les dictionnaires *fusionner*, mais pas *défusionner*. Pourtant, ce mot d'actualité est fort commode et très bien formé. Les audacieux ont donc raison de l'employer.

- *Jean Charest avait promis que les villes pourraient défusionner.*

Voir aussi *fusionner*.

dégât

Il est pléonastique de dire d'un *dégât* qu'il est matériel.

- *La tornade a causé d'importants dégâts.*

déjeuner

Voir *dîner*.

délai

Ce mot désigne une « période de temps prévue pour l'exécution d'une chose ». Sous l'influence de *delay*, on lui donne abusivement le sens de *retard*.

- *Je vous confie cette tâche. Mais je ne tolérerai aucun retard.*

Par ailleurs, la locution *sans délai* s'écrit au singulier.

délibéré (mettre en)

On ne *prend* pas une affaire *en délibéré*, on la *met en délibéré*.

delicatessen

Ce mot désigne en anglais un « commerce où l'on vend une alimentation fine ». On le traduira par *épicerie fine*. On y trouve une *alimentation fine*, et non des *delicatesses*. On peut aussi remplacer ce dernier mot par les produits eux-mêmes : *charcuteries, fromages, gâteaux*, etc.

delicatesses

Voir *delicatessen*.

délivrer

Ce verbe est un anglicisme au sens de *livrer* (une commande).

- *Nous livrons gratuitement à domicile.*

demande (en)

L'expression *être en demande*, par rapport à un article d'une convention collective, appartient au jargon syndical. On ne dira pas, par exemple, que *l'employeur est en demande sur ce point*, mais qu'*il tente de faire des gains sur ce point*.

Par ailleurs, la locution *en demande* est un calque de *in demand*. On la remplacera par *demandé, populaire, recherché* ou par *être l'objet d'une forte demande.*

- *Cet article est très demandé en ce moment.*
- *Des voitures recherchées.*

demander

Lorsque *demander* est suivi d'un verbe à l'infinitif, on le construit avec la préposition *à* si le sujet des deux verbes est le même.

- *Il a demandé à me voir avant mon départ.*

Mais on construit *demander* avec la préposition *de* si le sujet des deux verbes n'est pas le même.

- *Il m'a demandé de venir le voir avant mon départ.*

La construction *demander que* commande le subjonctif.

- *Elle a demandé que je parte.*

demandeur (d'asile)

Voir *immigrant.*

démantèlement

Démantèlement et *démanteler* sont des anglicismes au sens de *démontage* et *démonter.*

- *L'usine sera fermée le mois prochain et démontée d'ici la fin de l'année. Son démontage prendra six semaines.*

démanteler

Voir *démantèlement.*

demi

Comme premier élément d'un composé, *demi* est toujours invariable et se joint à l'adjectif ou au substantif qui le suit par un trait d'union.

- *Des demi-mesures.*
- *Une orfèvrerie demi-fine.*

Par contre, la locution *à demi* ne prend pas de trait d'union devant un adjectif.

- *Elle était à demi satisfaite, car elle aurait voulu qu'on la comprenne à demi-mot.*

Quand *demi* suit un substantif, il s'accorde en genre, mais non en nombre.

- *Trois heures et demie.*

démonstrateur

Un article ou une voiture dont se servent les vendeurs pour les faire connaître aux clients n'est pas un *démonstrateur,* mais un *article en montre* ou une *voiture d'essai.*

démonstration

Ce mot est un anglicisme au sens de *manifestation.*

- *La fête des Travailleurs a été marquée par des manifestations antimondialistes, aux quatre coins du monde.*

démystifier

On emploie souvent à tort *démystifier* au sens de *démythifier.* Le premier est l'antonyme de *mystifier.* Il signifie donc « détromper les victimes d'une mystification ». Le second signifie « enlever à un événement, à une personne sa valeur de mythe ». Un chroniqueur scientifique, par exemple, peut *démystifier* les travaux d'un chercheur qui a faussé les données d'une étude. Mais si son objectif est de vulgariser les résultats de travaux complexes, on dira qu'il *démythifie* ces travaux.

démythifier

Voir *démystifier.*

déodorisant

Le mot *déodorisant* est un anglicisme au sens de *déodorant*.

- *Un nouveau déodorant contre les odeurs corporelles.*

dépanneur

Ce québécisme désigne un « petit magasin d'alimentation ». Il n'y a pas si longtemps encore, on parlait plutôt de *petite épicerie* ou d'*épicerie du coin*.

On notera que le mot *dépanneur* désigne un commerce et non son propriétaire. C'est pourquoi on ne peut parler, par exemple, du meurtre d'un *dépanneur*. Un *dépanneur* peut fermer sans doute, mais point mourir.

dépanneuse

La « voiture de dépannage qui remorque les automobiles en panne » est une *dépanneuse*, non un *towing*.

département

Ce mot est un anglicisme au sens de *bureau* d'une société, de *comptoir* ou de *rayon* d'un magasin, de *service* d'un établissement, d'une entreprise, d'un État.

- *Le bureau d'études.*
- *Le rayon des produits de beauté.*
- *Le service des incendies.*

départir

Ce verbe se conjugue comme *partir*, non comme *finir*. Le grammairien Joseph Hanse mentionne, il est vrai, qu'il y a une « tendance forte » à conjuguer *départir* comme *finir*, mais il ne l'entérine pas. Jean-Paul Colin, dans son Dictionnaire des difficultés, considère cette tendance comme fautive. Comme le font également le Petit Robert, le Petit Larousse et le Multidictionnaire.

dépénalisation

Voir *décriminaliser*.

dépénaliser

Voir *décriminaliser*.

dépendamment

Cet adverbe est un archaïsme au sens de *selon, suivant, d'après, en fonction de*, etc.

déportation

Le mot *déportation* se dit correctement d'une « population arrachée de force à son territoire ».

- *La déportation des Acadiens.*
- *Les Acadiens ont été déportés aux États-Unis.*

Ce terme désigne également « l'internement dans un camp de concentration à l'étranger ou dans une région éloignée ».

- *Des millions de Juifs ont été déportés pendant la Deuxième Guerre mondiale. La plupart sont morts en déportation.*

Déportation et *déporter* sont cependant des anglicismes au sens d'*expulsion* et d'*expulser*.

- *Soupçonné d'être un mafieux, Gaetano Amodeo a été expulsé du Canada.*
- *Menacée d'expulsion, cette immigrante a alerté les médias. Elle pourrait être expulsée dès la semaine prochaine.*

déporter

Voir *déportation*.

dépôt

Ce mot est un anglicisme au sens de *cautionnement, acompte* ou *consigne*. En français, on donne un *acompte* sur un article ; un candidat à une élection verse un *cautionnement* ; on paie une *consigne* en garantie de retour d'un emballage.

depuis

Est-il correct de dire que le journaliste Untel nous a parlé *depuis* Paris ? *Depuis* a d'abord et avant tout un sens temporel. Mais son extension au sens spatial est de plus en plus fréquente. Certains grammairiens jugent cet emploi abusif et conseillent de s'en tenir à *de*. Mais d'autres estiment que *depuis* fait disparaître l'ambiguïté du *de*, qui, dans l'exemple qui précède, peut aussi bien vouloir dire *à partir de* que *au sujet de* Paris.

députée

Féminin de *député*.

- *Le nouveau Parlement compte 24 députées.*

dernier-né

Ce substantif d'origine récente s'accorde en genre et en nombre.

- *Les dernières-nées des constructeurs américains sont plus fiables.*

désassurer

On trouve parfois ce néologisme dans les médias québécois.

- *La Régie de l'assurance maladie a désassuré les examens de la vue.*

On peut évidemment continuer à dire *ne plus assurer*.

- *La Régie de l'assurance maladie n'assure plus les examens de la vue.*

design

L'anglais avait emprunté au français le mot *dessin*, dont il a tiré *design*. Le français a emprunté ce mot à son tour pour désigner la « création d'objets à la fois esthétiques et utilitaires ».

- *Ce fauteuil est un bel exemple de design italien.*

Le terme a vite été critiqué, en raison notamment de sa graphie et de sa prononciation, qui s'intègrent mal à notre langue. Grand pourfendeur d'anglicismes, Étiemble a proposé très tôt de remplacer *design*, selon le contexte, par *avant-projet, création industrielle, étude, formes, modèle, projet, présentation* ou *type*. Sans grand succès. Une recommandation officielle a suivi pour substituer *stylique* à *design*. Mais elle est restée lettre morte.

Ces échecs ont amené certains auteurs (*Dictionnaire des anglicismes* du Robert, *Multidictionnaire)* à conclure qu'aucun mot français ne convenait pour remplacer *design*. Pour ma part, je n'en suis pas tout à fait convaincu. Mais aucun d'eux n'ayant réussi à s'imposer, je m'incline.

Design a engendré *designer*, dont la prononciation est encore plus atroce et qui a suscité lui aussi sa large part de critiques. Mais on a beau lui avoir opposé *stylicien*, recommandation officielle qu'on retrouve dans tous les bons dictionnaires, il a résisté. Tant et si bien que *designer* désigne aujourd'hui tout « créateur d'objets esthétiques et utilitaires ».

Les *designers* sont tout naturellement passés de la création d'objets à la création d'intérieurs. En Italie, notamment, les cuisines sont depuis longtemps conçues par des *designers*. Le rôle du *designer* d'intérieur est différent de celui du *décorateur*, lequel, comme son nom l'indique, « décore des lieux ».

Dans le vocabulaire de l'automobile, *designer* fait une vive concurrence à *carrossier*, terme qui désigne et qui, à mon avis, devrait continuer à désigner un « concepteur de carrosseries ». On peut, par contre, parler du *design* d'une automobile.

Chez nous, *designer* a également envahi le vocabulaire de la mode. C'est en effet ce vulgaire calque de *clothes designer* qui, au Québec, désigne nos *(grands) couturiers*, nos *créateurs de mode* et nos *stylistes*. Ce choix est d'autant plus surprenant que ce sont les Français qui ont pratiquement inventé la haute couture. Pour moi donc, employer *designer* au sens de *(grand) couturier*, de *créateur de mode* ou de *styliste* est l'exemple type de l'emprunt injustifié, puisqu'il prend la place d'équivalents français précis, prestigieux et déjà solidement implantés.

Voir aussi *couturière*.

designer

Voir *design*.

désincarcération

Voir *décarcération*.

désinstitutionnalisation

Ce mot interminable et laid vient de l'anglais *desinstitutionalization*. Il désigne, selon l'OLF, la « conception du traitement des maladies mentales basée sur un changement des rapports entre les personnes handicapées et la société, et sa mise en pratique par l'abandon du recours à l'hospitalisation traditionnelle dans tous les cas possibles et par l'utilisation de services communautaires de soins et de réadaptation, soit pour remplacer le traitement hospitalier, soit pour en assurer le suivi ». Le terme désigne également, depuis quelques années, « des programmes conçus pour venir en aide aux détenus, aux délinquants, aux handicapés ou aux personnes âgées ». On peut le remplacer, dans certains contextes, par *réinsertion sociale*.

desk

Les Français ont emprunté ce mot à l'anglais pour désigner le « secrétariat de rédaction d'un journal, d'une revue, d'une agence de presse, d'une station de radio ou d'une chaîne de télévision », c'est-à-dire l'entité qui « traite les informations en vue de leur publication ou de leur diffusion ». Chez nous, on a préféré traduire *desk* par *pupitre*, mot popularisé par la télésérie *Scoop*. Dans un cas comme dans l'autre, on peut se demander pourquoi la locution *secrétariat de rédaction* tend à disparaître. Est-elle jugée trop longue, trop vieillotte ou trop confuse ?

Quoi qu'il en soit, il manque au français un terme générique pour qualifier le personnel affecté au *secrétariat de rédaction*, qui regroupe les metteurs en pages, les réviseurs, les correcteurs, les traducteurs et les graphistes. Dans certains quotidiens, on a choisi le mot *éditeur*. Mais en ce sens, le mot est un anglicisme, car *éditeur* désigne en français « la personne ou la collectivité qui publie des ouvrages ». Le terme *rédacteur*, qu'on emploie parfois pour traduire *editor*, ne convient pas à toutes les tâches.

À *La Presse*, on parle de *préposé au pupitre*, locution qui fait spontanément penser aux *préposés à l'entretien* et que les *préposés* concernés n'aiment pas beaucoup. Le néologisme *pupitreur*, que plusieurs emploient, serait sans doute préférable.

Voir aussi *éditer*.

désobéissance civile

La locution *désobéissance civile* n'est pas un calque de *civil desobedience*. L'erreur ici serait d'employer *civique* au lieu de *civile*.

Dans Le Robert-Collins, on traduit *civil desobedience* par *résistance passive*. Mais dans certains contextes, il ne s'agit pas d'une traduction juste, la résistance passive étant un simple refus d'obéir. Souvent, il faut au moins parler de *résistance active*.

- *Le Sommet des Amériques a réuni des milliers d'opposants à la mondialisation. Des activistes, formés à la désobéissance civile, étaient de la partie. Il y a eu de la casse.*

des plus

Comme le fait remarquer Grevisse, l'adjectif précédé de *des plus* « s'accorde presque toujours avec le nom pluriel logiquement appelé par *des* ». Dans ce contexte, le *des* a, en effet, le sens de *parmi les, entre les*. La même règle s'applique à *des moins, des mieux, des plus mal*.

- *Un travail des plus ardus (parmi les plus ardus).*
- *Un portrait des moins flatteurs (parmi les moins flatteurs).*
- *Cette automobile est des mieux équipées (parmi les mieux équipées).*
- *Un couple des plus mal assortis (entre les plus mal assortis).*

Il arrive cependant qu'on rencontre le singulier après *des plus, des moins* ou *des mieux* quand l'adjectif qui les suit se rapporte à un mot singulier et n'implique aucune idée de comparaison. Ces locutions ont alors le sens adverbial de *très, très peu, très bien*.

- *Un voyage des plus exténuant (très exténuant).*
- *Une démonstration des moins convaincante (très peu convaincante).*
- *Un exemple des mieux choisi (très bien choisi).*

Enfin, notons que le singulier s'impose lorsque l'adjectif qui suit *des plus, des moins, des mieux* se rapporte à un sujet indéterminé ou à un pronom neutre.

- *Entendre sa voix est des plus agréable.*
- *Voyager en avion est des plus inconfortable.*
- *Cela est des plus risqué.*
- *Il lui était des plus pénible de partir.*

détail (en)

La locution adverbiale *en détail*, qui signifie « en précisant tous les détails », est invariable.

- *Voici en détail le récit des événements.*

détergent

Voir *nettoyeur*.

détersif

Voir *nettoyeur*.

détour

Pendant une vingtaine d'années, l'OLF a condamné l'emploi du terme *détour* au sens de *déviation*, le jugeant avec raison impropre. Mais à la suite d'un tour de passe-passe aussi savant qu'étonnant, l'OLF a fait marche arrière toute, justifiant l'usage du mot *détour* sur les panneaux de signalisation du Québec. Il est vrai que le mot *detour* est en anglais un emprunt au français, mais son emploi au sens de *déviation* n'en constitue pas moins un anglicisme qui appauvrit notre langue. Le « chemin que doivent prendre les véhicules à cause d'un obstacle temporaire » demeure donc une *déviation*. Bien entendu, les *déviations* obligent les automobilistes à faire des *détours*.

- *Le Tour de l'Île entraîne de nombreuses déviations. Les chauffeurs de taxi pestent contre les détours.*

détour (sans)

La locution *sans détour* s'écrit au singulier.

- *Expliquez-moi la situation sans détour.*

de toute façon

Cette locution adverbiale s'écrit au singulier.

dette préférentielle

Cette locution est un anglicisme *(preferential debt)* au sens de *créance privilégiée*.

développement

Le mot *développement* et son faux ami *development* ont des sens assez semblables, de sorte qu'il est difficile de cerner l'influence du second sur le premier.

On considère *développement (domiciliaire)* comme un anglicisme au sens de *lotissement, nouveau quartier, ensemble résidentiel, secteur d'habitation*.

- *Le nouveau lotissement comprendra 150 maisons.*

C'est également sous l'influence de l'anglais qu'on appelle aujourd'hui *développement* la « mise au point d'un produit en vue de sa commercialiation ». Mais cet usage n'est plus critiqué.

Dans son dictionnaire des Difficultés de la langue française au Canada, Gérard Dagenais considérait développement comme un anglicisme au sens de *conséquences, faits nouveaux, dernières nouvelles, événements, rebondissement(s), suites*. Mais ces emplois sont maintenant entérinés par tous les grands dictionnaires.

En fait, ce qu'on peut reprocher à *développement*, c'est moins d'être un anglicisme que de condamner au chômage des mots souvent plus précis comme *création, élaboration, établissement, exploitation, mise au point, mise en valeur*, etc.

- *La création d'un produit.*
- *L'élaboration d'un vin.*
- *L'établissement d'un service.*
- *L'exploitation d'une ressource.*
- *La mise au point d'une technique.*
- *La mise en valeur d'un territoire.*

développer

L'emploi de ce verbe au sens de *contracter* (une maladie) vient de l'anglais. Mais ce sens est maintenant entériné par le Petit Robert et le Petit Larousse, qui n'en mentionnent même pas l'origine anglaise. On peut donc considérer qu'il est passé dans l'usage.

Pour le reste, *développer* souffre de la même expansion anarchique que *développement*, faisant peu à peu oublier nombre de verbes plus intéressants.

Voici quelques exemples de termes qui pourraient remplacer avantageusement *développer*.

- *Augmenter ses capacités.*
- *Créer un produit.*
- *Élaborer un vin.*
- *Établir des relations, de nouvelles lignes aériennes,* etc.
- *Mettre en valeur un territoire.*
- *Produire des chevaux-vapeur.*
- *Trouver des moyens d'augmenter ses revenus.*

développeur

Ce néologisme est une traduction de *home developer*. L'expression juste est *promoteur immobilier*. Lorsque le contexte est suffisamment clair, on peut dire tout simplement *promoteur*.

déviation

Voir *détour*.

devoir (en)

Voir *en devoir*.

devoirs (faire ses)

Un écolier peut *faire ses devoirs*. Mais l'emploi de cette locution dans un contexte autre que scolaire est un calque de *to done (make) his homework*. On lui préférera, selon le contexte, *atteindre ses objectifs, maîtriser son sujet, être bien préparé*, etc.

- *La position canadienne est d'autant plus embarrassante que les Européens, eux, ont atteint leurs objectifs.*
- *Le ministre a présenté son dossier sans être bien préparé.*

dévolution

En français, ce terme de droit désigne la « transmission d'un droit ou d'un bien d'une personne à une autre ». Sous l'influence de l'anglais, on lui donne à tort le sens de *décentralisation* (administrative).

- *Le gouvernement ontarien vient de mettre en marche une décentralisation très controversée.*

dézonage

On trouve dans les dictionnaires *zonage* et *zoner*, mais pas *dézonage* et *dézoner*. Pourtant ces néologismes, parfaitement constitués, sont si commodes que les journalistes les ont inventés et osent parfois les utiliser. Les audacieux ont bien raison.

dézoner

Voir *dézonage*.

diaspora

On emploie maintenant ce mot, à l'occasion, pour désigner un autre peuple que le peuple juif vivant dispersé à l'étranger.

- *Les Haïtiens de la diaspora se sont réjouis de la tournure des événements.*

diète

Ce mot désigne un « régime prescrit par un médecin » ou une « privation, plus ou moins complète, de nourriture ».

- *Le médecin m'a mis à la diète.*
- *Cette diète était trop pénible pour elle.*

Diète est un anglicisme au sens de *régime* (alimentaire).

- *Régime végétarien, régime sans sel, régime Montignac, régime méditerranéen, régime asiatique*, etc.

dieux et divinités

Les noms de dieux et de divinités, de même que leurs synonymes, prennent une majuscule.

- *Le Tout-Puissant, Dieu le Père, le Messie, les Muses, les Grâces, les Titans...*

différence

Le substantif *différence* et l'adjectif *différent* ont en français un sens neutre. Sous l'influence de l'anglais, on leur donne souvent en publicité le sens de « ce qui est nettement mieux que les autres produits ». Quand on vous dit qu'un produit est nettement *différent*, on veut dire qu'il est *meilleur, supérieur, bien mieux, nettement mieux*, etc. Comme on le voit, ce ne sont pas les équivalents français qui manquent.

différent

Voir *différence*.

digital

L'adjectif *digital* est un anglicisme au sens de *numérique*.

- *Une montre numérique.*

digitaliser

Le verbe *digitaliser* est un anglicisme au sens de *numériser* (convertir en numérique des informations données).

- *Ces photos ont été numérisées.*

digitalisateur

On remplacera l'anglicisme *digitaliseur*, qui désigne un « appareil qui sert à numériser les informations », par *numériseur*.

dîner

Chez nous, le mot *dîner* désigne le « repas pris au milieu de la journée ». Le « repas du matin » se nomme *déjeuner* ou *petit-déjeuner*. Quant au « repas du soir », on l'appelle généralement *souper*, sauf dans l'usage protocolaire, où l'on privilégie *dîner*.

Le mot *lunch*, emprunté à l'anglais, désigne quant à lui un « repas léger ». Plusieurs lui préféreront *casse-croûte*, qui a le sens voisin de « collation légère ».

- *J'ai apporté un casse-croûte.*

Reste le cas du *brunch* (au pluriel : *brunchs* ou *brunches*), qui est une contraction de *breakfast* et *lunch*. Le français l'a emprunté pour désigner un « repas tenant lieu de petit-déjeuner et de repas du midi ». Le grammairien Joseph Hanse a proposé de traduire *brunch* par *grand déjeuner*. Chez nous, on parle parfois de *déjeuner-dîner*.

Brunch a engendré le verbe *bruncher*, qui paraît difficile à traduire.

Les termes *déjeuner, dîner* et *souper* sont souvent associés à un substantif désignant une activité. Dans ce cas, on utilise un trait d'union. Quant à l'accord, il dépend du sens.

- *Des déjeuners-causeries, des dîners-bénéfice, des dîners-causeries, des dîners-concerts, des dîners-conférences, des dîners-spectacles, des soupers-concerts.*

Dîner d'affaires est un calque de *businessmen's luncheon*. Mais on n'a pas trouvé de meilleure traduction à cette locution qui désigne un « repas à prix réduit offert le midi, par les restaurateurs, à leur clientèle ».

diplomation

Ce québécisme du jargon de l'éducation, désigne le « nombre de diplômes délivrés dans un groupe cible ». Comme le fait remarquer l'OLF, ce terme est le plus souvent utilisé dans un contexte de comparaison entre deux groupes.

- *La diplomation est meilleure dans les milieux riches que dans les milieux défavorisés.*

On parlera donc du *taux d'obtention d'un diplôme* plutôt que *taux de diplomation* ou du *pourcentage de diplomation*.

On notera au passage que l'OLF fait une distinction entre *taux d'obtention d'un diplôme* et *taux de réussite*, car on peut réussir, fait-on remarquer, un programme, un examen, etc. sans pour autant obtenir un diplôme. Quand le contexte et clair toutefois, je ne suis pas certain que cette distinction soit bien utile.

- *Le Ministère veut augmenter le taux d'obtention des diplômes des étudiants.*
- *Le taux de réussite des élèves des écoles secondaires est plus élevé au Québec qu'en Ontario.*

directeur de la photographie

Voir *caméraman*.

directeur général

Il n'y a pas de trait d'union entre les deux éléments de ce titre, *général* étant un adjectif. L'abréviation est *DG*.

direction

Ce mot prend une majuscule quand il désigne un organisme national unique.

- *La Direction générale de l'enseignement collégial.*

Dans les autres cas, la minuscule est de rigueur.

- *La direction du collège Bellevue.*

disco

Ce mot qui désigne un « genre de musique de danse » s'intègre bien au français. Car s'il vient du substantif anglais *discotheque*, ce dernier a lui-même été emprunté au français *discothèque*. Comme substantif, *disco* est masculin.

- *Elle aime écouter du disco.*

Comme adjectif, *disco* est invariable.

- *De la musique disco.*

discount

Ce mot est un anglicisme au sens de *rabais* (sur un prix) ou de *magasin à très grande surface*.

discours

Voir *allocution*.

disgrâce

Ce mot est un anglicisme *(disgrace)* au sens de *honte*.

- *Il est une honte pour sa famille.*

disc(-)jockey

Ce mot américain désigne un « animateur d'une émission de musique populaire ». Sa traduction n'est pas facile, car le mot *animateur* a une portée trop générale. La locution *présentateur de disques* conviendrait mieux. On rencontre parfois la forme francisée *disque-jockey*.

dispatcher

Dispatcher est un anglicisme au sens de *répartiteur*. Ce dernier ne fait pas du *dispatching*, pas plus qu'il ne *dispatche*. Il assume la *répartition* du travail, il *répartit* le travail, il l'*organise*.

dispatching

Voir *dispatcher*.

dispendieux

On confond souvent *cher* et *dispendieux*. Le premier désigne une « chose dont le prix est élevé », le second, une « chose qui entraîne des dépenses ». Une voiture de grand luxe est plus *chère* qu'une sous-compacte, mais l'une et l'autre peuvent être *dispendieuses*. Quant à *coûteux*, il se dit des « choses qui nécessitent des dépenses considérables ».

- *La recherche sur le sida est très coûteuse.*

dispenser

On peut *dispenser* des largesses, mais quand il est question de cours, il vaut mieux employer les verbes *offrir* ou *donner*.

- *L'Université de Montréal offre des cours le soir.*

disponible

Disponible se dit correctement en français de « ce dont on peut disposer ».

- *L'appartement sera disponible à la fin du mois.*

Cet adjectif s'emploie également pour qualifier une personne « qui peut disposer librement de son temps ».

- *Elle sera disponible à la fin de l'après-midi.*

L'emploi de *disponible* est en revanche considéré comme un calque de *available* au sens de *en vente*, *offert*. On ne dira pas d'un article, par exemple, qu'il est *disponible*, mais *en vente* dans les boutiques. Pour les mêmes raisons, un enregistrement n'est pas *disponible* en cassette ou en disque compact ; on a le *choix* entre la cassette et le disque compact. Ou encore, une voiture n'est pas *disponible*, mais *offerte* en version de luxe ou standard.

Certes, il s'agit d'un calque répandu, mais il n'est attesté ni par le Petit Larousse ni par le Petit Robert. Il est en outre déconseillé tant par le Multidictionnaire que par le Colpron. Il me paraît donc souhaitable de l'éviter.

disposer

Ce verbe n'a pas en français le sens de *régler* ou d'*éliminer*. On ne *dispose* pas d'un problème, on le *règle*, on le *résout*. On ne *dispose* pas des ordures ou de la neige. On n'en fait pas davantage la *disposition*. On *élimine* les ordures, on *s'en défait*. On *enlève* la neige. Bien entendu, on peut parler de l'*élimination* des ordures et de l'*enlèvement* de la neige.

disposition

Voir *disposer*.

distinct

Bien que cet adjectif soit commun au français et à l'anglais, il pose des problèmes de traduction, notamment dans l'expression *société distincte*. De nombreux anglophones prêtent à *distinct* le sens de *supérieur* ; un sens qui les inquiète. Cet adjectif signifie en outre *séparé de (distinct from)*, ce qui fait sans doute blêmir un peu plus nos compatriotes. *Distinct* signifie finalement *différent*, un sens qui, lui, est bien commun aux deux langues.

dit-il

Sous prétexte de varier le style, certains auteurs remplacent l'incise *dit-il* par des verbes qui ne contiennent pas l'idée de dire. Des tournures comme *bafouille-t-il, reproche-t-il, rougit-il, s'emporte-t-il, s'exalte-t-il, s'indigne-t-il, tempête-t-il* sont considérées comme incorrectes dans les citations.

D'autres, au contraire, pèchent par manque d'originalité, n'employant que le verbe *dire* là où ils pourraient aussi utiliser, selon le contexte, *affirmer, arguer, assurer, avancer, avertir, confirmer, déclarer, énoncer, exposer, exprimer, expliquer, garantir, indiquer, juger, jurer, plaider, prétendre, proclamer, proférer, protester, raconter, rappeler, relater, soutenir*, etc. Mais attention ! Tous ces verbes ne sont pas de parfaits synonymes et ne sont donc pas interchangeables à volonté. Par exemple, *affirmer* signifie « donner une chose pour certaine ». *Prétendre* a presque la même signification, à la différence que la conviction de celui qui affirme n'est pas nécessairement partagée par autrui.

- *Le PQ devrait tenir un référendum à la fin de son mandat, prétend Jacques Parizeau.*

division (sur)

L'expression *sur division* est un calque de *on division*. En français, on dira plutôt *à la majorité* ou *avec dissidence*.

- *La proposition a été adoptée à la majorité.*

docteur, re

Le mot *docteur* se dit d'une « personne qui a obtenu un doctorat ».

Les Français ne connaissent pas le féminin de *docteur*, sinon sous la forme *doctoresse*, vieillie et péjorative. Ils emploient donc le mot *docteur* tant pour les femmes que pour les hommes. Mais le Québec étant un chef de file en matière de féminisation des titres dans la francophonie, le féminin *docteure* et son abréviation *D^re^* sont de plus en plus répandus chez nous.

Employé absolument, le titre de *docteur* est réservé aux médecins.

- *Le docteur viendra vous voir avant l'opération.*

L'abréviation est *D^r^* (au pluriel : *D^rs^*).

doctoresse

Voir *docteur, re*.

doctrines (noms de)

Les noms des doctrines, ainsi que de leurs adeptes ou disciples, ne prennent pas de majuscule.

- *Le marxisme, l'existentialisme.*
- *Les épicuriens, les jansénistes.*

docudrame

Voir *téléréalité*.

dollar

Le signe *$* se place après et non avant le nombre et les décimales, dont il est séparé par une espace fine. Ex. : *159,45 $*. Lorsqu'il n'y a aucune confusion possible, on omet le signe du dollar.

- *Biochem consacrera quinze millions à la mise au point d'un nouveau vaccin.*

domestique

Ce mot désigne « ce qui est familial, ce qui concerne la maison ».

- *Un animal domestique.*
- *Un produit domestique.*

- *Des travaux domestiques.*

Ce terme n'a aucun rapport avec la politique ou l'économie. On parlera donc de liaisons aériennes *internes* ou *locales*, d'un marché *intérieur*, d'une politique *interne* ou *intérieure*, d'une monnaie *nationale*, d'un produit *du pays* ou *local*.

domiciliaire

Cet adjectif se dit de « ce qui se fait au domicile même d'une personne ».

- *Une visite domiciliaire.*

Lorsqu'on veut désigner « ce qui est réservé à l'habitation », il convient d'employer *résidentiel*.

- *La construction résidentielle a été durement touchée par la récession.*

donateur

On évitera de confondre *donateur* et *donneur*. Le premier désigne la « personne qui fait un don à une œuvre ou à organisme », le second, « celle qui fait don d'un organe ».

donneur

Voir *donateur*.

dopage

Voir *doping*.

dope

Voir *doping*.

doper

Ce verbe est une francisation de *to dope*. Il a un sens plus limité que *droguer* puisqu'il signifie « administrer un stimulant ou un excitant à une personne ou à un animal, dans une situation de compétition ».

- *Certains chevaux ont été dopés avant la course.*

doping

Ce mot anglais désigne « l'emploi d'un excitant pour doper ». On le traduit par *dopage*. Le produit dopant lui-même s'appelle un *dopant* ou une *drogue*, et non une *dope*. Quant au terme *antidoping*, on peut lui substituer *antidopage*.

- *Un test antidopage a révélé la présence de marijuana dans l'organisme du surfeur Ross Rebagliati.*
- *Le dopage des athlètes est sévèrement condamné.*
- *Les dopants sont nombreux.*
- *Les mesures antidopage sont rigoureuses.*

dortoir

Mis en apposition, ce mot est généralement relié au mot qui précède par un trait d'union. Il prend, le cas échéant, la marque du pluriel.

- *Les villes-dortoirs sont de plus en plus critiquées par les urbanistes.*

dos (avoir le – large)

L'expression *avoir le dos large* est un calque de *to have a broad back*. En français standard, on dira plutôt *avoir bon dos*.

douance

Ce néologisme bien constitué s'applique aux « personnes possédant des aptitudes supérieures, dans un ou plusieurs domaines ».

Dans le langage familier, les Français emploient le mot *crack* pour désigner un *surdoué*.

- *C'est un crack de l'informatique.*

Chez nous, on parle familièrement de *bol* ou de *bo(l)lé*.

douane(s)

Sous l'influence de l'anglais *(customs)*, on emploie souvent le mot *douane* au pluriel là où il conviendrait plutôt d'utiliser le singulier. Ainsi, il est préférable de parler de *droits de douane*, de *formalités de douane*, de *valeur en douane*, de *bureau de douane*, de *contrôle de douane*, de *la douane d'un aéroport* ou *d'un port*, etc. On dira également qu'on *franchit la douane* ou qu'on *déclare une marchandise à la douane*.

Cela dit, on rencontre le mot au pluriel, sans pour autant que cela soit fautif, dans un certain nombre d'expressions comme *service des douanes* ou *contrôleur des douanes*.

double (en – aveugle)

L'expression *en double aveugle* est un calque de *double-blind*. Il vaudrait mieux lui substituer *à double insu*.

- *L'efficacité de ce médicament a été confirmée par la méthode à double insu.*

doux

Vraisemblablement sous l'influence de l'anglais *soft*, *doux* a pris le sens de « ce qui a sur l'organisme humain un effet peu traumatisant, peu toxique ».

- *Les médecines douces, les drogues douces.*

En ce sens, *doux* est souvent opposé à *dur*, qui, lui, semble calqué sur *hard*.

- *Les drogues dures.*

Doux a aussi le sens de « ce qui est peu ou non polluant ».

- *Des technologies douces.*

Ces divers sens de *doux* sont passés dans l'usage.

dragueuse

Féminin de *dragueur*.

dramatique

En français, cet adjectif se dit « de ce qui est grave, émouvant, pénible, ou encore, de ce qui relève du théâtre ». On peut dire, par exemple, qu'un accident de la route a eu des conséquences *dramatiques* ou qu'une œuvre est *dramatique*. En anglais, ce mot désigne également ce qui est *spectaculaire, majeur, marqué, important, alarmant, énorme, retentissant*. Et ces sens sont en train de contaminer lentement mais sûrement notre langue.

- *Le double de Santangelo a précédé le retentissant circuit de White.*
- *La perte des Nordiques a été énorme pour Québec.*
- *Le président des États-Unis a promis des changements majeurs.*
- *Le sous-financement des universités est alarmant.*

Par ailleurs, on emploie aujourd'hui *dramatique*, comme substantif féminin, au sens d'« émission théâtrale à la télévision ».

drastique

Cet adjectif existe en français, mais il se dit d'un « purgatif qui agit avec violence ». Il n'a pas comme en anglais le sens de *colossal, contraignant, draconien, énergique, formidable, radical* ou *rigoureux*.

- *Le gouvernement a adopté des mesures draconiennes pour réduire son déficit.*
- *Un virage radical.*

Les sens anglais de *drastique* sont toutefois fort répandus, comme en témoigne leur présence tant dans le Petit Larousse que dans le Petit Robert.

drink

Ce mot est un anglicisme au sens de *boisson alcoolisée*. Dans certains contextes, on peut lui substituer tout simplement *verre*.

- *Je vous invite à venir prendre un verre.*

drive-in

Ce mot américain a d'abord désigné en français un « cinéma en plein air ». En ce sens, il a cédé la place à *ciné-parc*. *Drive-in* désigne aussi « tout service aménagé de telle sorte que les automobilistes puissent en bénéficier sans quitter leur voiture ». C'est le cas, notamment, des restaurants et des banques qui offrent le service à l'auto. L'OLF a proposé la traduction *restauvolant* pour les premiers et *guichet-auto* pour les seconds.

droit (dernier)

La locution *le dernier droit* est un anglicisme. En français, on parle plutôt de *la dernière ligne droite*.

- *Le Parti libéral a abordé la dernière ligne droite avec optimisme.*

droits de scolarité

La « somme exigée d'une personne par un établissement scolaire » s'appelle précisément *droits de scolarité*.

- *Les étudiants tiennent au gel des droits de scolarité.*

L'usage courant tend à faire du mot *frais* un synonyme de *droits* dans ce contexte. Mais *frais* désigne plus largement les « dépenses occasionnées par le fait d'étudier ». Il s'agit alors, selon l'OLF, de *frais d'études*. Dans le milieu de l'enseignement, on parle aussi de *frais afférents*.

- *Les parents se plaignent de l'augmentation constante des frais d'études.*

drop-out

L'« élève qui quitte l'école avant la fin de ses études » est un *décrocheur* (fém. : *décrocheuse*). On dira de cet élève qu'il *décroche*, et non qu'il *droppe*. Quant à l'ensemble du phénomène, on le nomme *décrochage* ou *abandon scolaire*.

dropper

Voir *drop-out*.

drugstore

Les Français ont emprunté ce mot à l'américain d'abord pour désigner un « magasin où l'on vend, outre des médicaments, divers produits : journaux, cosmétiques, etc. ». Les Québécois ont préféré garder le mot *pharmacie* pour désigner ce type de commerce. Avec le temps, le *drugstore* est devenu en France un « petit centre commercial, où l'on trouve, outre les produits mentionnés précédemment, un restaurant, un bar, voire un cinéma ».

dû

Le participe passé du verbe *devoir* ne prend un accent circonflexe qu'au masculin singulier.

- *Dû, due, dus, dues.*

Dû est un anglicisme *(due)* au sens de mûr.

- *Elle était mûre pour un changement.*
- *Il était mûr pour exploser.*

dumping

Le *dumping* est une forme de concurrence déloyale, mais son sens est plus étendu. On le définit comme la « pratique commerciale qui consiste à vendre des produits à l'étranger à des prix inférieurs à ceux pratiqués sur le marché intérieur ». Tous les grands dictionnaires acceptent ce terme anglo-américain, sans doute parce que son intégration ne présente aucune difficulté véritable dans notre langue, que ce soit sur le plan phonétique ou sur celui de la graphie. *Dumping* a engendré *antidumping*.

duo

Ce mot appartient au vocabulaire de la musique ou du music-hall. S'il est juste de parler d'un *duo* de chanteurs, de musiciens ou de comiques, il est impropre d'employer ce mot pour désigner, par exemple, une *paire* de lutteurs, un *couple* d'acrobates ou un *tandem* de cyclistes.

duplex

Ce mot désigne au Québec un « immeuble comprenant deux appartements », et en France, un « appartement de deux étages ».

duplication

Ce mot est un anglicisme au sens de *chevauchement, double emploi, répétition.*

- *Une mauvaise planification entraîne le chevauchement des tâches.*

dur

Voir *doux*.

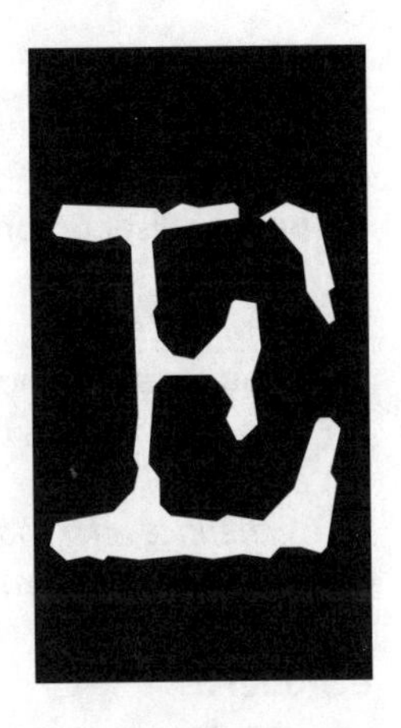

E

L'abréviation du suffixe ordinal est *e*, et non *ième* ou *ème*. En typographie soignée, ce *e* est au niveau exposant.

- *Elle habite au 4e étage.*

Rappelons aussi que cette abréviation prend la marque du pluriel, le cas échéant.

- *Les IVes Jeux de la francophonie ont eu lieu à Ottawa.*

eau chaude (dans l')

L'expression *se retrouver dans l'eau chaude* (ou *dans l'eau bouillante)* est une traduction littérale de *to get in hot water*. Le français dispose déjà d'un bon nombre d'expressions qui rendent ce calque peu utile. On dira de préférence qu'on est *dans le pétrin, dans une mauvaise passe, sur le gril, sur des charbons ardents, au supplice, dans la dèche, aux prises avec des difficultés*, ou, si l'on veut être vulgaire, *dans la merde*.

eau-forte

Au pluriel : des *eaux-fortes*.

écarter (s')

Ce verbe est un archaïsme au sens de *s'égarer, se perdre*, termes qu'on devrait employer en français moderne.

échanger

Ce verbe est un anglicisme au sens de *changer*.

- *Le lendemain de Noël, les magasins sont remplis de gens qui viennent y changer leurs cadeaux.*

échantillon de plancher

Cette locution est un anglicisme au sens d'*article en montre* (dans un magasin).

échappatoire

Contrairement à un usage assez répandu, ce mot est féminin.

échéancier

Ce substantif s'emploie avec justesse au sens d'« ensemble des délais à respecter pour réaliser un projet, des travaux ». En ce sens, le mot est synonyme de *calendrier*. C'est par contre une impropriété au sens de « moment marquant la fin d'un délai ». Dans ce cas, le mot juste est *échéance*.

- *L'échéance référendaire.*
- *L'échéance électorale.*

échouer à

On n'*échoue* pas un test ou un examen, on *échoue à* un test ou *à* un examen.

éclat

On écrit *voler en éclats, rire aux éclats.*

école

Lorsque ce mot est suivi d'un nom commun ou d'un adjectif, il s'écrit avec une majuscule. Il s'agit généralement d'une école d'envergure nationale.

- *L'École des hautes études commerciales.*
- *L'École polytechnique.*

On écrit cependant *Polytechnique* avec une majuscule lorsqu'on fait l'ellipse d'*École*.

- *C'est demain l'anniversaire du drame de Polytechnique.*

Lorsque le mot *école* est suivi d'un nom propre, il prend une minuscule. Il s'agit généralement d'une école d'envergure locale.

- *L'école Saint-Sacrement.*

écoles artistiques (noms des)

Les noms des écoles artistiques, ainsi que de leurs représentants ou disciples, ne prennent généralement pas de majuscule.

- *Le romantisme, le cubisme, le surréalisme, l'impressionnisme.*
- *Les expressionnistes, les fauvistes, les classiques.*

Il existe toutefois quelques exceptions.

- *Le Cénacle, la Nouvelle Vague, le Parnasse, la Pléiade,* etc.

écolo-grano

Voir *baba cool.*

écoper

Au figuré, le verbe *écoper* a le sens de « recevoir, subir » (une amende, une peine, un coup, un désagrément, etc.). En ce sens, *écoper* se construit indifféremment sans préposition ou avec la préposition *de*.

- *Elle a écopé une amende de 50 $.*
- *Il a écopé d'une peine de deux ans.*

Quelle que soit la construction choisie, *écoper* au figuré est considéré comme familier. Dans la langue soutenue, il est préférable de remplacer ce verbe par *condamner* ou *recevoir*.

- *Elle a reçu une amende de 50 $.*
- *Il a été condamné à deux ans de prison.*

éditer

La « personne qui prépare les textes en vue de leur publication dans un journal ou une revue » ne les *édite* pas, pas plus qu'elle ne fait de l'*editing*. Elle les *révise*. Et le titre de sa fonction n'est pas *éditeur* mais *réviseur*.

Éditeur est également un anglicisme au sens de *monteur* (d'un film).

Les formes féminines sont *éditrice*, *réviseure* et *monteuse*.

Voir aussi *desk*.

éditeur, trice

Voir *éditer.*

édition

Beaucoup de journaux font deux *éditions* d'un même numéro de journal, la seconde étant plus à jour que la première. Mais l'« ensemble des exemplaires parus le même jour » ne s'appelle pas une *édition*, mais un *numéro* ou une *livraison*.

- *Dans sa livraison de mercredi dernier, La Presse rapportait que la Loi sur l'affichage pourrait être modifiée.*

L'emploi d'*édition* pour désigner la « répétition d'un événement » est critiqué, en raison de son origine anglaise. Il est vrai que cet emploi s'intègre assez bien au français, mais il reste peu utile. Au lieu de parler, par exemple, de la *12e édition du Festival des films du monde*, pourquoi ne pas dire tout simplement *le 12e Festival des films du monde* ?

Édition est un anglicisme au sens de *modèle* (d'une automobile).

- *BMW offre cette année un modèle plus puissant.*

édition électronique

On appelle *édition électronique* ou *publication assistée par ordinateur (PAO)* la « publication de documents (journaux, revues, livres, etc.) réalisée par ordinateur ».

éducateur, trice

Voir *enseignant.*

effectivement

On abuse aujourd'hui de l'adverbe *effectivement*, devenu un agaçant tic de langage. Bien sûr, l'emploi de ce mot pour confirmer une affirmation n'est pas incorrect. Mais, il existe de nombreux synonymes.

- *De fait, en effet, il est vrai, certainement, sûrement, bien sûr*, etc.

effet (à l'– que)

La tournure juridique *à l'effet que* est un calque de la locution anglaise *to the effect that.* On emploiera plutôt *selon lequel, en vue de, statuant que, voulant que.*

- *Le ministre a tenu des propos selon lesquels une décision serait annoncée bientôt.*

effet (prendre)

La locution *prendre effet* est un calque de *to take effect.* En français, on dira plutôt *entrer en vigueur.*

égal (n'avoir d')

La locution *n'avoir d'égal* est invariable.

égaler

Les verbes *égaler* et *égaliser* ne sont pas tout à fait synonymes. *Égaler* signifie « être égal à ».

- *Lemieux a égalé le record de Lafleur.*

Égaliser signifie « rendre égal ». On l'emploie avec justesse, intransitivement, pour désigner le « fait d'obtenir le même nombre de buts ou de points que l'adversaire ».

- *Le Canadien et les Bruins ont égalisé.*

égaliser

Voir *égaler.*

egg roll

L'OLF recommande de traduire cette appellation par *pâté impérial.*

église

Ce mot s'écrit avec une minuscule lorsqu'il désigne le lieu du culte.

- *L'église Saint-Jean-Baptiste.*

Il s'écrit avec une majuscule quand il désigne une confession religieuse.

- *L'Église catholique.*

élaborer

Ce verbe signifie « préparer par un long travail intellectuel ». On évitera donc d'en faire un banal synonyme de *préparer.*

- *Ce projet de loi a été élaboré en commission parlementaire.*

Par ailleurs, *élaborer* ne signifie pas *préciser* sa pensée, *commenter* un sujet. On ne dira pas d'un ministre, par exemple, qu'il a *élaboré sur le sujet*, mais qu'il a *commenté la situation*, qu'il *s'est expliqué*, qu'il a *précisé sa pensée, qu'il s'est étendu sur le sujet*.

Notons aussi que le participe passé n'a pas le sens de *complet*, *complexe*, *compliqué, détaillé, fouillé, poussé, raffiné, soigné, travaillé, varié*. C'est sous l'influence de l'anglais qu'on donne ces sens à *élaboré*.

- *Un exposé complet.*
- *Une mécanique complexe.*
- *Un projet compliqué.*
- *Un questionnaire détaillé.*
- *Un texte fouillé.*
- *Un travail poussé.*
- *Une cuisine raffinée.*
- *Une réalisation soignée.*
- *Un style travaillé.*
- *Un menu varié.*

Soulignons que le Petit Robert accepte *cuisine élaborée* au sens de *cuisine recherchée, sophistiquée*

élection(s)

Ce mot s'emploie le plus souvent au pluriel. On peut parler de l'*élection* du pape par le conclave, d'un président ou d'un maire au suffrage universel, mais on écrira les *élections* municipales, provinciales, fédérales, etc.

- *L'élection du maire Tremblay a été nette.*
- *Le résultat des élections fédérales aura une influence certaine sur les prochaines élections au Québec.*

électrocuter

Ce verbe signifie « tuer par décharge électrique ». On comprendra donc qu'on ne peut soigner une personne *électrocutée.*

élévateur

Ce mot est un anglicisme au sens d'*ascenseur.*

élève

Voir *étudiant.*

éligible

Éligible signifie « qui peut être élu ». Une personne n'est donc pas *éligible*, mais *admissible* à l'assurance-emploi, à l'aide sociale, à une bourse, à un tirage, etc. Les mêmes distinctions valent pour *éligibilité* et *admissibilité*.

- *Plus d'une centaine de joueurs sont admissibles à l'autonomie.*
- *Le gouvernement fédéral compte revoir les critères d'admissibilité aux prestations d'assurance-emploi.*

éligibilité

Voir *éligible.*

élitisation

Voir *gentrification*.

e-mail

Plusieurs termes se font concurrence pour traduire *e-mail*. On peut parler de *courrier électronique* ou de *messagerie électronique* lorsqu'on veut décrire le « service de correspondance par messages électroniques ». Au Québec, on trouve aussi une abréviation, *courriel*, qui désigne à la fois la *messagerie* et le *message* lui-même. *Courriel* commence à se répandre en France, où il fait concurrence à *message* et à *courrier*.

- *La dernière chronique a suscité de nombreux courriels.*
- *J'ai reçu un message ce matin.*
- *Vous venez de recevoir du courrier. Souhaitez-vous le lire maintenant ?*

L'abréviation *Mél.*, proposée par la Commission générale de terminologie et de néologie de France, ne visait pas à remplacer le terme anglais *e-mail*. Calquée sur *Tél.*, elle devait tout simplement précéder l'adresse de messagerie électronique. Mais en raison de sa ressemblance phonétique avec *e-mail*, les Français l'ont transformée en *mél* et en ont fait un synonyme de notre *courriel*. Pourquoi pas ! Ce mot très court convient bien à la langue parlée.

embourgeoisement

Voir *gentrification*.

émettre

L'usage de ce verbe est largement contaminé chez nous par l'anglais *to deliver*. Dans notre langue, *émettre* a le sens de « mettre en circulation » (une pièce de monnaie, un chèque), d'« exprimer » (un jugement, un avis) ou de « projeter par rayonnement » (des rayons, des ondes). Mais le français emploie plusieurs verbes là où l'anglais s'en tient à *to deliver*. Ainsi, on n'*émet* pas un passeport ou un permis, on le *délivre* ; on n'*émet* pas un communiqué, on le *publie*, on le *diffuse*, on le *transmet* ; on n'*émet* pas un mandat de perquisition, on le *lance* ; on n'*émet* pas une décision, un décret, on les *rend* ; on n'*émet* pas un ordre, on le *donne* ; on n'*émet* pas un contrat, on l'*établit* ; on n'*émet* pas des sanctions, on les *prend* ; on n'*émet* pas une injonction, on l'*accorde*, on la *prononce* ; on n'*émet* pas des directives, on les *donne*, on les *formule*, et parfois, on les *impose*. Enfin, s'il est vrai qu'on peut *émettre* une hypothèse, on peut aussi l'*échafauder*, l'*énoncer*, l'*exprimer* ou tout simplement la *faire*.

émirat

Voir *pays (noms de)*.

emmener

Voir *amener*.

emphase

Ce mot, qui désigne une « exagération pompeuse », est péjoratif en français. Il n'a pas, comme en anglais, le sens neutre d'*accent*. On ne dira pas qu'on met l'*emphase* sur quelque chose mais qu'on met l'*accent*, qu'on *insiste*, qu'on *accentue*, qu'on *appuie davantage*. Quant à la locution *avec emphase*, elle se rend habituellement par *avec force*, *avec énergie* ou encore, par *vigoureusement*.

- *Le président de la FTQ s'est élevé avec force contre le nouveau projet de loi.*

empire

Voir pays (noms de).

emploi(s)

On emploie ce mot tantôt au singulier, tantôt au pluriel, selon le contexte. Ainsi, on écrira le *plein-emploi*, le *sous-emploi*, l'*assurance-emploi*, le *volume de l'emploi*, la *hausse de l'emploi*, des *offres d'emploi*, des *demandes d'emploi*, des *demandeurs d'emploi*, une *politique de l'emploi*, le *marché de l'emploi*, la *sécurité de l'emploi* ou la *situation de l'emploi*.

Mais en revanche, il faut écrire la *création d'emplois*, un *plancher d'emplois*, des *créateurs d'emplois* et des *suppressions d'emplois*.

emploi (à l'– de)

La locution *à l'emploi de* est un calque de l'anglais (*in the employ of*). On ne dira pas d'une personne qu'elle est *à l'emploi d*'un commerce ou d'un organisme, mais qu'elle *travaille pour* lui, qu'elle en est l'*employée*, qu'elle est *au service de...*

emporter

Voir *amener*.

en

Devant *en*, il faut mettre un *s* aux impératifs qui se terminent par *e* à la deuxième personne du singulier.

- *Donnes-en, gardes-en, parles-en, profites-en*, etc.

en (accord du participe passé)

Quel est l'accord du participe passé lorsque l'auxiliaire *avoir* a comme complément direct le pronom *en* ? De nombreux auteurs considèrent le pronom *en* comme neutre, même lorsqu'il représente un mot féminin et pluriel. Pour eux donc, le participe passé doit rester invariable. Mais d'autres grammairiens, au contraire, estiment que le pronom *en* doit assumer le genre et le nombre du mot qu'il représente. De sorte qu'il n'est pas incorrect de faire varier le participe passé dans un tel cas.

- *Des pommes, j'en ai mangé.*
- *Des pommes, j'en ai mangées.*

en autant que

On remplacera cet anglicisme par *pourvu que*.

- *Pourvu qu'elle vienne, tout va s'arranger.*

en charge de

Voir *charge*.

en détail

Voir *détail*.

en devoir

La « personne qui est en train de s'acquitter des devoirs de sa charge » est *en service* et non *en devoir*.

- *Il y a des policiers en service dans le métro.*

Lorsqu'on fait référence à la « période de temps au cours de laquelle une personne s'acquitte de sa tâche », on dit plutôt *de service*.

- *Les agents de sécurité sont de service de minuit à 8 h.*

endosser

On peut *endosser* un chèque, mais on n'*endosse* pas un candidat ; on le *soutient*, on l'*appuie*. On n'*endosse* pas non plus un proche pour l'aider à obtenir un prêt ; on s'en *porte garant*. Enfin, on n'*en-*

dosse pas une opinion ; on y *souscrit*, on *approuve* la personne qui l'a formulée.

- *Le président de la CSN s'est porté garant d'un emprunt de 300 000 $.*

en dessous

Cette locution adverbiale ne prend pas de trait d'union.

Par ailleurs, elle signifie « sous une autre chose ». C'est pourquoi on comprend mal que des représentants syndicaux ne veuillent rien accepter *en dessous de*... Ils veulent sans doute dire rien d'*inférieur à*...

enfirouâper

Ce verbe, qu'on présente parfois comme un beau québécisme, est en fait une francisation de la locution anglaise *in a fur wrap*. Selon le Colpron, l'expression désigne une « pratique qui consistait à recouvrir de peaux de fourrure un ballot de viles étoffes pour faire croire qu'il était constitué entièrement de fourrures ». *Enfirouâper* signifie *duper*, *rouler*, termes qu'on préférera en français standard.

engagé

Le participe passé du verbe *engager* est un anglicisme au sens de *fiancé*.

- *Ils se sont fiancés à Pâques.*

Engagé est également un anglicisme au sens d'*occupé*.

- *La ligne est occupée. Je rappellerai.*

engagement

Ce mot est un anglicisme au sens de *rendez-vous*.

- *J'ai un rendez-vous avec le producteur demain matin.*

Voir aussi *implication*.

engager (s')

Voir *impliquer*.

engineering

Ce mot anglais difficile à prononcer cède peu à peu le terrain à *ingénierie*, terme proposé par le Comité d'étude des termes techniques français.

enjoindre

On n'*enjoint* pas quelqu'un, on *enjoint à* quelqu'un de faire quelque chose.

en joue

Mettre quelqu'un *en joue*, c'est le « viser avec une arme à feu ». On ne peut donc *mettre en joue* avec une arme blanche. On dira plutôt *tenir en respect* dans ce cas.

- *Le voleur le tenait en respect avec un couteau.*

en-lieu de taxes

Cette locution est une mauvaise traduction de *grant in lieu of taxes*. L'appellation juste, d'après l'OLF, est *compensation d'impôts* ou *de taxes*. Elle désigne la « somme forfaitaire versée par un gouvernement à une municipalité ou à une commission scolaire en guise d'impôts sur des propriétés ».

- *La commission Bédard recommande le maintien des compensations d'impôts payées par le gouvernement du Québec aux municipalités.*

enregistré

Le participe passé du verbe enregistrer est un anglicisme au sens de *breveté*, *déposé*, *recommandé*.

- *Une invention brevetée.*
- *Une marque déposée.*

• *Une lettre recommandée.*

enregistrement

Ce mot est un anglicisme au sens de *certificat d'immatriculation.*

enregistrer (s')

À la forme pronominale, ce verbe est un anglicisme au sens de *s'inscrire.*

• *Elle s'est inscrite à l'hôtel.*

enseignant, e

Le mot *enseignant* est un terme générique qui désigne toute « personne dont la profession est d'enseigner ». À l'université, le mot *professeur* est un titre de fonction, mais aussi un titre hiérarchique, le *professeur* étant plus élevé dans la hiérarchie que l'*assistant* ou le *chargé de cours*. Cela dit, le mot *professeur* n'est pas réservé aux seules personnes qui enseignent à l'université. Il se dit aussi de toute « personne qui enseigne un art, une discipline, une technique ». On peut donc être *prof* de mathématiques, de piano, de chant, de gymnastique, etc. Et on peut être *prof* dans l'enseignement primaire, secondaire, collégial ou universitaire. Dans l'enseignement primaire cependant, on n'appelle pas *professeur* mais *instituteur* la « personne chargée de l'enseignement général », le mot *professeur* y étant réservé aux enseignants spécialisés.

Le mot *éducateur* se dit d'une « personne chargée de l'éducation des enfants à la maternelle » et le mot *éducateur spécialisé*, d'une « personne qui travaille auprès des élèves en difficulté ».

Notons que l'OLF recommande *professeure* comme féminin de *professeur.*

en service

Voir *en devoir.*

en temps

On n'arrive pas *en temps*, mais *à temps.*

en termes de

Voir *termes (en – de).*

entraînement

Ce mot est un anglicisme *(training)* au sens de *formation.*

• *La formation des nouvelles employées va bon train.*

entraîner

Ce verbe appartient au vocabulaire sportif ou militaire.

• *Les champions s'entraînent chaque jour.*

Il est préférable de ne pas employer *entraîner* dans d'autres contextes. Ainsi, on n'*entraîne* pas un employé, on le *forme* ; on n'*entraîne* pas un débutant à une tâche, on l'*initie* ; on n'*entraîne* pas un animal (sauf pour la compétition), on le *dresse.*

entraîneur, euse

La « personne qui entraîne une équipe sportive » est un *entraîneur*. Le mot *instructeur* appartient au vocabulaire militaire. Quant au mot *gérant*, très populaire dans les pages sportives des médias québécois, il constitue un anglicisme en ce sens. Il en va de même, bien entendu, pour le terme *coach*. Dans les grandes équipes professionnelles, l'*entraîneur-chef* a des adjoints.

Le féminin reconnu d'*entraîneur* est *entraîneuse*. Au Québec, il est vrai, on rencontre parfois *entraîneure*. Le Grand Dictionnaire terminologique estime que c'est en raison de la connotation péjorative d'*entraîneuse*, mot qui « désigne également une femme qui entraîne les clients d'un bar à consommer ». J'y vois davantage, pour ma part, un signe de la popularité excessive de la terminaison en *eure*. Ne dit-on pas déjà à tort *chercheure* et *chroniqueure* au lieu de *chercheuse* et *chroniqueuse* ?

entrée des marchandises

La locution *entrée des marchandises*, qu'on peut voir affichée sur certains commerces, est un calque de *goods entrance*. On la rendra en français par *livraison, réception du matériel, service*.

entrepreneurial

Le français dispose maintenant de ce néologisme pour décrire « ce qui est relatif à l'entreprise ou au chef d'entreprise ».

entrepreneurship

Au Québec, on utilise fréquemment ce mot anglais long, laid et difficile à prononcer pour décrire l'*esprit d'entreprise*. Il existe même une chaire d'*entrepreneurship* à l'École des hautes études commerciales.

entre-temps

Cet adverbe s'écrit en deux mots, le plus souvent reliés par un trait d'union. On trouve aussi *entretemps*, en un mot, mais il s'agit d'un substantif, d'ailleurs en voie de disparition.

- *Entre-temps, il est parti.*

entretoit

Ce mot est un québécisme inutile au sens de *comble*, terme qui désigne la « partie d'un bâtiment située sous la toiture et séparée des parties inférieures par un plancher ou une voûte ».

- *Le feu a pris naissance dans le comble (ou dans les combles).*

Dans certains cas, c'est tout simplement le mot *toit* qu'on pourra substituer à *entretoit*.

- *La glace a brisé le toit de la maison.*

entrevue

Voir *interview*.

environnement

On emploie parfois abusivement ce mot au sens de *climat*. On ne dira pas, par exemple, qu'on protège sa voiture contre l'*environnement*, mais contre la rigueur du *climat*. On pourrait aussi dire qu'on la protège contre les *intempéries*.

Environnement Canada

Pas de trait d'union.

Environnement Québec

Pas de trait d'union.

envolée

Ce mot désigne l'« action de s'envoler, un mouvement oratoire ou la montée brutale d'une valeur ». Il constitue une impropriété au sens de *vol*.

- *J'ai pris le vol Québec-Montréal.*

envoyer à son procès

La locution *envoyer à son procès* est un calque de *to send to trial*. On lui préfère souvent *citer à son procès*, une expression imprécise qui ne vaut guère mieux. Bien sûr, on peut *citer* un témoin, c'est-à-dire assigner quelqu'un à comparaître devant un tribunal. Mais une personne traduite en justice n'est pas *citée à son procès*, elle est *inculpée*, *mise en accusation*.

- *Cet homme sera inculpé de délit de fuite.*

époque

Le premier substantif des noms d'époque prend une majuscule.

- *L'Antiquité, le Siècle des lumières, la Ruée vers l'or.*

Si le premier substantif est précédé d'un adjectif, ce dernier prend aussi une majuscule.

- *Le Moyen Âge, le Grand Siècle, la Belle Époque.*

époux, se

Les mots *époux* et *épouse* appartiennent à la langue juridique, protocolaire ou canonique. Dans le langage courant, on parlera plutôt de *mari* et de *femme*.

- *Je vous présente mon mari.*

Le québécisme *chum*, qui a envahi la langue familière, est un anglicisme. En français soigné, on doit lui substituer, selon le contexte, *amant, ami, petit ami, amoureux, compagnon, copain, conjoint, fiancé* ou *mari*. D'ailleurs, même dans un registre très familier, il existe bien d'autres appellations que *mon chum*, de *mon minet* à *mon homme*, en passant par *mon biquet, mon jules*, etc.

Soit dit en passant, *blonde* appartient également au registre familier. Le mot a cependant le mérite d'être un archaïsme plutôt qu'un anglicisme. Dans un langage soutenu, on lui substituera, selon le contexte, *amante, amie, petite amie, amoureuse, compagne, copine, conjointe, fiancée, femme* ou *maîtresse*. Dans un registre familier, il existe des masses de synonymes, tous plus affectueux les uns que les autres : *ma chouette, mon petit cœur, ma toute belle, mon adorée*, etc.

Conjoint est un synonyme d'*époux*. Mais on abuse de ce terme administratif en l'utilisant à toutes les sauces.

équipe

On joue *en équipe* ou *par équipe*.

- *Le Canadien a du succès quand ses membres jouent en équipe.*

équivalence

L'OLF appelle *équivalence* l'« égalité de valeur reconnue entre des cours, programmes, parties de programmes ou diplômes ».

- *Vos expériences extrascolaires peuvent être admises en équivalence à l'université.*

erratique

Jusqu'à récemment, cet adjectif n'était employé qu'en médecine *(une douleur erratique)* ou en géologie *(un bloc erratique)*. Mais sous l'influence de l'anglais *(erratic)*, on lui donne maintenant le sens d'*instable, imprévisible*. On trouve aussi *erratique*, dans le vocabulaire sportif, au sens de *inégal, irrégulier*.

- *C'est un joueur irrégulier. Son jeu est inégal.*

erre d'aller

Le mot *erre* désigne, au sens propre, la « vitesse acquise par un navire, une fois le propulseur stoppé ». Il a engendré une locution, *sur son erre*, qui signifie « sur sa lancée ».

- *Fatigué, le cycliste continua à rouler sur son erre.*

Chez nous, on dit le plus souvent *sur son erre d'aller*. Il s'agit d'un pléonasme sans gravité. Ce qu'il faut éviter, par contre, c'est l'emploi d'*air d'aller*, qui, lui, est carrément fautif.

erreur non provoquée

Cette expression du vocabulaire sportif est un calque de *unforced error*. La traduction juste est *faute directe*.

- *Sampras a commis trop de fautes directes pour l'emporter.*
- *Quelle joueuse elle serait si elle ne ratait pas tant de coups faciles.*

escalateur

Ce mot est un calque d'*escalator*. On dira plutôt *escalier roulant* ou *escalier mécanique*.

escalator

Voir *escalateur*.

espace à bureaux

Cette locution est un calque d'*office space*. Elle désigne tout simplement des *bureaux* ou un *local commercial*.

- *Bureaux à louer.*
- *Il y a beaucoup de locaux à louer à Montréal en ce moment.*

espace insécable

Les traitements de texte disposent aujourd'hui d'une espace insécable. Cette espace empêche que certains éléments ne soient séparés pendant la justification d'un texte : tranches de chiffres, chiffre suivi d'un signe, mot suivi d'un signe de ponctuation.

On utilisera donc une espace insécable pour séparer les tranches de chiffres *(1 000 000 000)*, pour indiquer l'heure *(12 h 30)*, ainsi que pour séparer les signes $ et % des chiffres qui les précèdent *(5 $, 52 %)*.

On fait également précéder le deux-points, le point-virgule, le point d'interrogation et le point d'exclamation d'une espace insécable, laquelle tient alors lieu d'espace fine.

On retrouve aussi l'espace insécable à l'intérieur des guillemets.

- *« Ah ! Aurais-je ce bonheur ? » s'exclama-t-elle.*

On aura sans doute remarqué qu'en typographie le mot *espace* est féminin quand il désigne les espaces sécables et insécables. Il est toutefois masculin quand on l'emploie pour désigner un espace non imprimé, tel qu'un « blanc » entre deux paragraphes (Ramat).

Esprit saint

Contrairement à *Saint-Esprit*, pas de majuscule à *saint* et pas de trait d'union.

establishment

Le français a emprunté ce mot à l'anglais pour désigner un « groupe puissant qui défend ses intérêts dans la société ou à l'intérieur d'un parti politique ».

- *L'establishment du Parti conservateur a retiré son appui à Kim Campbell.*

Establishment vient de l'ancien français *establissement*. C'est pourquoi certains auteurs le traduisent par *établissement*. Mais cette traduction n'a pas cours au Québec. Dans certains contextes, on peut traduire *establishment* par *classe dirigeante* ou par *dirigeants*.

est de l'Île

Voir *île*.

est de Montréal

Voir *points cardinaux*.

estimé

Ce mot inconnu des dictionnaires français est un calque du mot anglais *estimate*. On le remplacera, selon le contexte, par *devis, estimation, évaluation, exposé de prévisions* ou *prévisions budgétaires*.

- *L'évaluation des dégâts s'élève à 100 000 $.*

établi

Ce participe passé est un anglicisme *(established)* au sens de *fondé*.

- *Ce commerce fondé en 1890 ne cesse de prospérer.*

établissements (noms d')

Dans ce type d'appellation, il y a un terme générique *(aréna, école, collège)*, qui prend généralement la minuscule, et un terme spécifique, dont les éléments sont reliés par un ou des traits d'union et qui s'écrivent avec une majuscule, sauf s'il s'agit d'une préposition. Précisons que le trait d'union est de rigueur même quand la personne qui a inspiré le patronyme n'est pas morte.

- *L'aréna Maurice-Richard.*
- *L'école Sainte-Jeanne-d'Arc.*
- *La polyvalente Dollard-des-Ormeaux.*
- *Le centre Claude-Robillard.*

et al

Cette abréviation de l'expression latine *et alii* est venue au français par l'intermédiaire de l'anglais. En français, on dira plutôt *et consorts* (plutôt péjoratif), *et autres* ou *et coll.* (abréviation de *et collaborateurs*).

État

Lorsque ce mot fait référence à une entité politique, il prend une majuscule.

- *L'État du Maine, un coup d'État, un chef d'État, un secret d'État.*

État (d')

La locution *d'État* est un anglicisme au sens d'*officiel* ou de *national*. On ne parlera pas, par exemple, d'un *dîner d'État*, mais d'un *dîner officiel*. On ne parlera pas davantage de *funérailles d'État*, mais de *funérailles nationales*.

états généraux

La locution *états généraux* s'écrit généralement sans majuscule.

- *Les états généraux sur l'éducation.*

étatsunien

Les dictionnaires acceptent les adjectifs *étatsunien* et *américain*, sans faire de nuances entre l'un et l'autre. On peut donc les considérer comme synonymes.

etc.

C'est une erreur courante d'ajouter trois points de suspension après ce mot. Un seul suffit. Quand *etc.* termine une phrase, on évitera d'ajouter un second point. Par contre, on n'omettra pas le point avant une virgule.

été des Indiens

Cette locution désigne une « période de l'automne particulièrement clémente ». Les Français nomment cette période *été indien*.

étoile

Mis en apposition, le mot *étoile* s'écrit sans trait d'union et prend la marque du pluriel, le cas échéant.

- *Des joueurs étoiles.*

Voir aussi *astre*.

et/ou

L'emploi de cette locution est généralement inutile, car la conjonction *ou* ne marque pas nécessairement un rapport d'exclusion. Dans la phrase qui suit, par exemple, la conjonction *ou* a le sens de *et/ou* puisqu'elle établit un rapport de coordination entre les deux compléments.

- *Certains centres n'ont pas l'équipement ou l'expertise nécessaires.*

C'est pourquoi l'adjectif *nécessaires* y est au pluriel.

Si l'on juge que l'emploi de *ou* seul ne rend pas l'énoncé suffisamment clair, on peut, bien entendu, recourir à une tournure différente.

- *Certains centres n'ont ni l'équipement ni l'expertise nécessaires.*

étouffer

Utiliser ce verbe, dans un contexte sportif, au sens de *craquer*, c'est mal traduire le verbe anglais *to choke*. On ne dira pas d'un joueur qu'il *étouffe* ou qu'il *s'étouffe* dans les moments cruciaux, mais qu'il *craque*, qu'il *s'effondre*, que *ses nerfs craquent*, qu'il *a les nerfs fragiles*, etc.

- *Hewitt est un excellent joueur, mais il a tendance à craquer quand l'enjeu est important.*
- *Henin s'est effondrée après avoir remporté la deuxième manche.*
- *Depuis l'agression dont elle a été victime, Seles a les nerfs trop fragiles pour être championne.*

Par ailleurs, on ne dira pas d'un joueur qui a tendance à craquer que c'est un *choker*, mais qu'il est *fragile*, *peu sûr de lui*, *nerveux*, etc.

étude (sous)

Un projet n'est pas *sous étude (under study)*, mais *à l'étude*, pas plus qu'il n'est *sous discussion (under discussion)*, mais *en discussion*.

étude(s)

On écrit une *salle d'étude* et une *journée d'étude* mais une *bourse d'études* et un *bureau d'études*.

étude légale

Cette expression est un anglicisme au sens de *cabinet d'avocats* ou *cabinet juridique*.

étudiant, e

Le mot *étudiant* désigne un « élève d'un établissement universitaire ou d'une grande école ». Il est impropre d'employer ce mot pour désigner l'*élève* d'un collège (on dit aussi *collégien, ne* ou *cégépien, ne*) et encore plus pour qualifier l'*élève* d'une école primaire (dans ce cas, on dit aussi *écolier, ère*) ou d'une école secondaire. La locution *étudiant universitaire* est pléonastique.

Quant au mot *universitaire*, il désigne non pas un étudiant, mais un « membre du corps enseignant d'une université ». Au Québec et en Belgique, il désigne aussi un *diplômé universitaire*. Cet emploi risque cependant d'engendrer une certaine confusion. Aussi est-il préférable de l'éviter.

Euroland

L'arrivée de l'euro a relancé le débat sur l'appellation de cet espace monétaire. Peut-on employer *Euroland*, terme créé par les Anglo-Saxons pour désigner l'aire d'application de la nouvelle monnaie ? Ses opposants, et ils sont nombreux, le considèrent comme un anglicisme inutile, voire péjoratif. En effet, comme l'a fait remarquer le chef du service de correction du *Monde*, Jean-Pierre Colignon, *Euroland* est « un mot chargé d'ironie, de dérision », calqué sur *Disneyland* et *Legoland*.

Certains ont voulu contourner la difficulté en francisant *Euroland* en *Eurolande*. La solution était séduisante, *Eurolande* s'ajoutant naturellement à d'autres dénominations comme *Islande, Irlande, Finlande, Hollande*, etc. Mais, elle ne s'est pas vraiment imposée. Sans doute, comme l'a souligné l'Académie française, parce qu'il ne s'agissait pas « de nommer un État souverain ni même une confédération, mais seulement l'aire d'application d'un traité ». L'Académie a donc opté avec à propos pour *zone euro*, locution qui est passée dans l'usage.

évaluation

On doit employer la préposition *par* et non *du* avec le mot *évaluation*.

- *Le taux d'imposition est de 1,25 $ par 100 $ d'évaluation.*

évangile

Ce mot prend une majuscule quand il désigne un ouvrage enseignant la doctrine du Christ ou la doctrine elle-même.

- *L'Évangile selon saint Jean.*
- *Il a consacré sa vie à répandre l'Évangile.*

Dans les autres cas, on emploiera une minuscule.

- *Ce n'est pas parole d'évangile.*

évaporé

Le participe passé du verbe *évaporer* est un anglicisme *(evaporated)* au sens de *concentré*.

- *Du lait concentré.*

événement

Quand la désignation d'un événement historique comprend plusieurs mots, le mot caractéristique prend une majuscule tandis que le mot commun qui l'introduit s'écrit avec une minuscule.

- *La crise d'Octobre.*
- *Les massacres de Septembre.*

événement (à tout)

La locution *à tout événement* est un calque de *at all events*. On la remplacera par *cela dit, dans tous les cas, peu importe, quoi qu'il arrive, quoi qu'il en soit*.

éventuellement

Cet adverbe a dans notre langue le sens de « selon les circonstances, le cas échéant ». C'est sous l'influence de l'anglais *(eventually)* qu'on lui donne le sens de *plus tard, ultérieurement*.

- *Elle a promis de venir plus tard.*

ex æquo

Cette locution latine est invariable et s'écrit sans trait d'union.

- *Elles ont terminé ex æquo.*

examen médical

L'« examen médical systématique » que les Anglais appellent *check-up* est un *bilan de santé*. On dit aussi *examen général*.

Par ailleurs, un patient n'est pas *sous examen (under examination)* ; on lui *fait des examens*. Un patient n'est pas non plus *sous observation (under observation)*, mais *en observation*.

ex cathedra

Cette locution latine est invariable et s'écrit sans trait d'union.

exécutif

Ce mot appartient au vocabulaire politique. Comme substantif, il désigne la « branche du pouvoir qui gouverne ».

- *Il ne faut pas confondre l'exécutif et le judiciaire.*

Comme adjectif, il est relatif au « pouvoir chargé d'appliquer les lois ».

- *Le comité exécutif de la Ville de Montréal.*

Sous l'influence de l'anglais, le mot a pris bien d'autres sens, qui constituent des anglicismes. Ainsi, les représentants syndicaux ne forment pas un *exécutif*, mais un *bureau*.

- *Le bureau du SPGQ invite ses membres à voter pour la souveraineté.*

Les dirigeants d'une entreprise forment un *conseil* ou une *direction*.

- *La direction de Tembec a annoncé un investissement de deux milliards.*

La personne qui dirige une entreprise est un *directeur* ; celle qui dirige un service est un *cadre supérieur*. La secrétaire de ces personnes est une *secrétaire de direction*, et non une *secrétaire exécutive*. Enfin, la personne qui seconde le président est un *vice-président à la direction*, et non un *vice-président exécutif*.

exerçable

Ce néologisme du vocabulaire de la finance n'a pas reçu l'aval des dictionnaires. Il est d'ailleurs inutile, le français disposant déjà du mot *utilisable*.

exercer

On n'*exerce* pas une option, on la *lève*.

- *Il a jusqu'en juin pour lever l'option.*

L'antonyme de *lever* est *abandonner*.

exercice

Voir *pratique*.

exhibit

On traduira ce mot anglais par *pièce à conviction*, *document à l'appui*, *objet exposé*.

exigu

Ne pas oublier le tréma sur le *e* au féminin.

- *Une salle exiguë.*

ex officio

Cette expression latine est venue au français par l'intermédiaire de l'anglais. En français, on dira plutôt *de droit*, *d'office*.

- *Il est membre d'office de ce comité.*

exonérer

Ce verbe signifie « libérer d'une obligation, d'une charge ».

- *Les marchandises qu'il avait importées étaient exonérées de droits.*

Exonérer n'a pas le sens de *disculper*, *innocenter*. Un accusé n'est pas *exonéré* de tout blâme. Il est plutôt *blanchi*, *disculpé* ou *innocenté*.

expertise

L'emploi d'*expertise* au sens de « connaissance et compétence d'un expert », s'il est d'origine anglaise, est tout à fait conforme à l'étymologie. L'OLF en a d'ailleurs fait, avec à propos, une recommandation officielle.

exposition

Ce mot prend une majuscule s'il fait indiscutablement partie du nom de l'événement.

- *L'Exposition universelle de Montréal.*

Sinon, on utilisera une minuscule.

- *L'exposition* Dérives *est présentée à la Chambre Blanche.*

expulser

Voir *déportation.*

expulsion

Voir *déportation.*

extension

Ce mot n'a pas en français le sens de *poste* (téléphonique).

- *Vous pouvez le joindre au poste 413.*

Il n'a pas non plus le sens de *prolongation.*

- *Il a demandé la prolongation de son contrat.*

Il n'a pas enfin le sens de *rallonge* (électrique).

extensionner

Ce néologisme est inutile, le français disposant déjà des verbes *accroître, allonger, augmenter, déployer, étaler, étendre, prolonger,* etc.

- *Son contrat a été prolongé de deux ans.*

extra

Les substantifs et adjectifs composés avec le préfixe *extra* s'écrivent généralement en un seul mot.

- *Extraconjugal, extrafin, extrafort, extrajudiciaire, extrascolaire,* etc.

Certains mots font toutefois exception.

- *Extra-courant, extra-muros, extra-utérin.*

extracteur de jus

Cette locution est un calque de *juice extractor.* En français, on emploiera plutôt le mot *centrifugeuse* pour désigner l'« appareil qui permet de produire des jus de fruits ou de légumes ».

extrême

On écrit *sport extrême, extrême droite, extrême gauche,* mais *extrême-onction* et *Extrême-Orient.*

eye-liner

Ce mot anglais désigne un « cosmétique avec lequel on souligne le bord des yeux ». On le traduit parfois par *ligneur.*

facilités

En français, on appelle *facilités* les « moyens qui permettent de faire quelque chose aisément ».

- *Ce magasin offre des facilités de paiement.*

Mais l'emploi de ce mot au sens d'*aménagements*, d'*équipements*, d'*installations* ou de *services* est un anglicisme.

- *Montréal dispose d'importantes installations portuaires.*

façonneur

On trouve ce mot dans le Petit Larousse, qui lui donne le sens de « personne qui façonne un produit ». Son emploi récent au sens de *façonneur de l'opinion publique* est critiqué. Il vaut mieux s'en tenir à *leader d'opinion* ou *chef de file*.

facture

Voir *addition*.

faculté

Ce mot prend une minuscule.

- *La faculté de droit.*

faire application

Voir *appliquer*.

faire du sens

Les locutions *faire du sens* et *ne pas faire de sens* sont des calques de *make sense* et de *doesn't make sense*. En français correct, il faut plutôt dire d'une chose qu'elle *a du sens* ou qu'elle *n'a pas de sens*, qu'elle *est logique* ou *illogique*, qu'elle *est sensée* ou *insensée*, qu'elle *est intelligible* ou *inintelligible*, qu'elle *a du bon sens* ou qu'elle *est sans bon sens*.

Quant à la locution *faire sens*, elle est tout à fait française, mais elle est rare et un peu littéraire.

fait

Si l'on peut trouver des *faits* saillants dans un match de baseball, ce n'est pas le cas dans un rapport ou dans un discours, où l'on parlera plutôt de *points saillants*.

- *Les points saillants du discours du Trône.*

famille

Une « famille dont les enfants ne sont pas tous du même père et de la même mère est une *famille recomposée* ou *reconstituée* ». En France, on parle aussi parfois d'une *famille à rallonges*.

Une « famille où l'on ne trouve qu'un chef de famille » est une *famille monoparentale*. On notera au passage qu'une mère ne peut être *monoparentale*. Un père non plus d'ailleurs. Cet adjectif se dit en effet d'une « famille dirigée par un seul parent ». Si l'on veut insister sur les individus plutôt que sur les familles, on parlera de *mères seules* ou, le cas échéant, de *pères seuls*. On peut aussi parler de *mères* ou de *pères chefs de famille*. Les *mères chefs de famille* peuvent être *célibataires, séparées* ou *divorcées*.

- *Les familles monoparentales sont de plus en plus nombreuses au Québec. Dans la majorité des cas, ce sont des femmes seules qui ont la responsabilité de ces familles.*

L'OLF définit la *famille d'accueil* comme une « famille qui prend charge d'une ou plusieurs personnes, adultes ou enfants, qui lui sont confiées par un centre de services sociaux ».

fan

Cette abréviation du mot anglais *fanatic* désigne un « admirateur enthousiaste ».

- *Les clubs de fans sont de plus en plus nombreux.*

Critiqué par les puristes, *fan* est passé dans l'usage. On rencontre même aujourd'hui le féminin *une fan*. On ne confondra pas *fan* et *fana*, peu usité au Canada, qui signifie « enthousiaste, passionné ».

- *C'est un fana du vélo.*

Par ailleurs, *fan* est un anglicisme au sens de *ventilateur*.

fast-food

Ce composé anglais définit à la fois un type de restauration et un établissement fonctionnant sur ce mode. Dans le premier cas, on peut le traduire par *restauration rapide* ; dans le second, on a le choix entre *restaupouce, restopouce, restovite, restaurant-minute* et *prêt-à-manger*.

Fast-food désigne aussi les mets que l'on mange dans de tels restaurants.

- *Il se gave de fast-food.*

On traduit parfois ce composé anglais par *repas-minute, plat-minute* ou *bouffe-minute*.

En ce sens, *fast-food* s'apparente à *junk food*. Mais ce terme, qui désigne un « aliment sans valeur nutritive », est plus péjoratif. On a d'abord tenté de le traduire par *aliment vide* ou par *aliment-camelote*, mais c'est le terme *malbouffe* qui est en train de s'imposer

favori

Dans le vocabulaire sportif, ce mot désigne « le concurrent ou l'équipe qui a le plus de chances de gagner ». Il est donc pléonastique de dire *favori pour l'emporter*. *Favori* suffit.

fax

On trouve autant dans le Petit Larousse que dans le Petit Robert le mot *fax*, qui désigne à la fois l'« appareil qui sert à télécopier des documents via une ligne téléphonique » et le « document » lui-même.

On trouve aussi le dérivé *faxer*, qui signifie « envoyer un document par télécopie ».

- *Mon fax m'est très utile. J'ai justement reçu un fax ce matin. Je vais faxer ma réponse cet après-midi.*

Il est certain cependant que le mot *fax* nous vient de l'anglais. C'est pourquoi certains usagers préféreront les équivalents français : *télécopieur, télécopie* et *télécopier*.

fédération

Lorsque ce mot désigne un regroupement d'États ou une association de syndicats, il s'écrit avec une majuscule.

- *La Fédération des travailleurs du Québec.*

Voir aussi *pays (noms de)*.

féminisation

L'OLF recommande à juste titre d'utiliser les formes féminines des titres de fonctions. La chose est simple quand le féminin existe déjà *(infirmière, couturière, avocate,* etc.). Quand il n'existe pas, on peut le créer en s'inspirant des règles suivantes :

1- Certains termes peuvent rester communs aux deux sexes. Dans ce cas, c'est l'article qui déterminera le genre. Ainsi, on pourra écrire *une architecte, une guide, une journaliste, une juge, une ministre, une peintre,* etc.
2- Les mots se terminant en *eur* peuvent être féminisés tantôt en ajoutant un *e* à la fin *(une auteure, une ingénieure, une professeure, une réviseure)*, tantôt en transformant *eur* en *euse (une chroniqueuse, une chauffeuse, une monteuse)*.
3- On peut ajouter un *e* à la fin des mots se terminant par *é*. Ce qui donnera, par exemple, *une députée*.
4- D'autres créations d'une forme féminine peuvent être acceptées, à condition bien entendu qu'elles respectent la morphologie de la langue française.
   - *Une banquière, une chirurgienne, une policière.*

La féminisation systématique, qui a envahi notamment le jargon syndical et le discours politique, rectitude politique oblige, rend toutefois les textes difficiles à lire. Et parfois même, un peu ridicules.

Pour contourner la difficulté, beaucoup d'auteurs font de prudentes mises en garde affirmant que, par souci d'alléger le texte, le masculin inclut le féminin. J'aime bien cette formulation toute simple.

À mon avis, la féminisation systématique devrait se limiter aux textes administratifs. Je veux bien, par exemple, qu'on annonce qu'un poste est ouvert *aux infirmières et aux infirmiers* ou *aux travailleuses sociales et aux travailleurs sociaux*. Mais elle n'a pas sa place dans un livre, un journal ou une revue.

Je déconseille fortement le recours aux traits d'union, aux parenthèses ou aux barres obliques pour marquer le féminin. « Ces formes télescopées, peut-on lire dans *Le Guide du rédacteur*, ne sont pas conformes aux règles grammaticales et nuisent à la clarté de la communication. » On ne peut dire mieux.

Il est souvent possible d'éviter le recours aux deux genres en employant des termes génériques. Au lieu de parler *des employées et des employés*, par exemple, on parlera *du personnel*. Ou encore, au lieu de parler *des clientes et des clients*, on parlera *de la clientèle*.

Autre astuce : on peut, au début d'un texte ou d'un discours, recourir à des formules comme *mes frères et sœurs, chères électrices et chers électeurs*, etc. Le rédacteur ou le locuteur indique ainsi, dès le départ, qu'il s'adresse et aux femmes et aux hommes.

festival

Ce mot prend une majuscule quand il désigne une manifestation culturelle unique.

- *Le Festival de Cannes.*

fête (jours de)

On écrit les jours de fête avec une majuscule au nom spécifique. L'adjectif qui le précède, le cas échéant, prend aussi une majuscule.

Au Canada, les principaux jours de fête sont les suivants :

- *Le jour de l'An (le Nouvel An), la fête des Rois (l'Épiphanie), le Mardi gras, la Saint-Valentin, le mercredi des Cendres, le Vendredi saint, Pâques, la fête des Mères, la fête des Patriotes ou de la Reine, la fête des Pères, la Saint-Jean, la fête de la Confédération, la fête du Travail, l'Action de grâce(s), l'Halloween, la Toussaint, le jour du Souvenir et Noël.*

feu

Le *feu* est un élément destructeur. Lorsqu'il se propage en causant des dégâts, on le nomme *incendie*.

- *Un violent incendie a ravagé un immeuble dans le quartier de Rosemont.*
- *La sécheresse a provoqué de nombreux incendies de forêt dans le nord du Québec.*

Soulignons cependant que la locution *feu de forêt* est largement répandue tant en France qu'au Québec. On ne la trouve pas dans les dictionnaires, mais on y trouve *feu de brousse* et *feu de cheminée*.

Par ailleurs, *prendre en feu* est un québécisme qui relève de la langue populaire. On écrira plutôt *prendre feu*.

feu, e

Feu, au sens de défunt, est invariable s'il est placé devant l'article défini ou l'adjectif possessif.

- *Feu ta tante.*

Il varie en genre et en nombre s'il est placé entre l'article défini ou l'adjectif possessif et le substantif auquel il se rapporte.

- *Tes feues tantes.*

feu d'artifice

Artifice demeure invariable dans cette locution.

- *Montréal est célèbre pour ses feux d'artifice.*

feu de circulation

L'emploi de *lumière* au sens de *feu de circulation* est un calque de *traffic light*.

Par ailleurs, on ne traverse pas *sur* un *feu* vert (encore moins *sur* un *feu* rouge) mais à un *feu*.

faire long feu

Faut-il dire *faire long feu* ou *ne pas faire long feu* ? Les deux locutions n'ont pas le même sens. La première vient du langage des armes à feu et s'emploie avec justesse au sens de « rater son but, manquer son effet, traîner en longueur ».

- *La stratégie semblait géniale, mais elle a fait long feu.*
- *Il adore faire des blagues, mais elles font long feu.*

La seconde signifie plutôt « ne pas durer longtemps ». Elle évoque une flamme qui s'éteint rapidement.

- *La trêve entre Israéliens et Palestiniens n'a pas fait long feu.*

La locution *faire long feu* étant souvent mal comprise, son emploi est de plus en plus rare. Il est même probable qu'elle finira par tomber en désuétude. *Ne pas faire long feu*, en revanche, gagne du terrain, sans doute parce qu'elle est plus claire.

fier (se)

En français, on ne se *fie* pas *sur* quelqu'un mais *à* quelqu'un. C'est sans doute l'influence de *to depend on* qui est ici en cause.

figurer

Ce verbe est un anglicisme au sens de *calculer* ou d'*imaginer*.

- *Elle est en train de calculer la somme dont elle aura besoin pour ce voyage.*

filage

Ce mot est un anglicisme au sens de *câblage* (électrique).

- *Le câblage électrique du MD-11 est recouvert d'un isolant volatil.*

Le mot *filerie*, qu'on entend parfois, est également une forme fautive au sens de *câblage* ou d'*installation* électrique.

- *Les câblages sont défectueux.*
- *Il faudra améliorer les installations électriques.*

filière

Le meuble dont on se sert pour classer des dossiers est un *classeur*, non une *filière*.

film culte

Voir *culte*.

final

On appelle *final* ou *finale* le « dernier morceau d'une œuvre musicale ». Dans les deux cas, le mot est masculin.

finale

Voir *final*.

finaliser

Ce néologisme auquel on donne le sens de *conclure, mettre au point, mettre la dernière main à, achever* est un calque de *to finalize*. Bien que son emploi soit critiqué, il se répand rapidement.

finir (à)

Voir *lutte*.

finish

On traduit *photo-finish*, ce composé anglais du domaine des sports, par *film* ou *photo d'arrivée*.

- *Il a fallu visionner le film d'arrivée pour déterminer le gagnant.*

La locution *au finish* est un anglicisme au sens de *à l'arraché*.

- *Ils ont obtenu le contrat à l'arraché.*

Quant à *finishing touch*, c'est un anglicisme au sens de *finition, dernière main, touche finale.*

- *Elle a mis la touche finale à son tableau.*

finishing touch

Voir *finish.*

fins (à toutes – pratiques)

La locution *à toutes fins pratiques* est un calque de *for all practical purposes.* On la remplacera par *à vrai dire, en pratique, pratiquement.*

- *En pratique, la décision est prise.*
- *L'étude est pratiquement terminée.*

On remplace parfois cette expression, mais à tort, par la locution *à toutes fins utiles*, qui existe en français mais dont le sens est *en cas de besoin, le cas échéant.*

- *Prenez l'habitude de conserver vos factures à toutes fins utiles.*

fioul

Voir *fuel.*

flambant neuf

Cette locution a le sens de « tout neuf ». Les grammairiens ne s'entendent pas sur son accord en genre et en nombre. On trouvera, par exemple :

- *Des autos flambant neuf.*
- *Des autos flambant neuves.*
- *Des autos flambantes neuves.*

De ces trois usages, le deuxième paraît préférable.

fleur bleue

Cette locution est invariable.

- *Ces feuilletons sont très fleur bleue.*

fleuve

Ce mot s'écrit avec une minuscule.

- *Le fleuve Saint-Laurent.*

flot (à)

On écrit *remettre à flot* mais *couler à flots.*

flotte

Ce mot désigne l'« ensemble des navires ou des avions d'une société, d'un pays ». Pour parler de l'« ensemble des taxis, des camions, des autobus ou des voitures », on emploiera plutôt *parc.*

- *Les autobus à plancher bas constituent 20 % du parc de la STCUM.*
- *Le parc de taxis de Montréal n'est pas en très bon état.*
- *Cette commission scolaire dispose d'un parc de 200 autobus d'écoliers.*

fluo

Cette abréviation de l'adjectif *fluorescent* est invariable.

- *Des couleurs fluo.*

FM

C'est ce sigle, et non *MF*, qui désigne la « radio diffusant en modulation de fréquence ».

focus

Focus n'est pas un mot français. On le traduit généralement par *accent, attention, centre d'intérêt.*

- *Dans le prochain budget, l'accent sera mis sur la réduction du déficit.*

En photographie, on dira plutôt faire la *mise au point de l'image.*

Focuser n'est pas davantage français, que ce soit avec un ou deux *s*. On peut le traduire, selon les contextes, par *centrer, focaliser, mettre l'accent sur, porter son attention sur, se concentrer sur, souligner.*

- *La skieuse Anne-Marie Pelchat a refusé les interviews dans l'espoir de mieux se concentrer.*

focus(s)er

Voir *focus.*

focus group

Existe-t-il une traduction pour cette locution anglaise qui désigne un « groupe de personnes représentatif d'un public cible » ? Il y en a quelques-unes, mais elles ne sont pas très répandues. Ainsi, dans le domaine de la publicité, on parle parfois de *groupe-discussion* ou de *groupe de discussion*, et, dans celui de la statistique, de *groupe type* ou de *groupe échantillon*.

fonction publique (la)

Pas de majuscule.

fondation

Ce mot prend une majuscule quand il est suivi d'un nom commun ou d'un adjectif.

- *La Fondation des maladies du cœur.*

Il s'écrit généralement avec une minuscule lorsqu'il est suivi d'un mot propre.

- *La fondation Leucan.*

fonds

Ce mot prend une majuscule quand il désigne une institution unique.

- *Le Fonds de solidarité des travailleurs.*

L'expression *levée de fonds* est un calque de l'anglais *(fund raising)*. Dans notre langue, on parlera plutôt de *campagne de souscription* ou de *campagne de financement populaire.*

fonds de pension

Cette locution est un calque de *pension fund*. En français, on dira plutôt *caisse de retraite*. La locution *plan de pension* est également un calque *(pension plan)*. Dans ce cas, il faut parler de *régime de retraite.*

fonds mutuel

La locution *fonds mutuel* est un calque de *mutual fund*. En français, on parlera plutôt de *fonds commun de placement.*

- *Les fonds communs de placement sont de plus en plus populaires.*

forçail (au)

La locution *au forçail* est un québécisme familier. Elle a le sens de « à la rigueur », « au pis aller ».

force (en)

La locution *in force* se traduit en français par *en vigueur* et non par *en force.*

- *Les lois en vigueur.*

forger une signature

La locution *forger une signature* est un calque de l'anglais *(to forge a signature)*. En français, on ne *forge* pas une signature, on l'*imite*, on la *contrefait.*

- *Le vicaire a déclaré que sa signature avait été contrefaite.*

formule

Ce mot entre dans la dénomination de plusieurs types de course automobile. Les dictionnaires écrivent généralement le mot avec une minuscule, mais plusieurs revues spécialisées l'écrivent avec une majuscule.

- *La formule 1 (ou F1).*
- *La formule Indy.*

fourgonnette

En France, *fourgonnette* désigne un petit camion de livraison. Chez nous, en plus de ce sens, le terme désigne un « véhicule spacieux, servant au transport de passagers ou de marchandises ». En France, pour désigner ce type de véhicule, on dira plutôt *monospace*, terme inusité ici. Va donc pour *fourgonnette*, mais pas pour *minifourgonnette*, calque de l'anglais *(minivan)*.

Minifourgonnette est en outre pléonastique, car un même mot ne peut avoir un préfixe et un suffixe diminutifs.

Notons également que nos fourgonnettes n'ont rien de mini. Certes, elles sont plus petites que les camions, mais elles sont très spacieuses pour des véhicules de tourisme.

fournaise

L'« appareil de chauffage central » que les Anglais appellent *furnace* est une *chaudière*.

frais

Dans l'expression *aucuns frais*, *aucuns* est au pluriel, car il ne peut y avoir un seul *frais*.

- *Aucuns frais bancaires.*

Par ailleurs, un appel téléphonique interurbain où les *frais* sont payés par la personne appelée est un appel *à frais virés*, non à *charges renversées*.

frais de scolarité

Voir *droits de scolarité*.

franchise

Voilà un mot emprunté au français par l'anglais, qui lui a donné une autre signification, que le français vient de lui emprunter à son tour. C'est ainsi que *franchise* désigne maintenant le « droit d'exploiter une marque, une raison sociale ». Celui qui exploite ce droit est un *franchisé*. Il l'obtient d'un *franchiseur* grâce à un contrat commercial qu'on appelle le *franchisage*.

franchisage

Voir *franchise*.

franchisé

Voir *franchise*.

franchiseur

Voir *franchise*.

francophonie

Faut-il écrire ce mot avec une majuscule ou avec une minuscule ? Le Petit Robert, le Petit Larousse et le Hachette emploient la minuscule. Le Multidictionnaire fait de même, mais on y note qu'on peut aussi écrire le mot avec une majuscule.

L'usage de plus en plus fréquent de la majuscule s'explique vraisemblablement par le fait que la francophonie est devenue un regroupement de peuples semblable au Commonwealth.

Mais cette évolution ne justifie pas, à mon sens, l'emploi de la majuscule puisque la francophonie n'est toujours pas un organisme officiel. Il s'agit plutôt d'un ensemble qui s'exprime dans des institutions comme l'Agence de la francophonie ou l'Agence universitaire de la francophonie, et qui se réunit à l'occasion d'événements comme les Jeux de la francophonie.

Fransaskois, oise

On appelle *Fransaskois* les « francophones de la Saskatchewan ».

frapper

L'anglais emploie un seul verbe *(hit)* là où le français en utilise plusieurs. On peut *frapper* une personne de son poing, mais on la *heurte*, on la *renverse* avec un véhicule.

L'anglais a aussi un rôle à jouer dans l'expression *frapper un nœud*, qui est un calque de *to hit a snag*. On pourra lui substituer *se heurter à une difficulté*, *se buter à un obstacle*, *tomber sur un os* ou *avoir un pépin*.

Enfin, la locution *frapper la longue balle*, qui appartient au jargon du baseball, est également un calque *(to hit the long ball)*. Elle n'a pas de sens en français, une balle ne pouvant être longue. On la remplacera, selon le contexte, par *frapper un* ou *des circuits*, *frapper avec puissance*, *miser sur la puissance*.

- *Les circuits ont fait gagner la Ligue nationale.*
- *Williams peut frapper des circuits à tous les champs.*
- *Les Braves misent sur la puissance pour l'emporter.*

free-for-all

À l'origine, ce composé anglais désignait un « concours auquel tout le monde peut participer ». Mais aujourd'hui, on le traduit le plus souvent par *bagarre*, *pagaille* ou *mêlée générale*.

- *L'avion était tellement en retard que l'attente s'est transformée en pagaille générale.*

Dans certains contextes, on peut aussi traduire *free-for-all* par *méli-mélo*.

- *Ce procès, quel méli-mélo !*

frère

Ce mot prend une minuscule.

- *Les frères des Écoles chrétiennes.*
- *Le frère Untel.*

friday wear

Dans beaucoup de bureaux le vendredi, les employés portent une tenue plus décontractée. Les Américains appellent ce jour le *friday wear*. On peut traduire cette locution par *jour du décontracté* ou par *tenue du vendredi*.

frontière

Mis en apposition, ce mot s'écrit sans trait d'union et reste invariable.

- *Des villes frontière.*
- *Des postes frontière.*

fruit de mer

En français, les *fruits de mer* se limitent aux mollusques et aux crustacés comestibles. En anglais, le terme *seafood* comprend aussi les poissons.

fuel

Fioul est une francisation de *fuel*. Le mot a fait l'objet d'une recommandation officielle, laquelle a été entérinée par les dictionnaires et, qui plus est, consacrée par l'usage. La chose est suffisamment rare pour qu'on s'en réjouisse ; il y a tant de recommandations qui restent lettre morte.

Certes, *fioul* n'était pas indispensable puisqu'il s'agit d'un synonyme de *mazout*, terme emprunté au russe au début du siècle dernier pour désigner une « huile tirée de la distillation du pétrole ». Mais puisqu'on continuait à employer *fuel*, malgré tout, mieux vaut, il me semble, disposer d'une graphie francisée.

Voir aussi *mazout*.

funérailles

Ce mot, toujours au pluriel, désigne une « cérémonie solennelle en faveur d'un mort ».

- *René Lévesque a eu droit à des funérailles nationales.*

Lorsque la cérémonie ne revêt pas un caractère solennel. il est plus précis de parler d'*enterrement* ou d'*obsèques*.

- *Il n'y avait que quelques personnes à son enterrement.*
- *Ses obsèques auront lieu mercredi.*

fusillade

Il est tout à fait impropre de parler, comme on le fait souvent, de *fusillade*, quand il n'y a qu'un coup de feu. Ce mot implique, en effet, un « échange de coups de feu » ou la « décharge simultanée de plusieurs armes ».

fusionner

Fusionner n'est pas un verbe pronominal. On ne peut dire, par exemple, que *des villes se fusionneront*, mais qu'*elles fusionneront*. La confusion vient sans doute de ce que *fusionner* a le sens de « s'unir, se réunir, se fondre ».

- *Certaines villes voient un intérêt à fusionner.*

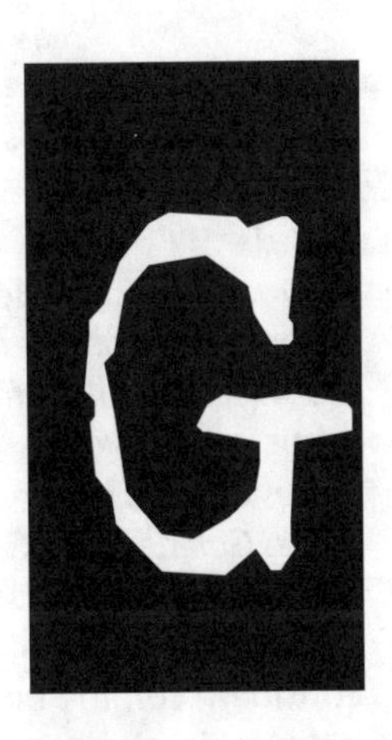

gager

Synonymes de *parier* et de *pari*, *gager* et *gageure* sont désuets en France, mais encore bien vivants au Québec.

gageure

Voir *gager*.

gagner

Voir *mériter*.

gai

D'une façon générale, je suis plutôt favorable à la francisation des mots anglais. Ainsi, je préfère *rappeur* à *rapper*, *rockeur* à *rocker*, etc. Mais, j'ai été jusqu'ici réfractaire à la francisation de *gay* en *gai*. Pourquoi ? Parce que *gai*, au sens d'*homosexuel* (adjectif et substantif), est un homonyme de l'adjectif *gai*, demeuré bien vivant au sens d'*enjoué*. Ce qui peut constituer une source de confusion. Si vous lisez, par exemple : « Il était un adolescent gai », devez-vous comprendre que la personne en question était homosexuelle ou enjouée ? Ou si vous voyez un titre parlant d'« un film gai », devez-vous en conclure qu'il s'agit d'un film joyeux ou d'une oeuvre traitant de l'homosexualité ? J'avais donc suggéré de s'en tenir à *gay*, même si le mot est d'origine anglaise. Ce choix crée cependant un problème non négligeable : la communauté gaie francophone du Québec considère le terme *gay* comme une injure. C'est injustifié, bien sûr, mais c'est ainsi. Sur le plan strictement linguistique, le choix de *gay* me paraît toujours préférable. Mais je ne ferai pas de bataille là-dessus, ne seraitce que parce que l'emploi de *gai* n'est pas fautif. Les dictionnaires français le reconnaissent en effet comme un synonyme de *gay* et la presse française l'emploie à l'occasion.

- *La Semaine de la fierté gaie.*
- *La Table de concertation des gais et des lesbiennes.*

Précisons que le terme *gai* s'applique seulement à l'homosexualité masculine.

galerie

Quand ce mot désigne un regroupement de commerces, il prend une majuscule, tout comme le mot qui le particularise.

- *Les Galeries d'Anjou.*
- *Les Galeries de la Capitale.*

Lorsque *galerie* désigne un établissement commercial ou culturel, il est considéré comme un nom commun s'il indique simplement une catégorie.

- *La galerie d'art Jules Harvey.*

Mais il prend une majuscule s'il fait indiscutablement partie du nom de l'établissement.

- *La Galerie 84 1/2.*

Quand ce mot désigne un bâtiment public, il s'écrit avec une minuscule s'il est suffisamment déterminé par un nom propre ou par un équivalent.

- *La galerie des Glaces.*

Par ailleurs, le mot *galerie* désigne un « lieu de passage couvert et généralement assez grand, situé à l'intérieur ou à l'extérieur d'un bâtiment ». En revanche, la « plate-forme disposée en saillie sur une façade et entourée d'un garde-fou » est un *balcon*, non une *galerie*. Lorsque le *balcon* est vitré ou grillagé, on le nomme *véranda*.

game

Ce mot est, bien entendu, un anglicisme au sens de *match*.

- *Le match a été passionnant.*

Game est également un anglicisme inutile au sens de *jeu*, *stratégie*, etc. On ne dira pas, par exemple, que le hockey est une *game simple*, mais un *jeu simple*, ou encore, qu'un entraîneur *connaît la game*, mais qu'il *est fin stratège*.

Voir aussi *match*.

game

Voir *jeu vidéo*.

gaminet

Ce synonyme québécois de *T-shirt*, qu'on ne retrouve dans aucun dictionnaire, paraît bien inutile.

gare

Ce mot prend une minuscule quand il est déterminé par un nom propre ou un équivalent.

- *La gare Windsor.*
- *La gare du Palais.*

Voir aussi *station*.

garrocher

Garrocher est un québécisme familier au sens de *lancer*. Le *Multidictionnaire* déconseille avec raison son emploi dans un texte courant. Le même ouvrage considère également *garrocher* comme une impropriété au sens de *bâcler, expédier*.

gas bar

Voir *bar*.

gasoline

Le « carburant obtenu par la distillation et le raffinage du pétrole » s'appelle en français *essence* et non *gasoline* ou *gazoline*.

gay

Voir *gai*.

gazebo

Ce mot anglais désigne un *pavillon de jardin*. On peut aussi le traduire par *gloriette* quand il s'agit d'un « pavillon de verdure » et par *pergola* quand il désigne une « petite construction de jardin servant de support à des plantes grimpantes ».

gazoline

Voir *gasoline*.

générateur

Faut-il dire *générateur* ou *génératrice* pour qualifier un « appareil qui transforme en énergie électrique une autre forme d'énergie » ? C'est le premier mot qu'il convient employer.

- *Le grand verglas a entraîné une pénurie de générateurs.*

Quant au second terme, il désigne plus précisément une « machine qui transforme de l'énergie mécanique en énergie électrique ».

- *L'alternateur est une génératrice qui maintient la batterie en état de charge.*

générer

Le verbe anglais *to generate* a donné une nouvelle vigueur à *générer*, qui était pratiquement disparu. On l'emploie aujourd'hui au sens de *engendrer, produire, susciter, avoir pour conséquence*. Certains auteurs jugent ces emplois inutiles, mais ils sont passés dans l'usage et entérinés par les dictionnaires.

genou

Ce mot prend la marque du pluriel dans l'expression *à genoux*.

genre

Depuis quelques années, ce mot passe-partout émaille la conversation de tout un chacun, y compris *genre* ceux qui s'expriment plutôt bien. En voici quelques exemples glanés au hasard.

- *Le tournoi aura lieu, genre du 9 au 15 mai.*
- *Il doit travailler genre 16 heures par jour.*
- *C'est genre deux filles qui veulent proposer un texte.*
- *Les deux femmes ont pris genre quatre livres.*
- *Je vais lui donner genre un pourboire de 20 %.*

Soulignons qu'il est tout à fait français d'employer *genre* suivi d'un mot ou d'un adjectif en apposition.

- *Le genre branché, le genre artiste,* etc.
- *Il est du genre notaire.*

Cet emploi demeure correct même lorsqu'on fait l'ellipse de l'article.

- *C'est une adolescente genre fille à papa.*

Le problème vient plutôt de ce que *genre* soit devenu, particulièrement chez les jeunes, un véritable tic de langage qu'on emploie à toutes les sauces, y compris là où le mot est parfaitement inutile.

gens

Bien que le genre de ce mot soit masculin, l'adjectif qui le précède est au féminin.

- *De bonnes gens fortunés.*

Il existe toutefois des exceptions. Si *gens* est précédé de plus d'un adjectif et que celui qui le précède immédiatement a une forme unique pour les deux genres, ces adjectifs restent au masculin.

- *De joyeux jeunes gens.*

Les adjectifs et prénoms qui ne précèdent *gens* que par inversion demeurent au masculin.

- *Échaudés par les hausses d'impôts, les bonnes gens sont méfiants.*

Enfin, lorsque *gens* est suivi d'un nom introduit par *de*, l'adjectif qui le précède reste masculin.

- *Certains gens d'affaires.*

gens d'affaires

L'expression *gens d'affaires* tend peu à peu à se substituer à *hommes d'affaires* à mesure que le nombre de femmes augmente dans les milieux d'affaires.

gentilé

Les noms désignant les habitants d'un quartier, d'une ville, d'une région, d'une province, d'un pays ou d'un continent prennent une majuscule.

- *Les Rosemontois, les Montréalais, les Jeannois, les Québécois, les Canadiens, les Nord-Américains.*

Lorsque le gentilé est attribut, il peut être soit adjectif, soit substantif.

- *Je suis montréalais.*
- *Je suis Montréalais.*

Le premier exemple signifie : *Je suis de Montréal.* Le second veut plutôt dire : *Je suis un Montréalais.* Donc, l'un ou l'autre se dit ou se disent, selon la formule consacrée. Cela étant établi, la minuscule et la majuscule ne sont pas toujours interchangeables. Si l'on demande, par exemple, à un Québécois de souche récente de quelle origine il est, il répondra :

- *Je suis vietnamien (ou arabe, espagnol, etc.)*

Dans un tel cas, la minuscule s'impose, car la personne interpellée n'est pas *Vietnamienne*, mais *d'origine vietnamienne.*

En revanche, la majuscule va de soi quand l'attribut constitue une affirmation de l'identité nationale.

- *Il ne se considère pas comme Canadien, mais comme Québécois.*

gentrification

Le français québécois a emprunté le mot *gentrification* à l'anglais pour désigner l'*embourgeoisement* d'un quartier urbain. Le phénomène se traduit notamment par l'arrivée d'une classe de citoyens nantis, lesquels transforment un quartier pauvre et ouvrier en un secteur huppé et branché.

Le mot *gentrification* est-il utile ? Non, à mon sens, car il n'ajoute rien à *embourgeoisement*. Mais je comprends fort bien pourquoi on préfère l'employer. Ce terme s'intègre bien à notre langue. En fait, il a l'air si français que la plupart des gens ignorent qu'il est anglais. En outre, il est neutre, contrairement à *embourgeoisement*, qui est politiquement et socialement lourd de sens. Les envahisseurs se sentent donc moins coupables de provoquer une flambée des prix et des loyers qui chasse du quartier les petites gens.

Dans son dernier avis sur le sujet, l'OLF a proposé *embourgeoisement* et déconseillé *gentrification.*

- *Le Comité anti-gentrification s'oppose à l'embourgeoisement des quartiers populaires.*

Notons qu'on rencontre à l'occasion *gentrification* dans la presse française. Mais le terme y est presque toujours employé entre guillemets. De plus, il est utilisé quasi exclusivement pour décrire l'*embourgeoisement* de certains quartiers en Grande-Bretagne ou aux États-Unis.

Cela dit, il faut croire qu'en Europe aussi *embourgeoisement* chatouille certaines susceptibilités, car on voit apparaître ici et là le néologisme *élitisation*, qui veut dire la même chose, mais qui est sans doute moins gênant.

Gentrification a engendré le verbe *se gentrifier*, qui n'ajoute rien à *s'embourgeoiser*.

- *Après le Plateau, c'est au tour de la Petite-Patrie de s'embourgeoiser.*

gentrifier

Voir *gentrification*.

gérant

Le *gérant* est la « personne qui gère une entreprise pour le compte du propriétaire ».

- *Un gérant d'immeuble.*

Sous l'influence du mot anglais *manager*, on donne à *gérant* le sens de *chef* (d'atelier, de service, etc.) ou de *directeur* (de banque, de magasin, de production, etc.).

Dans le monde du spectacle, *gérant* est un anglicisme au sens d'*imprésario*.

Voir aussi *entraîneur*.

geste (poser un)

La locution *poser un geste* est un québécisme. Ailleurs dans la francophonie, on dit plutôt *faire un geste*.

glace noire

La « mince couche de glace transparente et presque invisible » qui se forme sur la chaussée en hiver se nomme *verglas*. La locution *glace noire* est une traduction littérale de *black ice*. Bien qu'on la trouve dans le Glossaire de météorologie et de climatologie, elle n'ajoute rien à *verglas*, terme employé par tous les grands dictionnaires pour traduire *black ice*.

Certains locuteurs soucieux d'éviter le calque parlent plutôt de *glace invisible*. Cet emploi est correct sans doute, mais à mon avis, il n'ajoute rien à *verglas*, tout en étant plus long.

globalisation

Globalisation s'emploie correctement en français pour désigner l'« action de globaliser ».

- *La globalisation des revendications des cols bleus entraînera-t-elle une flambée des salaires à Montréal ?*

Sous l'influence de l'anglais, le mot *globalisation* est devenu un synonyme de *mondialisation*. À mon avis, cet anglicisme, bien que fort répandu, notamment dans le vocabulaire de l'économie, reste peu utile.

- *Les altermondialistes évoquent le rouleau compresseur de la mondialisation libérale.*

La locution *village global* est, quant à elle, un anglicisme au sens de *village planétaire*.

- *McLuhan avait prévu l'émergence du village planétaire.*

golfe

Ce mot s'écrit avec une minuscule.

- *Le golfe du Saint-Laurent.*
- *Le golfe Persique.*

La majuscule est cependant de rigueur lorsque le mot est employé de façon elliptique.

- *La guerre du Golfe.*

gothique

Un tueur peut-il être *gothique ?* Cet emploi apparu lors de la tuerie de Littleton, en avril 1999, est un calque de *goth* ou *gothic*, adjectif anglais qui a, outre son sens architectural, celui *d'horreur*. *A gothic film*, par exemple, se traduit par *un film d'horreur*.

Quant aux jeunes tueurs, ils appartenaient à la mafia des Longs-Manteaux, une créature de *la sous-culture gothique*, qui fait l'apologie de la violence, de la mort et du néonazisme.

gourou

On écrit indifféremment *gourou* ou *guru*, mais la première forme est plus fréquente.

goût

L'expression familière *avoir le goût de* est un québécisme.

- *J'ai le goût d'aller au cinéma.*

Goûter au sens d'*avoir un goût* est aussi un québécisme.

- *Ce jus goûte sucré.*

Ailleurs dans la francophonie, on dira plutôt :

- *J'ai envie d'aller au cinéma.*
- *Ce jus a un goût sucré.*

goûter

Voir *goût*.

gouvernement

Ce mot s'écrit avec une minuscule. Au Canada, il désigne à la fois le « pouvoir exécutif du pays et des provinces ».

- *Les gouvernements du Canada et du Québec ont conclu une entente sur la main-d'œuvre.*

gouverneur

Les membres d'un conseil d'administration ne sont pas des *gouverneurs*, mais des *administrateurs* (fém. : *administratrices*).

gouverneur général

Ce titre de fonction s'écrit sans majuscule et sans trait d'union. On écrit toutefois *les prix du Gouverneur général*.

grâce à

Cette locution ne peut se dire que de ce qui est souhaitable.

- *J'y suis parvenu grâce à vous.*

Lorsqu'il est question d'un fait qui est contrariant, désagréable, on dira plutôt *à cause de*, *en raison de*.

- *À cause de lui, le voyage a été épouvantable.*

graduation

En français, le « titulaire d'un grade » est un *diplômé*, non un *gradué*. Le *diplômé* reçoit son diplôme lors de la *collation des grades*, s'il vient de terminer ses études universitaires, ou lors d'une *remise des diplômes*, s'il vient de terminer ses études collégiales ou secondaires. En aucun cas, il ne s'agit d'une *cérémonie de graduation*. Le bal qui suit cette cérémonie est un *bal de fin d'études*, et non un *bal de graduation*.

- *Les élèves ont préparé leur bal de fin d'études pendant des mois.*
- *Sa mère ne pourra assister à la collation des grades.*
- *Le ministère de l'Éducation espère augmenter le nombre de diplômés.*

gradué, e

Voir *graduation*.

graffiti

Au pluriel, on peut écrire *graffiti* ou *graffitis*. Je conseille le pluriel français.

- *Les murs étaient tapissés de graffitis.*

grain

Ce mot prend la marque du pluriel dans les expressions *en grains, à gros grains* ou *à petits grains*.

- *Du café en grains.*

grand

Lorsque l'adjectif *grand* placé devant un autre adjectif a une valeur adverbiale, il s'accorde ou non, selon les auteurs, avec le substantif qui précède.

- *Les yeux grand(s) ouverts.*
- *Les portes grand(es) ouvertes.*

grand-

Les mots composés avec *grand* s'écrivent aujourd'hui avec un trait d'union plutôt qu'avec une apostrophe.

- *Grand-chose.*

Le pluriel des composés masculins est régulier, les deux éléments prenant un *s*.

- *Des grands-pères.*

En revanche, celui des composés féminins est flottant. Généralement, le premier élément prend la marque du pluriel mais reste masculin.

- *Des grands-mères.*

grandeur

La *grandeur* décrit la « dimension en hauteur, largeur et longueur d'une chose ».

- *La grandeur d'un édifice.*

Lorsqu'un objet est petit, on parle plutôt de son *format*.

- *Le format d'une calculatrice.*

Lorsqu'on veut désigner la « hauteur d'une personne », il est plus précis de parler de *taille*.

Lorsqu'on veut décrire toutes les dimensions de quelqu'un, on emploie le mot *gabarit*.

- *Un homme d'un gabarit imposant.*

Grand Montréal

Voir *métropolitain*.

Grand Nord

Deux majuscules, pas de trait d'union.

Grand Prix

Deux majuscules, pas de trait d'union.

- *Le Grand Prix de Montréal.*

Grands Lacs

Deux majuscules, pas de trait d'union.

grano

Voir *baba cool*.

granola

Voir *baba cool*.

granole

Voir *baba cool*.

grève

Voir *aller en grève*.

gros

C'est sans doute sous l'influence de l'anglais *big* qu'on emploie cet adjectif pour décrire des athlètes qui n'ont pas une once de graisse, mais qui sont plutôt *grands* et *costauds*.

- *Le Canadien est à la recherche d'ailiers costauds (et non de gros ailiers qui risqueraient de traîner leur embonpoint sur la patinoire).*

groupe

Ce mot reste au singulier dans les locutions *de groupe* et *en groupe*.

- *Une thérapie de groupe.*
- *Les loisirs en groupe.*

Groupe prend cependant la marque du pluriel dans la locution *par groupes*.

- *Elles venaient par groupes de trois.*

gruger

Au Québec, ce verbe a gardé le sens vieilli de *ronger*, au propre comme au figuré.

- *Il grugeait une pomme.*
- *L'étalement urbain gruge les terres agricoles.*

guerre

On écrit la *Première* ou la *Deuxième Guerre mondiale*, mais *la guerre de Cent Ans, la guerre des Six Jours, les guerres de religion, la guerre froide, la guerre sainte, la guerre éclair.*

Voir aussi *lutte*.

guichetier

Voir *changeur*.

guillemets

On utilise les guillemets au début et à la fin d'une citation.

- *« Le gouvernement est déterminé à réduire le déficit », affirme le ministre des Finances.*

Notez que la virgule suit le guillemet fermant et non l'inverse.

Les incises (*soutient-il, prétend-elle*, etc.) se mettent entre virgules. L'usage veut que l'on ne répète pas les guillemets, à moins que l'incise ne soit longue.

- *« Je ne suis pas là pour descendre les gens, dit Sonia Benezra. D'autres s'en chargent. »*

Lorsque la citation est complète (on dit aussi indépendante), le premier mot prend une majuscule et le point est placé juste avant le guillemet fermant.

- *« Ce n'est pas à l'armée, a soutenu le général Foster, de faire respecter les lois canadiennes. »*
- *Commentant la fermeture de CKCV, le maire L'Allier a déclaré : « La balle est maintenant dans le camp du CRTC. »*

En revanche, lorsque la citation entre dans le cadre d'une phrase, les guillemets encadrent les mots cités et le point est placé à l'extérieur.

- *M. Bertrand croit que « les policiers ne gagnent rien à taper sur la tête des consommateurs de drogue ».*

Si la citation englobe plusieurs paragraphes, on met un guillemet ouvrant au début de chaque paragraphe et un guillemet fermant à la fin de la citation.

Lorsqu'on doit utiliser des guillemets à l'intérieur d'une citation déjà entre guillemets, on utilise les guillemets anglais.

- *« Tu te rends compte, la petite a déjà dit "maman" en français », raconte une mère adoptive à son retour de Chine.*

On peut employer les guillemets pour isoler un titre, une expression, un terme étranger, etc.

- *Cette compagnie a pour clientèle cible les « yuppies ».*

Voir aussi *citations*.

guru

Voir *gourou*.

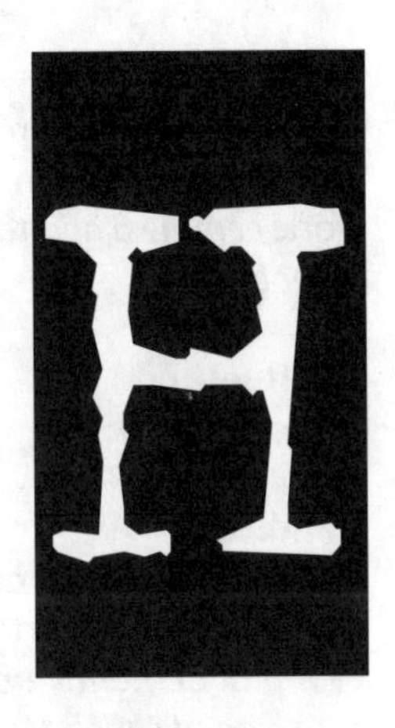

habiller (un joueur)

Comment un *coach* peut-*il habiller des joueurs qui ne se présentent pas ?* Peut-être les habille-t-il parce qu'ils *jouent sur la route*, les pauvres : il fait si froid dehors !

En fait, toutes ces expressions bizarres appartiennent au charabia du hockey popularisé par les « joueurnalistes ». En français, on dira plutôt que l'*entraîneur choisit* les joueurs qui affronteront l'équipe adverse. *Certains ne donnent pas leur pleine mesure*, particulièrement lors des matchs *disputés à l'étranger*.

habit

Ce mot désigne une « tenue de soirée pour homme ». Il est considéré comme un archaïsme au sens de *complet* ou de *costume*.

habitable

On ne devrait pas mettre de *s* à *habitable* dans des expressions comme « une surface de 5000 pieds carrés habitable », car c'est la surface qui est habitable. On parle de *surface habitable* par opposition à la *surface au sol*, laquelle inclut, outre la surface intérieure d'un logement, les éléments d'architecture.

habitation

Lorsque ce mot désigne un édifice public, il s'écrit avec une minuscule s'il est suffisamment déterminé par un nom propre de personne ou de lieu, ou encore par un équivalent.

- *Les habitations Sainte-Marie.*
- *L'habitation Le Bel Âge.*

Ce mot prend cependant une majuscule s'il est suivi d'un adjectif.

- *Les Habitations québécoises.*

habiter

On peut construire ce verbe avec ou sans la préposition *à*.

- *Elle habite Montréal.*
- *Elle habite à Montréal.*

habitude (d')

Cette locution prépositive est construite avec *d'* et non avec *à l'*. On écrira donc *comme d'habitude*, et non *comme à l'habitude*.

habituel

Voir *régulier*.

handicapé

Au nom d'une certaine idéologie bien-pensante, certains condamnent l'emploi de *handicapé* au sens de *personne handicapée*. Mais les dictionnaires entérinent ce mot autant comme substantif que comme adjectif.

- *Affaire Latimer: les groupes de défense des handicapés trouvent la sentence trop clémente.*

hangar

Sous l'influence du mot anglais *shed*, qui désigne l'un et l'autre, on confond parfois *hangar* et *remise*. Le « local où l'on met à l'abri divers objets à l'arrière d'une maison » est une *remise*. Le *hangar* désigne plutôt une « construction d'une plus grande dimension servant à abriter des marchandises, des avions, etc. ».

happy end

Cet anglicisme intraduisible désigne la « fin heureuse d'un film, et, par extension, d'un roman ou d'une histoire quelconque ». Son genre est masculin et le pluriel est *happy ends*.

- *Le cinéma américain a popularisé les happy ends.*

happy few

Cette expression anglaise, popularisée par le romancier Stendhal, désigne un « petit groupe de privilégiés ». Elle est invariable.

- *Seuls quelques happy few aiment cet art.*

harcèlement criminel

Voir *harceleur*.

harceleur

Ce néologisme désigne un « homme qui poursuit de ses avances, suit, épie, traque, voire menace, une femme ». Ces gestes constituent un crime lorsqu'ils menacent la sécurité d'une personne. On parle alors de *harcèlement criminel*.

harnachement

Voir *harnacher*.

harnacher

Harnacher, c'est « mettre le harnais à un cheval ». Ce verbe est une impropriété au sens d'*aménager*. On ne *harnache* pas un cours d'eau, on l'*aménage* en y construisant un barrage pour produire de l'électricité.

- *Trente-six rivières du Québec pourraient être aménagées par des producteurs privés.*

Harnacher a engendré *harnachement*, terme également impropre au sens d'*aménagement*.

- *Le projet d'aménagement de 36 rivières inquiète écologistes et amateurs de plein air.*
- *Des Montagnais se sont opposés à l'aménagement de la rivière Sainte-Marguerite.*

hassidim

Le terme *hassidim* désigne les « fidèles d'un courant religieux juif inspiré de la Kabbale ».

- *Les hassidim* (sans *s*) *accusent Outremont de harcèlement.*

Quant au mot *hassidique*, c'est un adjectif qui désigne ce qui est relatif à l'hassidisme. Ce n'est pas un substantif. On ne peut donc parler des *hassidiques*.

- *La Coalition des organismes hassidiques d'Outremont.*

hassidique

Voir *hassidim*.

haut

L'emploi du trait d'union varie selon les mots composés avec *haut*. On écrit *haut-commissaire, haut-commissariat, haute-fidélité, haut-parleur* et *haut-relief*, mais *haut fonctionnaire, haut fourneau, haut lieu* et *Haute Cour*.

Le pluriel soulève aussi un problème. Lorsque *haut* a une valeur adverbiale, seul le deuxième élément prend la marque du pluriel.

- *Des haut-parleurs.*

Lorsque *haut* conserve sa valeur d'adjectif, les deux éléments prennent généralement la marque du pluriel.

- *Des hauts-commissaires, des hauts fonctionnaires.*

Certains composés demeurent invariables.

- *Des haut-le-cœur, des haut-le-corps, la haute-fidélité.*

haut de gamme

Cette locution est invariable et s'écrit sans trait d'union.

- *Des produits haut de gamme.*

haut (en – lieu)

La locution *en haut lieu* s'écrit au singulier.

hauteur (à – de)

La locution *à hauteur de*, loin d'être un calque de l'anglais, est bien française. Elle désigne une grandeur économique et signifie « à cette valeur, pour ce montant ».

- *Subventionner un projet à hauteur de 30 %.*
- *Être remboursé à hauteur de mille dollars.*

haut gradé

La locution *haut gradé*, qu'on emploie souvent dans l'armée ou dans la police, est impropre. En effet, le terme *gradé* désigne un « militaire non officier mais titulaire d'un grade supérieur à celui d'un simple soldat ». Le *haut gradé* est tout simplement un *officier supérieur*.

Hells

Pourquoi écrit-on *Hells Angels* plutôt que *Hell's Angels* ? Tout simplement parce que c'est ainsi que les Hells écrivent leur nom.

hémisphère

Ce terme désigne la « moitié du globe terrestre ». Traditionnellement en français, c'est l'équateur qui sépare les deux moitiés du globe, ce qui donne l'*hémisphère Nord* ou *boréal* et l'*hémisphère Sud* ou *austral*. Cela dit, il n'est pas incorrect de diviser le monde en un *hémisphère occidental* (qui réunit les Amériques) et un *hémisphère oriental* (qui englobe l'Europe, l'Afrique et l'Asie). Mais pour éviter toute confusion, il est important de préciser de quel *hémisphère* il s'agit. On ne peut pas, par exemple, parler de la zone de libre-échange de l'*hémisphère*, sans préciser qu'il s'agit de l'*hémisphère occidental* ou de *notre hémisphère*. L'emploi du mot *hémisphère*, sans autre forme de précision, paraît directement calqué sur l'anglais.

- *La zone de libre-échange de l'hémisphère occidental.*
- *Les pays de notre hémisphère se sont réunis à Québec.*

heure

On abrège *heure* en utilisant un *h* minuscule, sans point. Aussi, on doit placer une espace insécable avant et après.

- *Il est 2 h 15.*

Quand l'indication de l'heure ne comprend pas de minutes, il est inutile d'ajouter deux *00* après le *h*.

- *Venez à 2 h (et non 2 h 00).*

Au Québec, on indique l'heure selon la période de 24 heures.

- *Le spectacle débute à 20 h (et non à 8 h ou à 8 heures P.M.).*

L'abréviation de *kilomètre à l'heure* est *km/h*.

- *L'auto filait à 140 km/h sur l'autoroute.*

heure de grande écoute

Voir *prime time*.

heure de pointe

Voir *prime time*.

heure de tombée

Voir *deadline*.

heure limite

Voir *deadline*.

heures d'affaires

Cette expression est un calque de *business hours*. En français, on parlera plutôt des *heures d'ouverture*.

- *La Loi sur les heures d'ouverture a été modifiée.*

heurter

Voir *frapper*.

hippie

Le substantif s'écrit *hippie* ou *hippy*. Son pluriel est *hippies*. L'adjectif s'écrit *hippie*.

- *Le mouvement hippie a connu son heure de gloire dans les années 60.*

histoire

La locution *c'est une autre histoire* est un calque de *that's another story*, mais elle est passée dans l'usage, où elle est synonyme de *c'est une autre paire de manches*.

La locution *pour faire une histoire courte* est un calque de *to make the story short*. On dira plutôt : *j'irai à l'essentiel, pour être bref, pour faire court, pour résumer*, etc.

La locution *histoire de cas* est un calque de *case history*. On la traduira par *antécédents médicaux*.

hit-and-run

Ce composé anglais se traduit par *délit de fuite*.

hit parade

On peut traduire cet anglicisme par *palmarès de la chanson, palmarès des succès* ou tout simplement *palmarès*.

- *Céline Dion se retrouve en tête du palmarès.*

hold-up

Ce mot anglais désigne une *attaque* ou un *vol à main armée*.

homme (droits de l')

Le mot *homme* s'écrit avec une minuscule dans l'expression *droits de l'homme*. On notera que cette expression est parfois jugée sexiste au Québec, où on lui préfère *droits de la personne*. Cette substitution est préférable à *droits humains*, qui est un calque de *human rights*. La locution *droits de la personne* n'est pas totalement inconnue en France, même si l'on s'en tient le plus souvent à *droits de l'homme*. Cette dernière expression fait d'ailleurs partie de plusieurs appellations officielles.

- *La Déclaration universelle des droits de l'homme.*
- *La Cour européenne des droits de l'homme.*

Chez nous cependant, c'est plutôt *droits de la personne* qui fait partie des appellations officielles.

- *La Commission canadienne des droits de la personne.*

hôpital

Ce mot s'écrit avec une majuscule lorsqu'il est suivi d'un nom commun ou d'un adjectif.

- *L'Hôpital général juif.*

Il prend une minuscule lorsqu'il est suivi d'un nom propre.

- *L'hôpital du Christ-Roi.*

horaire

Ce mot peut être employé comme adjectif.

- *Un salaire horaire, une vitesse horaire, des cercles horaires.*

hors

Les locutions composées avec *hors* s'écrivent sans trait d'union lorsqu'elles ont valeur d'adjectif ou d'adverbe.

- *Une boutique hors taxes.*
- *Un article hors commerce.*
- *Les francophones hors Québec.*
- *Voyager hors saison.*
- *Des motards hors la loi.*

En revanche, *hors* s'écrit avec un trait d'union quand il fait partie d'un substantif.

- *Des hors-la-loi.*

hors(-)concours

Écrit avec un trait d'union, ce mot invariable désigne une « personne qui ne peut participer à un concours parce qu'elle l'a déjà remporté, qu'elle est membre du jury ou que sa supériorité est écrasante ».

- *Les hors-concours tiendront une exposition parallèle.*

Lorsque *hors concours* a valeur d'adverbe ou d'adjectif, il ne prend pas de trait d'union.

- *Les anciens lauréats sont mis hors concours.*
- *Il y a des films hors concours au Festival de Cannes.*

Par ailleurs, l'adjectif *hors concours* ne peut se dire d'un « événement sportif qui n'est pas disputé en vue d'un classement ». Dans ce cas, on parlera plutôt de *match d'exhibition*.

hors cour

La locution *règlement hors cour* est un calque de *out-of-court settlement*. En français, on parlera plutôt d'une *entente* ou d'un *arrangement à l'amiable*.

- *Le gouvernement fédéral et l'ex-premier*

ministre Mulroney ont conclu une entente à l'amiable.

hors d'ordre

Voir *ordre (hors d').*

hospitaliser

Voir *reposer.*

hôtel

Lorsque ce mot fait indiscutablement partie du nom de l'établissement, il prend une majuscule, de même que l'adjectif qui précède s'il y a lieu.

- *Le Grand Hôtel.*
- *L'Hôtel central.*

Lorsque ce mot indique simplement une catégorie, il est considéré comme un nom commun. On met alors la majuscule au(x) mot(s) qui le caractérise(nt).

- *L'hôtel Bonaventure.*
- *L'hôtel Bon Accueil.*

hôtel de ville

Cette locution s'écrit avec des minuscules.

- *L'hôtel de ville de Longueuil.*

Au pluriel, seul *hôtel* prend un *s.*

- *Des hôtels de ville.*

Hôtel-Dieu

Ce mot désigne nécessairement un hôpital. Il est donc inutile de le faire précéder du mot *hôpital.*

- *L'Hôtel-Dieu de Montréal, de Lévis, de Paris,* etc.

huile à chauffage

Cette locution est un calque de *heating oil.* En français, on parlera plutôt de *mazout.* Ses usagers utilisent un *chauffage au mazout.* Quant au *poêle à l'huile,* c'est un *poêle au pétrole,* car on n'y brûle pas du *mazout,* mais un *pétrole* lampant.

Voir aussi *fuel.*

huile de castor

Cette appellation est un calque *(castor oil).* Il s'agit d'*huile de ricin.*

huis clos

Pas de trait d'union.

humanitaire

Le nettoyage ethnique en cours au Kosovo a été qualifié de « catastrophe humanitaire ». Cet emploi du terme *humanitaire* vient sans doute de l'anglais. En français, il constitue un contresens, car le mot se dit de « ce qui contribue au bien de l'humanité ».

- *Des organisations humanitaires.*

Il vaudrait donc mieux parler de *catastrophe humaine.*

- *La catastrophe humaine du Kosovo exige une aide humanitaire massive.*

hydro(-)électrique

L'usage est hésitant quant au trait d'union. Je conseille l'absence de trait d'union.

Hydro-Québec

Ce mot féminin se construit sans article.

- *Hydro-Québec a été malmenée dans les médias américains.*
- *Greenpeace a accusé Hydro-Québec de génocide.*

hypallage

L'hypallage est une figure de style qui englobe l'épithète de transfert, mais qui ne s'y limite pas. Le Grand Dictionnaire terminologique la définit comme une « figure de style qui consiste à attribuer à certains mots d'une phrase ce qui convient à d'autres mots (de la même phrase) sans qu'il soit possible de se méprendre au sens ». C'est ainsi qu'on peut parler d'une *place assise* tout en sachant très bien que ce n'est pas la place qui est assise, mais la personne qui l'occupe. Le but de l'hypallage est de réduire le nombre de mots utilisés sans affecter le sens de la phrase. On aurait tort de penser que c'est par imitation de l'anglais que le français y recourt si régulièrement.

Voir aussi *autobus scolaire*.

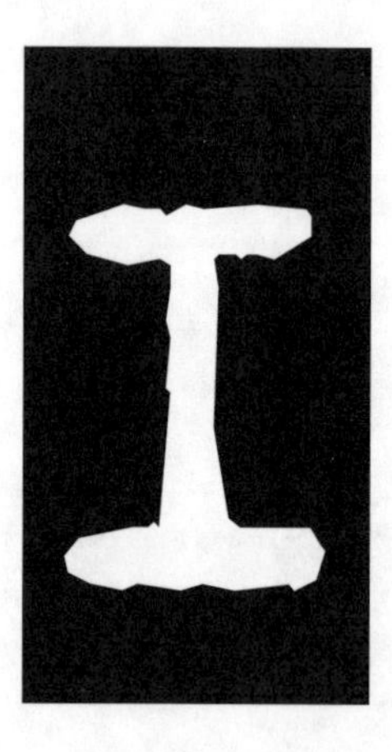

ice wine

Ce mot désigne un « vin élaboré à partir de raisin gelé sur pied ». Le Grand Dictionnaire de l'OLF le traduit par *vin de glace* ou *vin de gelée*. La seconde appellation sent moins le calque, mais c'est la première que les gens ont adoptée.

- *Le vin de glace est populaire l'été.*

icône

Ce mot qualifie depuis longtemps en français une « image sacrée ». Sous l'influence du mot anglais *icon*, il désigne aussi aujourd'hui, en informatique, un « symbole graphique ».

En ce sens, on ne s'entend ni sur sa graphie ni sur son genre. Le Petit Robert l'écrit sans accent circonflexe et en fait un mot masculin. Mais la plupart des auteurs ont adopté l'accent sur le *o* et le genre féminin. Ce choix me paraît préférable.

identification

Ce mot désigne l'« action d'identifier ». On peut parler, par exemple, de l'*identification* d'un suspect. Mais la « pièce qui sert à identifier une personne » est une *pièce d'identité*, non une *pièce d'identification*.

ignorer

Ce mot est généralement considéré comme un anglicisme au sens de *ne pas tenir compte*.

- *Si vous avez déjà acquitté votre facture, ne tenez pas compte de cet avis.*

Le Petit Larousse, il est vrai, accepte ce nouveau sens d'*ignorer*. Mais à mon avis, c'est regrettable, car son emploi risque de créer de la confusion. Quand vous apprenez, par exemple, qu'un ministre *a ignoré* l'avis de son ministère, devez-vous en conclure qu'il ne le connaissait pas (sens français) ou qu'il n'en a pas tenu compte (sens anglais) ?

Par ailleurs, chez nous, on dit souvent : « Vous n'êtes pas sans ignorer... » Il faudrait plutôt dire : « Vous n'êtes pas sans *savoir*... »

île

Ce mot s'écrit sans majuscule et sans trait d'union lorsqu'il désigne un toponyme naturel.

- *L'île d'Orléans.*
- *L'île Sainte-Hélène.*

Il s'écrit avec une majuscule et des traits d'union lorsqu'il désigne un toponyme administratif. Ainsi, on écrira l'*Île-du-Prince-Édouard*, parce qu'il s'agit d'une province, les *Îles-de-la-Madeleine*, parce qu'il s'agit d'une circonscription électorale, l'*Île-Perrot*, parce qu'il s'agit d'une ville, et l'*Île-des-Sœurs*, parce qu'il s'agit d'un quartier.

Par ailleurs, une île étant une « étendue de terre entourée d'eau », on la considère comme un contenant. C'est pourquoi on dit généralement qu'on habite *dans* une île et non *sur* une île. Cela dit, il existe un grand flottement dans l'usage, ce qui explique qu'on trouve la préposition *sur* chez de bons auteurs.

L'*île de Montréal* constitue un toponyme naturel et non administratif. Mais on écrira *Île* avec une majuscule lorsque le mot est employé de façon elliptique.

- *Le parc des Îles.*

immature

Cet adjectif se dit d'une « personne qui manque de maturité intellectuelle ou affective ». *Mature*, son antonyme, s'applique d'abord à la maturité physique.

- *Un animal mature est un animal capable de se reproduire.*

Mais les grands dictionnaires acceptent aujourd'hui *mature* au sens d'« arrivé à une certaine maturité psychologique ». L'emploi de *mature* au sens de *mûr, réfléchi* ne doit donc plus être considéré comme fautif.

immeuble d'habitation

Voir *bloc* et *rapport (maison de)*.

immigrant

On trouve parfois l'expression *immigrant reçu*. L'emploi du participe passé *reçu* semble un calque de *landed immigrant*. Quoi qu'il en soit, il est inutile. Quant à l'immigrant arrivé clandestinement dans un pays, c'est un *demandeur d'asile*.

impartition

Ce terme du vocabulaire de la gestion désigne l'« action de confier à un tiers la fabrication de biens ou la prestation de services que l'entreprise pourrait assumer elle-même ». Dans la langue courante, le mot *impartition* est souvent remplacé par *sous-traitance*, ce qui n'est pas en soi incorrect. Cependant, selon le Grand Dictionnaire de l'OLF, *impartition* est un terme générique qui recouvre, outre la *sous-traitance*, la *cotraitance*, la *commission*, la *concession* et la *rétrocession*.

- *Ce quotidien préfère l'impartition à l'achat de nouvelles presses.*

implication

Ce mot désigne l'« action d'impliquer dans une affaire criminelle ». Sous l'influence de l'anglais, on lui donne aujourd'hui, tant en France qu'au Québec, le sens neutre de « fait d'être impliqué ou de s'impliquer ». Ce sens est passé dans l'usage, ce qui explique qu'il est accepté par les grands dictionnaires. Je m'incline donc, tout en rappellant que le mot *engagement*, qu'on employait fréquemment à une époque pas très lointaine, reste plus juste. On peut aussi employer, selon le contexte, les termes *action*, *collaboration*, *combat*, *contribution*, *coopération*, *participation*.

- *Le combat des écologistes a permis de sauver la rivière.*
- *La contribution de tous les employés est précieuse.*
- *L'engagement de cet artiste dans les œuvres humanitaires est exemplaire.*
- *La participation des parents à l'école est essentielle.*

impliquer

Ce verbe n'a pas un sens neutre ; il signifie « engager dans une affaire fâcheuse ou criminelle ». Malheureusement, sous l'influence de l'anglais, on donne aujourd'hui à *impliquer* le sens d'« engager dans une action » et à *s'impliquer* celui de « se donner à fond ». Ces emplois sont passés dans l'usage et acceptés par les grands dictionnaires. Je m'incline donc une fois de plus, tout en rappelant que, dans de nombreux contextes, on peut remplacer *impliquer* par les verbes ou locutions verbales *adhérer*, *agir*, *jouer un rôle*, *mettre à contribution*, *mettre dans le coup*, *militer*, *participer*, *prendre parti*, *se battre*, *se donner à fond*, *s'engager*, *s'investir*, *s'occuper*, etc. Comme on peut le voir, ce ne sont pas les solutions de rechange qui font défaut.

- *Beaucoup de gens ont adhéré à l'ADQ au cours des derniers mois.*
- *Ce comédien milite pour les enfants déshérités.*
- *On l'a mis à contribution dans ce projet.*
- *On l'a mise dans le coup, au lieu de l'écarter.*
- *Cette chanteuse participe à de nombreuses œuvres humanitaires.*
- *Ce grammairien se bat pour la survie du français au Québec.*
- *De nombreux artistes se sont engagés dans le camp du OUI lors du référendum.*
- *Les pères s'occupent davantage de l'éducation de leurs enfants.*

impression (être sous l')

La locution *être sous l'impression* est un calque de l'anglais *(to be under the impression of)*. En français, on dira *avoir l'impression*.

- *J'ai l'impression de vous avoir déjà rencontré.*

inapproprié

On traduit rarement *inappropriate* par *inapproprié* en français. L'adjectif anglais a en effet un sens plus large, qu'on rend, selon le contexte, par *impropre*, *déplacé*, *inopportun*, *mal à propos*, *inconvenant*, voire par la périphrase *qui ne convient pas*.

- *Un terme impropre.*
- *Un discours déplacé.*
- *Un moment inopportun.*

Pour ce qui est de la relation que l'ex-président Clinton a eue avec Monica Lewinsky, il vaudrait mieux la qualifier de *déplacée* ou d'*inconvenante* que d'*inappropriée*.

inauguration

Ce mot désigne une « cérémonie d'ouverture ». Il est donc inutile d'y ajouter l'adjectif *officielle* ; c'est un pléonasme. Les mêmes remarquent valent pour le verbe *inaugurer*.

inaugurer

Voir *inauguration*.

incapacité

On construit ce mot tantôt avec *de*, tantôt avec *à*.

- *Son incapacité de prendre des décisions a provoqué sa défaite.*
- *Son incapacité à agir l'a plongé dans l'embarras.*

incidemment

Cet adverbe a en français le sens d'*accessoirement, accidentellement*. C'est un anglicisme que de lui donner le sens de *soit dit en passant, à propos, au fait, entre parenthèses*.

- *À propos, avez-vous vu ce film ?*
- *Soit dit en passant, nous irons en Floride cet hiver.*

incidence

L'emploi de ce mot au sens de *fréquence* est un anglicisme.

- *La fréquence des vols par effraction a diminué à Montréal en 1992.*

incitatif fiscal

Cette locution est un calque de *tax incentive*. On la traduit le plus souvent par *incitation fiscale*. Mais il existe d'autres termes français pour la remplacer : *encouragement fiscal, stimulant fiscal, mesure d'incitation fiscale* ou *mesure fiscale d'incitation*. Comme on peut le voir, on a l'embarras du choix.

- *La production des Life Savers sera déménagée à l'usine Kraft de Mont-Royal, malgré toutes les incitations fiscales de l'État du Michigan.*

incluant

Ce mot est un calque de *including* au sens de *compris, y compris, inclus* ou *inclusivement*.

- *Le coût est de mille dollars, tous frais compris.*
- *Il en veut à tout le monde, y compris sa femme.*
- *Les frais sont inclus (ou compris) dans la note.*
- *Jusqu'au 12 février inclusivement.*

Incluant peut cependant s'employer avec la préposition *en*.

- *Ma note de frais s'élève à 200 $ en incluant certains repas avec des clients.*

inconciliable

Voir *irréconciliable*.

indicatif

La « pièce musicale qui annonce une émission » est un *indicatif (musical)*, non un *thème*.

indien

Voir *Amérindien*.

industrie

C'est vraisemblablement sous l'influence de l'anglais qu'on emploie ce mot au sens d'« entreprise industrielle », là où il serait plus juste d'utiliser les termes *entreprise, établissement, exploitation, fabrique, manufacture* ou *usine*.

- *Deux cents entreprises ont quitté Montréal l'an dernier.*

- *Les élèves ont visité une usine.*

infiltrer

L'emploi de ce verbe au sens de « faire entrer des éléments clandestins dans un groupe » est parfois critiqué. Mais son usage, fort répandu, est reconnu par les dictionnaires.

- *La CSN a été infiltrée par la GRC.*

On peut, bien sûr, utiliser également le verbe *noyauter*.

- *Des groupes marxistes ont été noyautés par des agents de la GRC.*

infliger (s')

Le verbe *infliger* n'a pas de forme pronominale. C'est sous l'influence de l'anglais qu'on emploie *s'infliger* au sens de « se faire une blessure ». Il faudrait plutôt utiliser *se blesser* ou *être blessé*.

- *Elle s'est blessée à la hanche lors d'une collision.*

On peut aussi recourir à une autre tournure.

- *Elle s'est fracturé une hanche lors d'une collision.*

information (pour votre)

La locution *pour votre information* est un calque de *for your information*. On dira plutôt *pour information, à titre de renseignement, à titre indicatif, à titre documentaire*.

informel

L'emploi de cet adjectif au sens de *familier, à bâtons rompus, exploratoire, intime, non officiel, officieux, privé, sans cérémonie, de sport* vient de l'adjectif anglais *informal*. Comme on le voit, les synonymes ne manquent pas.

- *Une conversation à bâtons rompus.*
- *Une réunion exploratoire.*
- *Une rencontre intime.*
- *Une démarche officieuse.*
- *Un repas sans cérémonie.*
- *Une tenue de sport.*

initialer

Ce verbe, qui signifie « signer de ses initiales », nous vient de l'anglais *to initial*. On ne le trouve pas dans les dictionnaires français. Aussi convient-il de remplacer ce québécisme inutile par *parapher* (on écrit aussi *parafer*). On peut également employer *apposer, inscrire* ou *mettre ses initiales*, ou encore *signer de ses initiales*.

- *Veuillez parapher cette rature.*
- *Veuillez inscrire vos initiales sur le bordereau.*

initier

Initier s'emploie correctement en français au sens d'« apprendre à quelqu'un les rudiments d'un art, d'un métier, d'une science, etc. ».

- *Sa mère l'a initiée à la musique.*

On peut également *initier* quelqu'un « à un savoir peu répandu ».

- *Il l'a initié aux pratiques secrètes de la secte.*

De nos jours, sous l'influence de l'anglais, on donne aussi à ce verbe le sens de *amorcer, commencer, entreprendre, faire démarrer, instaurer, instituer, lancer, mettre en œuvre, ouvrir, prendre l'initiative*, etc. Comme on peut le voir, cet anglicisme répandu n'est pas vraiment utile.

- *Les CLSC ont mis en œuvre de nouveaux programmes de prévention.*

insécure

Voir *sécure*.

institut

Lorsque ce mot désigne une institution, il s'écrit avec une minuscule s'il est suivi d'un nom propre.

- *L'institut Armand-Frappier.*

Il prend une majuscule s'il est suivi d'un nom commun ou d'un adjectif.

- *L'Institut d'hygiène alimentaire.*
- *L'Institut neurologique.*

Lorsque ce mot désigne une société commerciale, il ne prend une majuscule que s'il fait indiscutablement partie du nom de l'établissement.

- *L'Institut d'informatique de Québec.*

Autrement, il est considéré comme un nom commun. On met alors la majuscule au mot qui le caractérise ainsi qu'à l'article et à l'adjectif qui précèdent le mot caractéristique, s'il y a lieu.

- *L'institut de beauté La Joconde.*

instituteur, trice

Voir *enseignant, e.*

institution

Ce mot peut désigner un établissement privé d'enseignement. Mais son emploi comme terme générique pour désigner les écoles est un anglicisme. On utilisera plutôt *établissement*.

instructeur

Voir *entraîneur, euse.*

inter

Les mots composés avec le préfixe *inter* s'écrivent sans trait d'union.

- *Interethnique, intermodal, internationalité, interpeller.*

intéresser

En français, on est *intéressé par* et non *dans* une chose ou une personne. On peut aussi dire qu'on *s'intéresse à* quelque chose ou *à* quelqu'un.

intérêts

C'est sous l'influence de l'anglais *interests* qu'on donne à ce mot le sens de *champs d'intérêt, goûts, matières préférées, passe-temps, préférences, sujets de prédilection*, etc.

intermission

Ce mot appartient au vocabulaire médical, où il signifie *intermittence*. Il constitue un anglicisme au sens d'*entracte* au théâtre ou de *pause* au hockey.

- *L'entracte a duré 20 minutes.*

Quant à la *semaine de relâche*, elle est une *pause* (et non une *intermission*) *scolaire*.

Internet

Doit-il dire *dans* ou *sur* Internet ? L'usage est pour l'heure assez flottant. On rencontre le plus souvent la préposition *sur*, tant chez nous qu'en France, mais son emploi est parfois critiqué, notamment par l'OLF, qui soutient qu'on pénètre *dans* un réseau lorsqu'on accède à l'Internet. « De plus, peut-on lire dans son Grand Dictionnaire, l'image que contiennent les termes *navigation* et *naviguer* devrait être reliée à la navigation aérienne plutôt qu'à la navigation maritime car le cyberespace dans lequel évoluent les internautes est plus proche de l'espace aérien que de la mer. »

Les tenants du *sur* rétorqueront que le réseau Internet s'appelle aussi la Toile, laquelle évoque une surface. L'Internet est également constitué d'autoroutes de l'information. Or, comme chacun sait, on se promène *sur* une autoroute, fût-elle une inforoute. Autre argument en faveur du *sur* : l'emploi de *dans* avec le verbe *surfer* apparaît comme une aberration grammaticale. Il est plus logique, en effet, de dire qu'on *surfe sur* l'Internet, comme on *surfe sur* les vagues, et non *dans* les nuages.

Donc, doit-on dire *sur* ou *dans* l'Internet ? C'est l'usage qui tranchera. Mais, le *sur* a déjà plusieurs longueurs d'avance.

Autre question intéressante : faut-il dire *Internet* ou *l'Internet* ? L'OLF a d'abord vigoureusement prôné l'absence d'article défini, estimant que son emploi était un calque de l'anglais *(the Internet)*. Mais l'usage de l'article défini s'est rapidement imposé en France, et je ne crois pas que l'anglais en soit la cause. Toujours est-il que dans un nouvel avis sur le sujet, l'OLF, tout en affirmant que l'utilisation de l'article n'est pas nécessaire devant le mot *Internet*, ne le proscrit pas. « On ne peut condamner cette pratique, peut-on lire dans le Grand Dictionnaire, puisque *Internet* peut être considéré comme une forme abrégée du terme *réseau Internet* qui lui, commande l'article. Enfin, l'utilisation de l'article peut aussi constituer l'expression stylistique du fait qu'*Internet* est considéré comme LE réseau des réseaux. » Pour ma part, je n'hésite pas à conseiller *l'Internet*, comme on l'emploie partout ailleurs dans la francophonie.

Dernière pomme de discorde : *l'Internet* doit-il encore être considéré comme un nom propre ? Dans la presse française, l'usage est hésitant. À tel point que, dès son édition 2000, le *Petit Larousse* a entériné tant *internet* qu'*Internet*. Et l'Agence France-Presse a déjà adopté *l'internet*. Il est probable qu'on écrira un jour *l'internet,* comme on écrit déjà *la télévision* ou *la radio*. Mais cette évolution me paraît, pour l'instant du moins, prématurée.

intervenant

Ce mot emprunté à la langue juridique est employé maintenant à toutes les sauces. On l'utilise pour désigner la « personne qui intervient dans un groupe, un débat, un processus économique, etc. ». De nombreux synonymes existent, qui sont souvent plus précis, comme *acteur*, *agent du milieu*, *artisan*, *collaborateur*, *délégué*, *intéressé*, *interlocuteur*, *intermédiaire*, *participant*, *porte-parole*, *responsable*, *tenant*, *travailleur*...

interview

Ce mot vient de l'anglais, qui l'avait lui-même emprunté au mot français *entrevue*. Il a pris le sens spécialisé d'« entrevue réalisée par un journaliste ». On le rencontre tantôt au féminin, tantôt au masculin, mais le premier est plus fréquent. *Interview* a donné le verbe *interviewer* et le substantif *interviewé, e*.

intro

Voir *lead*.

introniser

Le sens premier de ce verbe a un caractère très solennel ; on intronise un pape, un roi. Mais aujourd'hui, par extension, on emploie aussi *introniser* au sens d'« installer quelqu'un dans une fonction, lui conférer un titre ». Ce qui n'est pas très loin de l'usage que les médias sportifs font d'*introniser*. Bien entendu, il serait moins pompeux d'utiliser le verbe *admettre*.

- *Gretzky a été admis au Temple de la renommée.*

introduction

Voir *lead*.

Inuit

Depuis que *inuit* a remplacé *esquimau*, à la demande des autochtones du Nord canadien, le mot était considéré comme invariable. En 1993 cependant, l'OLF a recommandé de faire de *inuit* un mot variable. Cette recommandation a été suivie par le Multidictionnaire ainsi que par le Service de linguistique de Radio-Canada. Elle a aussi été suivie, bien que partiellement, par le Petit Robert, qui en fait un mot variable en nombre mais non en genre. Il me paraît opportun de s'aligner sur l'usage adopté par l'OLF.

- *Les Inuits.*
- *La sculpture inuite.*

La langue des Inuits est l'*inuktitut*. Mais on peut aussi parler tout simplement de la *langue inuite*.

inventaire

Ce mot désigne en français l'« opération qui consiste à dénombrer et à évaluer les marchandises en magasin et en entrepôt ». Contrairement au mot anglais *inventory*, il ne désigne pas les « marchandises en réserve ». Ce sens constitue un anglicisme.

- *Désolé, nous n'avons pas ce produit en magasin.*
- *Les entreprises s'efforcent de réduire leurs stocks.*

investiguer

On trouve ce néologisme dans le Petit Larousse, qui lui donne le sens de « procéder à des investigations, faire une recherche attentive et suivie ». Son apparition paraît influencée par le verbe anglais *to investigate*. Mais il est parfaitement constitué en français, où il a le mérite de remplacer une périphrase.

irréconciliable

On confond souvent cet adjectif avec *inconciliable*. Le premier se dit de deux personnes « qu'on ne peut réconcilier », le second de personnes ou de choses « qui s'excluent réciproquement ».

- *Les deux sœurs avaient des points de vue si inconciliables qu'elles en étaient devenues irréconciliables.*

islam

Ce mot s'écrit avec une minuscule lorsqu'il désigne la « religion des musulmans ».

- *L'islam a été fondé par le prophète Mahomet.*

Islam s'écrit cependant avec une majuscule quand il désigne l'« ensemble des pays et des peuples musulmans ».

- *L'offensive américaine en Afghanistan divise l'Islam.*

item

Ce mot appartient en français au vocabulaire de la psychologie ou de la linguistique. Il constitue un anglicisme au sens de *sujet*, de *question* ou de *point* à l'ordre du jour, de *produit* ou d'*article* en magasin, d'*article* d'une convention collective ou d'un contrat, de *poste* ou d'*élément* d'un compte.

itinérant

Cet adjectif se dit correctement d'une « personne qui se déplace pour exercer sa charge ou son métier ».

- *Un pasteur itinérant.*
- *Un vendeur itinérant.*

Le substantif *itinérant* constitue par contre un québécisme inutile, car il fait concurrence à de nombreux termes déjà solidement implantés en français. Certains sont neutres *(sans-abri, sans-logis)*, d'autres sont imagés ou péjoratifs *(clochard, mendiant, vagabond)*, mais il y en a pour tous les goûts et pour tous les besoins. Si l'on veut être bureaucrate ou franchement français, on peut même parler de *personne sans domicile fixe*, locution qu'on peut abréger en *SDF*.

- *Le maire Tremblay veut régler le problème des sans-abri.*

Itinérance, j'en conviens, est un peu plus difficile à remplacer. J'ai déjà proposé *vagabondage,* mot qui désigne « l'habitude d'errer sans domicile ni travail ».

- *Le vagabondage est en hausse à Montréal.*

Mais certains ont jugé ce terme trop péjoratif et trop restrictif. « L'itinérance, peut-on d'ailleurs lire dans un avis de l'OLF, est un phénomène qui ne se limite pas qu'aux vagabonds et aux clochards. » Peut-être bien. Mais fallait-il pour autant lui substituer un néologisme dérivé d'un mot mal employé ?

J'ai donc poursuivi mes recherches. En France, on commence à employer, bien que timidement, *sans-abrisme*, qui me laisse un peu froid. J'ai aussi trouvé dans la presse française un très beau mot, *nomadisme*, qui, par extension, décrit fort bien un « mode de vie fait de déplacements continuels ».

IVG

Ce sigle désigne dans le vocabulaire administratif une « interruption volontaire de grossesse ». Il constitue un synonyme d'*avortement*.

ivressomètre

Ce mot constitue une impropriété au sens d'*alcootest*. Car ce que l'appareil mesure, ce n'est pas le taux d'ivresse mais le taux d'alcool dans le sang. Le mot *alcootest* désigne à la fois l'appareil et le test d'alcoolémie lui-même.

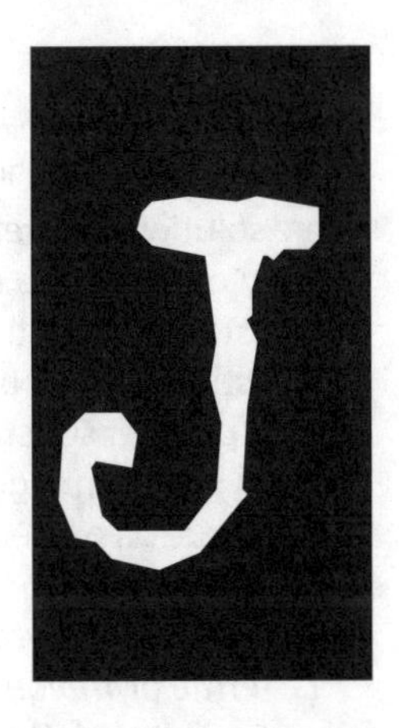

jardin(s)

Ce mot prend une majuscule quand il est suivi d'un nom commun ou d'un adjectif.

- *Les Jardins de l'hôtel de ville.*
- *Le Jardin botanique.*

Ce mot prend une minuscule lorsqu'il est suivi d'un nom propre.

- *Le jardin du Luxembourg.*

jaser

Ce verbe est vivant au Québec, mais vieilli dans le reste de la francophonie au sens de *bavarder, causer.* Il est par contre tout à fait moderne au sens de *médire, faire des commentaires désobligeants.*

- *La découverte d'un réseau de prostitution juvénile fait jaser à Québec.*

jean(s)

Voir *blue-jean(s)*.

jetable

L'OLF recommande ce terme générique pour qualifier tout « objet que l'on peut ou doit jeter après usage ».

- *Des couches jetables.*

Dans certains cas toutefois, l'expression juste est *non consignée.*

- *Une bouteille non consignée.*

jet-set

Ce mot anglais désigne l'« ensemble des gens riches et célèbres qui voyagent en jet ». Son genre est flottant.

- *Il fait partie du jet-set.*
- *Les membres de la jet-set.*

On dit aussi *jet-society.*

jeux

Ce mot prend généralement une majuscule quand il désigne une grande manifestation.

- *Les Jeux du Québec.*

Jeux olympiques

Faut-il écrire *Jeux olympiques, Jeux Olympiques* ou *jeux Olympiques ?* La première solution est préférable, car l'usage veut qu'on écrive les noms des grandes manifestations sportives, commerciales ou artistiques avec une majuscule initiale au premier substantif. Quant à l'adjectif, il ne prend généralement une capitale que s'il précède le premier substantif.

- *Les XVIIIes Jeux olympiques d'hiver.*

Le terme *olympique* est un adjectif et non un substantif. On ne peut donc parler des *Olympiques*. On peut par contre employer le mot *olympiades* en ce sens.

jeu vidéo

On appelle *ludiciel* un « logiciel interactif de jeu ». On peut également traduire *gamer* par *logiciel de jeu* ou par *jeu vidéo*, mais c'est moins joli.

- *Il n'y a pas que les garçons qui s'intéressent aux ludiciels. Ces jeux attirent aussi un nombre croissant de jeunes filles.*

Soit dit en passant, *vidéo* est invariable comme adjectif.

- *Des jeux vidéo.*

job

Contrairement à l'usage québécois, ce mot est masculin en français standard.

Il désigne d'abord un « petit emploi provisoire ».

- *Un job d'été.*

Mais par extension, il désigne également « tout emploi rémunéré ».

- *Elle a un bon job.*

joindre

Les verbes *joindre* et *rejoindre* ne sont pas identiques. Le premier signifie « entrer en communication avec quelqu'un » ; le second veut dire « aller retrouver ». C'est pourquoi on ne *rejoint* pas quelqu'un au téléphone ; on le *joint*.

- *Je l'ai jointe à Miami pour lui faire part de mon désir d'aller la rejoindre la semaine prochaine.*

On ne peut davantage *rejoindre* quelqu'un par lettre, par courrier électronique ou par télécopieur, pas plus qu'on peut le faire par l'intermédiaire d'un média quelconque : journal, revue, panneau publicitaire, Internet, etc. Employé au sens de *communiquer, contacter, joindre, toucher*, le verbe *rejoindre* est un anglicisme.

- *Nous l'avons contacté par lettre.*
- *Nous les avons joints par courriel.*
- *Cette campagne publicitaire touche les jeunes.*

Par ailleurs, on ne peut *joindre* un parti, une association, une entreprise, une organisation, etc. On ne peut davantage *joindre les rangs* d'un parti. *Joindre* est en effet un anglicisme dans tous ces sens. On *se joint à* un parti.

On peut aussi employer, selon le contexte, *adhérer à, devenir membre, entrer au service de, entrer dans, être du groupe ou de la partie, grossir les rangs, rallier, s'affilier à, s'associer à, s'engager, s'enrôler, s'inscrire à.*

- *Elle a adhéré au Parti québécois.*
- *Il s'est enrôlé dans les forces armées.*
- *Elle s'est inscrite à la faculté de lettres.*
- *Il est entré dans la police.*
- *Ils sont allés grossir les rangs des mécontents.*
- *Ils ont rallié leur bataillon.*

Notons au passage que la locution *joindre ensemble* est pléonastique.

joint

Ce mot argotique américain désigne en français une « cigarette de marijuana ». On le prononce à la française.

joint-venture

Ce mot anglais, dont la prononciation s'intègre mal au français, désigne une « entreprise assurée par plusieurs entrepreneurs qui mettent des ressources en commun » ou une « association temporaire en vue d'une entreprise déterminée ». On peut le traduire par *cœntreprise, entreprise commune* ou *entreprise en coparticipation*.

Une « usine exploitée par une *cœntreprise* » est une *cœxploitation*.

jouer par oreille

La locution *jouer par oreille* est un calque de *to play by ear*. En français, il dira plutôt *jouer à l'oreille* ou *jouer d'instinct*.

On retrouve le mot *oreille* dans une autre expression fautive : *rabattre les oreilles*, où le verbe juste est *rebattre*.

joueur

Sous l'influence du mot *player*, on emploie souvent le mot *joueur* pour désigner une « personne qui joue un rôle de premier plan dans un domaine ». En français, c'est le mot *acteur* qu'il convient d'utiliser en ce sens.

C'est encore sous l'influence de l'anglais qu'on emploie la locution *joueur important* pour désigner une « société qui occupe une place de premier plan dans un domaine ». Il faudrait plutôt parler de *chef de file* ou de *leader*.

- *Hydro-Québec est un chef de file en matière d'électricité.*

jour (à et au)

On confond parfois les expressions *mettre à jour* et *mettre au jour*. La première signifie « ajouter les données les plus récentes ».

- *La liste des membres a été mise à jour.*

La seconde signifie « révéler, rendre visible, exposer au grand jour ».

- *La police a mis au jour un vaste complot.*

jour et nuit

Un service offert 24 heures sur 24 est un *service jour et nuit* et non un *service 24 heures*, qui est un calque de *24 hours service*.

- *Des guichets jour et nuit.*

L'expression *jour et nuit* qualifie aussi un « établissement ouvert sans interruption ».

- *Un restaurant ouvert jour et nuit.*

journée

Ce mot prend une majuscule quand il désigne une grande manifestation.

- *La Journée de la femme.*

joute

L'emploi de ce mot au sens de *match* est un québécisme.

- *Le Canadien vient de remporter quatre matchs (ou matches).*

Voir aussi *match*.

juif

Faut-il écrire ce mot avec une majuscule ou une minuscule ? Tout dépend du contexte. Quand le mot *juif* désigne une « personne pratiquant la religion judaïque », on l'écrira avec une minuscule.

- *Le Vatican rétablit des liens avec les juifs.*

En revanche, quand le mot *juif* désigne une « personne appartenant au peuple juif », on l'écrira avec une majuscule.

- *Il y a de nombreux Juifs à Montréal.*

jumelé

Un *jumelé* (on dit aussi une *maison jumelée*) est une « maison attenante à une autre par un mur mitoyen ». Le terme *semi-détaché* est un anglicisme *(semidetached house).*

junior

Ce mot est un anglicisme au sens de *fils.*

- *Paul Gendron fils.*

Junior est aussi un anglicisme au sens de débutant.

- *Un journaliste débutant.*

Dans certains cas, on appelle *apprenti* la « personne qui débute et qui apprend un métier ».

- *Une apprentie cuisinière.*

junk food

Voir *fast-food.*

juridiction

Ce mot est un anglicisme au sens de *compétence.*

- *Les questions municipales relèvent de la compétence des provinces.*

Le mot *autorité* peut aussi être utilisé dans ce contexte.

- *Certaines activités d'Hydro-Québec pourraient relever de l'autorité fédérale.*

justifier

La personne qui prend une décision *justifiée* n'est pas *justifiée* de le faire. Elle est plutôt *fondée* d'agir ainsi ou *autorisée* à le faire. On dit aussi qu'elle est *en droit* de le faire.

Jutra

Voir *récompenses (noms de).*

kaki

Cet adjectif est invariable.

- *Des uniformes kaki.*

kilomètre

L'expression *kilomètre/heure* est impropre, sauf dans l'abréviation *km/h*. Lorsqu'on écrit *kilomètre* en toutes lettres, il faut employer les prépositions *à* ou *par*.

- *On ne doit pas rouler à plus de 100 kilomètres à l'heure sur les autoroutes du Québec.*

kiosque

Ce mot désigne un « pavillon ouvert de tous les côtés et situé dans un jardin ou un parc ».

- *Un kiosque à musique.*

Il désigne aussi un « abri où l'on vend journaux et revues ».

- *Un kiosque à journaux.*

Mais un « emplacement loué par un exposant » est, en français standard, un *stand*.

- *Le Salon du livre comprend plus de 200 stands.*

Si l'exposant occupe tout un bâtiment, il s'agit alors d'un *pavillon*.

- *Le Casino a été aménagé dans l'ancien pavillon de la France à Terre des Hommes.*

kit

Un « objet vendu en pièces détachées et facile à assembler » est un *prêt-à-monter* (au pluriel : *prêts-à-monter*). Ce composé, qui a fait l'objet d'une recommandation officielle, devrait être employé en français soutenu.

- *Une multinationale du prêt-à-monter.*

Kit est aussi un anglicisme au sens de *trousse*.

- *Une trousse à outils, une trousse de couture, une trousse de toilette, une trousse de voyage,* etc.

know-how

Le Dictionnaire des anglicismes du Robert définit le *know-how* comme « l'ensemble des détails pratiques permettant d'utiliser un procédé, une technique ou une invention ». On peut traduire ce composé par *savoir-faire*, comme l'a recommandé le Journal officiel dès 1973. Dans certains contextes, on peut aussi rendre *know-how* par *recette* ou *mode d'emploi*.

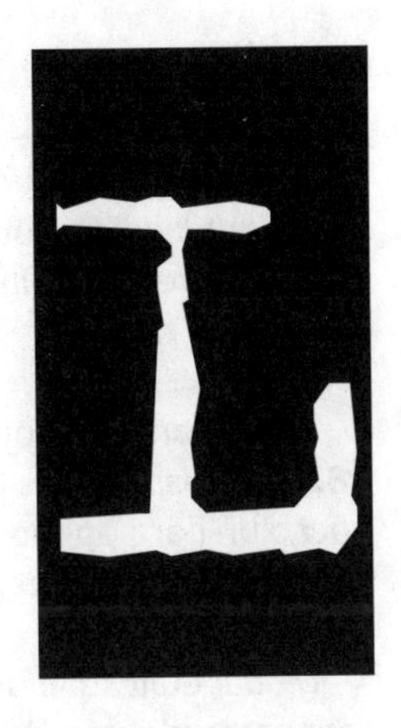

lac

Ce mot prend une minuscule s'il désigne un toponyme naturel ; une majuscule s'il désigne un toponyme administratif.

- *Le lac Saint-Jean est situé dans la région du Lac-Saint-Jean.*

laissé-pour-compte

Ce composé s'écrit avec des traits d'union, qu'il soit employé comme nom ou comme adjectif.

Au pluriel : *laissés-pour-compte*. Au féminin : *laissée-pour-compte*.

lancer

On ne *lance* pas au but, on *tire* au but. Le verbe *lancer*, en ce sens, est un québécisme.

lancer la serviette

La locution *lancer la serviette* est un calque de l'anglais *(to throw in the towel)*. En français, on dira plutôt *jeter l'éponge*, expression qui a le sens de « baisser les bras, déclarer forfait, abandonner ».

- *Survie du Grand Prix : Québec jette l'éponge.*

langage

En français, ce mot s'écrit sans *u* après le premier *g*.

lavanderie

Voir *laverie*.

laverie

Ce mot désigne en France un « commerce où l'on va soi-même laver son linge ». Mais au Québec, on emploie plutôt *lavoir*, un vieux mot français qui désigne, ailleurs dans la francophonie, un « lieu public où l'on va laver son linge ».

lavoir

Voir *laverie*.

lead

En journalisme, l'« entrée en matière d'une nouvelle », que les anglophones appellent *lead*, se nomme l'*introduction* ou, familièrement, l'*intro*.

leader

Ce mot anglais, apparu en français en 1829, est passé dans l'usage au sens de *chef* d'un parti politique.

- *Le Parti conservateur a choisi un nouveau leader.*

Leader était suivi un demi-siècle plus tard par *leadership*, dont l'emploi ne doit cependant pas faire oublier bon nombre de termes français, parfois plus précis, comme *autorité, commandement, direction, dynamisme, esprit d'initiative, prédominance, suprématie*.

leadership

Voir *leader*.

légal

Cet adjectif désigne « ce qui est conforme à la loi ».

- *L'âge légal.*
- *Un contrat légal.*

Lorsqu'il est question de droit et non de loi, *légal* est impropre. On choisira plutôt *juridique*.

- *Un avis juridique.*
- *Un conseiller juridique.*
- *Des études juridiques.*
- *Une secrétaire juridique.*

Voir aussi *étude légale*.

légion (être)

Le mot *légion* reste au singulier dans l'expression *être légion*.

- *Les féministes étaient légion à cette époque.*

législature

Voir *parlement*.

lentille

Ce mot est un anglicisme au sens d'*objectif* d'un appareil photo ou d'une caméra.

leur(s)

L'usage hésite entre le singulier et le pluriel quand l'adjectif possessif est employé dans des contextes où il y a plusieurs possesseurs, mais un seul objet possédé par chacun d'eux.

Comme l'explique le grammairien Joseph Hanse, le pluriel s'impose quand il y a réciprocité ou comparaison.

- *Nous avons échangé nos cartes.*
- *Elles ont comparé leurs bracelets.*

Avec des noms abstraits, le singulier est logique.

- *Israéliens et Palestiniens manifestent leur indignation.*

Toutefois, dans beaucoup de cas, ni le singulier ni le pluriel ne sont pleinement satisfaisants.

- *Les hommes détestent accompagner leur(s) femme(s) dans les magasins.*

Ainsi, dans cet exemple, on comprend bien que chacun n'a qu'une épouse, de sorte qu'il serait logique d'employer le singulier. Mais comme il y a plusieurs époux, et donc plusieurs épouses, on est tenté de mettre le pluriel. La même hésitation apparaît dans l'exemple suivant :

- *Tous ont apporté leur(s) parapluie(s)* ce matin.

« C'est pourquoi, depuis des siècles, l'usage hésite et laisse généralement le choix », écrit sagement Hanse.

Cela dit, on mettra le pluriel si l'on veut insister sur la pluralité.

- *Nous avons été invités avec nos épouses.*

Inversement, on mettra le singulier si l'on veut insister sur la singularité.

- *Ils s'étaient mis sur leur trente et un* (on dit aussi *sur leur trente-six).*

Mais tout cela est si compliqué qu'il vaut mieux employer une autre tournure chaque fois que la chose est possible.

- *Chacun a apporté son parapluie ce matin.*

levée de fonds

Cette locution est un calque de *fund raising*. En français, on parlera plutôt de *campagne de souscription* ou *de financement*. On peut aussi employer *collecte de fonds*.

- *Centraide entreprend sa campagne annuelle de souscription.*

lever (une option)

Voir *exercer*.

libelle

Libelle est un vieux mot qui veut dire *écrit diffamatoire*. L'anglais l'a emprunté au français et lui a donné le sens de *diffamation*. On commet un anglicisme quand on lui donne ce sens dans notre langue.

- *Il a été poursuivi pour diffamation.*

Quant à *libelleux*, c'est un calque de *libellous*. On dira plutôt *diffamatoire*.

- *Cet article est diffamatoire.*

libelleux

Voir *libelle*.

librairie

Ce mot prend une majuscule s'il fait indiscutablement partie du nom de l'établissement.

- *La Librairie générale française.*

Il prend une minuscule s'il est suffisamment individualisé par un nom propre ou par un équivalent.

- *La librairie Garneau.*
- *La librairie La Galerie du livre.*

Notons qu'une *librairie* fait le commerce des livres. Ce n'est donc ni une *bibliothèque* ni une *papeterie*.

libre-service

Un « établissement commercial où le client se sert lui-même » est un *libre-service*. Au pluriel : *libres-services*. On écrit cependant *des stations libre-service*.

licence

Ce mot est un anglicisme au sens de *permis de conduire* ou de *plaque d'immatriculation*.

Par ailleurs, l'expression *licence complète* que l'on trouve sur la devanture de certains restaurants est un calque de *fully licensed*. On peut la traduire par *vin, bière et spiritueux*. L'expression *épicier licencié* est également impropre. Dans ce cas, on dira *bière et vin*.

Enfin, un bien n'est pas produit *sous licence (under licence)* d'une société ; il est *autorisé par* cette société ou *produit avec l'autorisation de* cette société.

licenciement

Voir *mise à pied*.

lieux (noms de)

Voir *toponymes*.

lifting

Le français a emprunté le mot *lifting* à l'anglais pour désigner le « traitement esthétique qui consiste à retendre la peau du visage ». Mais le terme s'intégrant plus ou moins bien à notre langue, on a cherché des traductions. *Lifting* se traduit par *ridectomie* dans le vocabulaire médical. Pour la langue courante, on a le choix entre *déridage, lissage* et *remodelage.*

- *Elizabeth Taylor a subi plusieurs déridages.*

ligne

Ce mot est un anglicisme au sens de *collection, article, gamme, marchandise, produit, spécialité.*

- *Calvin Klein lance une nouvelle collection de vêtements.*
- *Lise Watier va mettre sur le marché une nouvelle gamme de produits.*

Ce mot est aussi un anglicisme au sens de *frontière.*

- *Ce contrebandier a été arrêté à la frontière américaine.*

Ce mot est enfin un anglicisme au sens de *champ d'activité, domaine, métier, profession.*

- *Ce sujet ne relève pas de mon domaine.*

ligne d'assemblage

Cette locution est un calque de *assembly line.* En français, on dira plutôt *ligne de montage.*

ligne d'attente

La locution *ligne d'attente* est un calque de *line.* En français, on parlera plutôt de *file d'attente* ou de *queue.*

ligne de piquetage

La locution *ligne de piquetage* est un calque de *piquet line.* En français, on dira plutôt *piquet de grève.*

- *Les grévistes ont érigé un piquet de grève.*

Ligne de piquetage a engendré *piqueter* et *piquetage,* deux termes considérés comme des québécismes familiers et jugés incorrects en français standard. Mais le Grand Dictionnaire de l'OLF tentent de les réhabiliter, plaidant que la locution *piquet de grève* ne rend compte que partiellement de ces notions. Cette opinion appelle plusieurs remarques. Primo, on oublie l'origine anglaise de ces mots. Secundo, on ne mentionne pas que ces mots ont un tout autre sens en français, où ils signifient *jalonner* et *jalonnement.* On est bien loin des *piquets de grève.* Tertio, *piqueter* et *piquetage* n'ajoutent rien à *piquet de grève,* expression qui peut être employée avec de nombreux verbes. On peut en effet *assurer, dresser, ériger, installer, mettre en place, organiser, tenir un piquet de grève ;* on peut *prendre la relève du piquet de grève ;* on peut le *forcer,* le *lever,* le *casser, y mettre fin,* etc. En ai-je assez dit pour vous convaincre que *piqueter* et *piquetage* sont inutiles ?

On a vu apparaître *piqueter* et *piquetage* à l'occasion de la journée de perturbation organisée en décembre 2003 par la coalition syndicale. Dans un tel contexte, on ne fait pas de *piquetage,* on *manifeste,* on *proteste.* On fait même parfois *de la casse,* mais on ne *piquette* pas.

Le québécisme *piqueteur* n'est guère plus utile, car il peut être remplacé, selon le contexte, par *gréviste* ou *manifestant.*

ligne de transmission

Les « lignes qui servent au transport de l'électricité » ne sont pas des *lignes de transmission*, mais des *lignes de transport* ou *de distribution*. On dit aussi *lignes à haute tension*.

ligne (être sur la)

Être sur la ligne est un calque de *to be on the line*. En français, on dira plutôt *être à l'écoute, être au téléphone*.

ligne (fermer la)

La locution *fermer la ligne* est un calque de *to close the line*. En français, on dira plutôt *raccrocher* (le récepteur du téléphone).

ligne (ouvrir la)

La locution *ouvrir la ligne* est un calque de *to open the line*. En français, on dira plutôt *décrocher* (le récepteur du téléphone).

ligne ouverte

Une « émission à laquelle le public est invité à participer par téléphone » est une *tribune téléphonique*, et non une *ligne ouverte*.

- *Les tribunes téléphoniques sont très populaires au Québec.*

ligue

Ce mot prend une majuscule quand il désigne un organisme unique.

- *La Ligue nationale de hockey.*
- *La Ligue arabe.*

limite

Mis en apposition et ayant valeur d'adjectif, *limite* prend la marque du pluriel, le cas échéant, mais ne se joint pas au substantif qui le précède par un trait d'union.

- *Des zones limites.*

linoléum

Voir *prélart*.

liqueur

Ce mot désigne dans l'ensemble de la francophonie une *boisson alcoolisée*. Le *soft drink* des Anglais n'est pas une *liqueur*, ni même une *liqueur douce*, mais une *boisson gazeuse* ou un *soda*.

liste

Prix de liste est un calque de *list price*. On peut le traduire par *prix courant* ou *prix de catalogue*.

Par ailleurs, la locution *liste des vins* est un calque de *wine list*. En français, on parlera plutôt de la *carte des vins*.

litre

Le symbole du litre est le *l* minuscule, mais on rencontre souvent le *L* majuscule, bien que ce dernier désigne déjà le chiffre romain dont la valeur est cinquante. La chose s'explique par le fait qu'on emploie souvent le *L* pour éviter tout risque de confusion entre la lettre *l* et le chiffre *1*, qui sont presque identiques dans certaines familles de caractères. De plus, le SI (Système international d'unités) conseille l'emploi du *L*.

littérature

Ce mot est un anglicisme au sens de *brochures, dépliant, imprimé, propagande, prospectus, textes publicitaires*.

- *Le Ku Klux Klan diffuse de la propagande haineuse.*

live

Ce mot anglais est en train de passer dans l'usage au sens de *en concert, en spectacle*. Mais on peut continuer à employer ces locutions françaises.

- *Le dernier disque de Renaud a été enregistré en spectacle.*

livraison spéciale

On traduira ce calque de *special delivery* par *livraison express*.

livre

Ce mot s'écrit avec une minuscule quand il désigne un document gouvernemental appelé blanc, vert, rouge ou beige. C'est qu'un tel document porte habituellement un autre titre, officiel celui-là.

- *Un livre blanc sur la fiscalité.*

livre culte

Voir *culte*.

livre (dans mon)

La locution *dans mon livre* est un calque de *in my book*. Très usitée dans le vocabulaire sportif, elle est en train de se répandre dans les milieux politiques canadiens. On la remplacera, selon le contexte, par *selon le livre, selon les règles, à mon avis, d'après moi, selon moi*, etc.

livrer la marchandise

Cette locution passe-partout est un calque de *to deliver the goods*. Au Québec, on l'emploie abusivement au sens de *donner un excellent spectacle, tenir ses promesses, tenir parole, remplir ses engagements* ou *ne pas décevoir ses admirateurs, ses partisans*. C'est ainsi que l'on dira, par exemple, que Céline Dion a *livré la marchandise*, mais que le Canadien ne l'a pas fait. Il vaudrait mieux dire que Céline Dion *a emballé ses admirateurs* et que le Canadien *n'a pas joué à la mesure de son talent* ou tout simplement qu'il *a mal joué*.

loader

L'« engin automoteur équipé à l'avant de deux bras articulés portant un godet relevable et servant tant au transport qu'au déchargement des matériaux » est une *chargeuse*. Le mot *loader* est anglais.

lobby

Un *lobby* est un « *groupe de pression* qui défend des intérêts particuliers auprès des pouvoirs publics ». L'usage hésite entre *lobbys* et *lobbies* au pluriel, mais le dernier est plus fréquent et, de surcroît, préférable.

L'action d'un *lobby* est souvent appelée *lobbying*, mais ce mot anglais est de plus en plus souvent francisé en *lobbyisme*, voire en *lobbysme* ; tendance qui est, bien sûr, souhaitable. La Commission générale de terminologie a proposé *influençage*, mais le terme ne s'est pas imposé. Dans certains contextes, on peut qualifier le *lobbyisme* de *pressions politiques* ou de *manœuvres de couloir*.

Quant aux personnes engagées par les *lobbies* pour les représenter, on les nomme *lobbyistes* (on rencontre aussi la graphie *lobbiste*, qui est plus française, mais rare). On peut bien sûr parler de *représentants de groupes de pression*, mais c'est un peu long. On trouve parfois au Québec le terme *démarcheur*. L'ennui, c'est que cette appellation désigne déjà en français un « vendeur qui sollicite les clients à domicile » ou un « employé d'une société financière chargé de placer des valeurs ». Son emploi au sens de *lobbyiste* risque donc de créer une confusion inutile.

- *Des affaires de lobbyisme mettent le gouvernement du Québec dans l'embarras.*
- *Le premier ministre Landry présente un projet de loi pour encadrer le travail des lobbyistes.*

lobbying

Voir *lobby*.

lobbyist

Voir *lobby*.

local

Ce mot désigne en français une partie d'un bâtiment. C'est un anglicisme au sens de *poste* téléphonique, de *section* d'une association, de *train* ou d'*autocar* desservant toutes les stations d'une ligne.

- *Le poste 166, s'il vous plaît !*
- *La section 211 du Syndicat des Métallos demande une augmentation salariale.*
- *L'omnibus qui desservait Trois-Rivières a été remplacé par un express qui relie directement Montréal et Québec.*

localiser

Ce verbe a en français le sens de « déterminer le lieu ».

- *Localiser un bruit, un son.*

Il a aussi le sens de « circonscrire, limiter ».

- *Localiser un incendie.*

Il a enfin le sens de « placer dans un lieu déterminé ».

- *Localiser une boutique, un commerce.*

Mais il n'a pas le sens de *joindre, trouver, retrouver.*

- *La standardiste n'a pu le joindre.*
- *Le malfaiteur a été retrouvé à Rimouski.*

Voir aussi *relocaliser.*

locateur

Ce néologisme que l'on trouve dans la Loi sur la Régie du logement pour qualifier une « personne qui donne quelque chose en location » est bien inutile puisque le français dispose déjà des mots *bailleur* et *propriétaire*. Mais enfin, la loi c'est la loi.

location

Ce mot désigne l'« action de louer » ou la « chose louée ». C'est un anglicisme au sens d'*emplacement*, d'*extérieurs.*

- *L'emplacement de la bibliothèque sera bientôt choisi.*
- *Les extérieurs ont été tournés en Mauricie.*

lock-out

Comme le fait remarquer le Grand Dictionnaire terminologique, le terme *lock-out*, emprunté à l'anglais, est aujourd'hui si bien implanté dans notre langue « qu'il serait inutile d'essayer de lui substituer un terme purement français ». On a bien proposé *contre-grève*, mais ce composé n'est pas passé dans l'usage. Quant à *cadenas*, apparu à l'occasion du conflit de travail à Radio-Canada, il risque d'être bien éphémère, malgré le coup de pouce que lui a donné l'OLF. Il connaîtra sans doute le même sort que des créations bien intentionnées mais futiles comme *gaminet (T-shirt)* ou *hambourgeois (hamburger)*, qui apparaissent à l'occasion comme un cheveu sur la soupe et que personne, ou presque, ne comprend.

On rencontre parfois le verbe *lock-outer*. Il s'intègre plutôt mal au français, ne serait-ce que pour des raisons d'euphonie. Aussi lui préfère-t-on habituellement des locutions comme *mettre en lock-out, décider* ou *déclarer un lock-out, procéder à un lock-out*.

Pour ce qui est du néologisme *lock-outé*, il se prononce tout aussi mal que *lock-outer*. Mais il est commode dans la mesure où il permet d'éviter des périphrases comme *les syndiqués mis en lock-out*.

lock-outé

Voir *lock-out*.

lock-outer

Voir *lock-out*.

loft

Le français a emprunté ce mot à l'anglais pour désigner un « ancien local commercial ou industriel transformé en appartement ou en atelier d'artiste ».

- *Elle habite un loft près du canal de Lachine.*

loger

C'est sous l'influence de l'anglais qu'on emploie ce verbe dans les expressions *loger une plainte, loger un appel* (téléphonique), *loger un appel* (judiciaire), *loger un grief*. On dira plutôt *porter plainte* ou *déposer une plainte, téléphoner* ou *faire un appel, interjeter appel* ou *en appeler, déposer un grief*.

loi

Un projet de loi ne prend pas de majuscule. Ce n'est qu'une fois la loi adoptée que la majuscule devient de rigueur.

- *Le projet de loi 178 est devenu la Loi sur la langue d'affichage.*

On notera que le mot Loi est généralement suivi de la préposition *sur* et non *de*.

- *La Loi sur les accidents de travail.*
- *La Loi sur l'accès à l'information.*

Par ailleurs, employer le numéro du projet de loi pour désigner une loi déjà adoptée constitue une impropriété, fort commode cependant, particulièrement dans les titres.

- *Les centrales syndicales se liguent contre la loi 160.*

Enfin, une chose n'est pas *sous la loi (under law)*, mais *prévue par la loi.*

long-jeu

Cet anglicisme, jadis tenace, est en train de disparaître en même temps que le *microsillon*, remplacé aujourd'hui par le *disque compact* ou *audionumérique*.

Voir aussi *compact*.

longue distance

Cette locution est un anglicisme au sens d'*interurbain, appel interurbain* ou *inter*.

- *La concurrence a fait baisser le coût des interurbains.*

look

Ce mot anglais s'est répandu comme une traînée de poudre au cours des dernières années, particulièrement dans le vocabulaire de la mode. Sa popularité tend à faire oublier des mots bien français comme *allure, apparence, air, aspect, genre, style*.

lorgner

On *lorgne* quelqu'un ou quelque chose, et non *vers*.

- *Serena Williams lorgne un Grand Chelem.*

lors de

La locution adverbiale *lors de* fait référence au passé.

- *Lors de son arrivée à Montréal, elle ne parlait pas français.*

On ne peut employer cette locution à propos du futur. Dans ce cas, on dira plutôt *à l'occasion de, au moment de, pendant.*

- *Ils en discuteront à l'occasion de leur rencontre, demain.*

Lotto 6/42 ou 6/49

Le mot *loterie* est féminin, mais les appellations *Lotto 6/42* et *Lotto 6/49* sont masculines.

- *Elle a gagné un million au Lotto 6/42.*

low-profile

Cette locution anglaise s'intègre mal au français. Aussi la traduit-on généralement par *profil bas*. Mais même en le faisant précéder d'un verbe comme *garder* ou *adopter*, ce calque ne veut pas dire grand-chose. Il est d'ailleurs bien peu utile, car il ne manque pas de termes bien français pour rendre cette idée : *se montrer discret, se tenir à l'écart, s'effacer, rester dans l'ombre,* ou familièrement, *se déguiser en courant d'air.*

- *Son pouvoir est considérable, même si elle reste dans l'ombre.*

loyer

Ce mot désigne le « prix de la location d'un local ». On comprendra donc que de parler du prix ou du coût d'un *loyer* soit pléonastique.

- *Les loyers sont élevés à Westmount.*

lucratif

Une « société dont le but n'est pas de procurer des profits » est une société *à but non lucratif* et non *sans but lucratif.*

ludiciel

Voir *jeu vidéo.*

lumière de trafic

Voir feu de *circulation.*

lunch

Voir *dîner.*

lutte

L'usage veut qu'on ne fasse pas la lutte *à* quelque chose ou *à* quelqu'un, mais *contre* quelque chose ou *contre* quelqu'un. De la même façon, on n'est pas en lutte *à* quelque chose, mais *contre* quelque chose.

- *On a beaucoup parlé de lutte contre la pauvreté au Sommet des peuples.*
- *La lutte contre la pauvreté pourrait être un des grands enjeux des prochaines élections.*

Par contre, on dit correctement qu'on fait la guerre *à* quelque chose (aux préjugés, au racisme, à l'ignorance, etc.) ou *à* quelqu'un.

- *Les verts font la guerre aux OGM.*
- *La CECM a entrepris la guerre au décrochage scolaire.*

Mais on peut aussi partir en guerre *contre* quelque chose.

- *Les organismes communautaires sont partis en guerre contre la mondialisation.*

Par ailleurs, les locutions *combat, guerre* ou *lutte à finir* sont des calques de *fight to finish*. En français, il est préférable de parler de *guerre à outrance, de lutte sans merci, de bataille sans trêve, de combat sans pitié* ou *impitoyable*.

- *Les antimondialistes ont engagé une lutte sans merci contre la mondialisation.*

Dans certains cas, on pourrait également parler de *guerre des nerfs*.

- *Guerre des nerfs entre manifestants et forces de l'ordre.*

lycée

Ce mot s'écrit avec une majuscule lorsqu'il est suivi d'un nom commun ou d'un adjectif.

- *Le Lycée français.*

Il prend une minuscule quand il est suivi d'un nom propre de personne ou de lieu.

- *Le lycée Louis-le-Grand.*

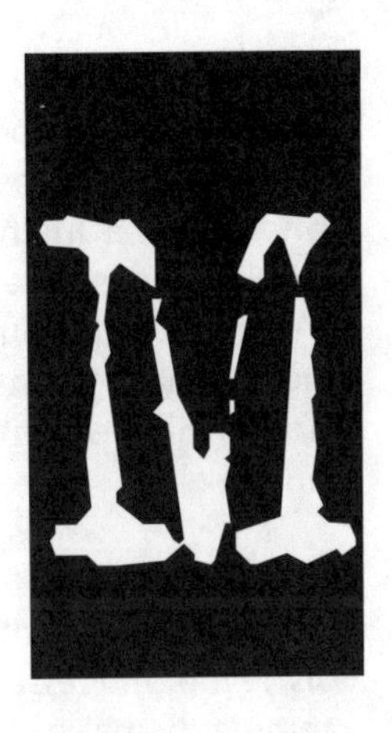

madame Tout-le-Monde

Voir *Tout-le-Monde*.

magasin

Ce mot s'écrit avec une majuscule s'il fait indiscutablement partie du nom de l'établissement.

- *Le Magasin métropolitain.*

En revanche, il prend une minuscule quand il désigne simplement une catégorie. Dans ce cas, il est déterminé par un nom propre ou par un équivalent.

- *Le magasin La Baie.*
- *Le magasin Au Printemps.*

Par ailleurs, l'expression *magasin à rayons* est une impropriété. On dira plutôt *grand magasin* ou *magasin à grande surface*. Ce dernier est constitué de *rayons* et non de *départements*.

- *Le rayon des appareils ménagers.*

magasin de tabac

Voir *tabagie*.

magasinage

Les Québécois préfèrent nettement *magasinage* à *shopping*. Les Français, en général, ne connaissent pas *magasinage*, bien qu'on le trouve dans le Petit Larousse. Ils n'utilisent pas tous, pour autant, le mot *shopping*, certains lui préférant *courses*, *emplettes* ou *achats*.

Magasinage a engendré *magasiner*. Ce québécisme remplace avantageusement *faire du shopping*. On peut aussi dire *faire des courses*, *faire des emplettes* ou *faire des achats*.

magasiner

Voir *magasinage*.

main (de seconde)

Voir *usagé*.

main-d'œuvre

Attention au trait d'union, souvent oublié.

maintenance

Le français a emprunté ce mot à l'anglais au sens d'« ensemble des opérations visant à maintenir un matériel technique en état de fonctionnement ». Le mot s'intègre d'autant mieux à notre langue qu'il s'agit en fait d'un vieux mot français initialement emprunté par les Anglais.

mairesse

Dans l'usage contemporain québécois, le mot *mairesse* ne désigne plus la « femme du maire », mais une « femme élue à la direction d'une administration municipale ».

- *La mairesse de Shawinigan.*

Dans l'usage français, la chose est plus ambiguë. Le Petit Robert reconnaît que le terme *mairesse* peut désigner, outre « l'épouse du maire », une « femme exerçant les fonctions de maire », mais précise que cet emploi est rare. Dans les faits toutefois, cet usage n'est pas à ce point rarissime. Une petite recherche dans la presse française a permis d'en retracer plusieurs dizaines d'exemples. Cela dit, les Français emploient encore volontiers *la maire*.

mairie

Ce mot prend une minuscule.

- *La mairie de Longueuil.*

mais

Placée en début de phrase, la conjonction *mais* est suivie d'une virgule si l'on marque une hésitation.

- *Mais, on ne la reprendra plus.*

Cependant, on omet la virgule si *mais* forme un tout avec les mots qui suivent.

- *Mais ça lui est égal.*

Dans le corps d'une phrase, on met généralement une virgule devant *mais*. La virgule est même de rigueur si la conjonction vient renforcer une idée déjà exprimée.

- *Il a glissé, mais lourdement glissé.*

Toutefois, si cette conjonction unit des mots ou des groupes de mots très courts, on supprime le plus souvent la virgule.

- *L'idée fait son chemin lentement mais sûrement.*

maison

Lorsque ce mot désigne un édifice public, un organisme ou une société, il prend une minuscule s'il est suffisamment individualisé par un nom propre de personne ou de lieu, ou par un équivalent.

- *La maison Simons.*
- *La maison de la culture Frontenac.*
- *La maison Cœur Atout.*

Il s'écrit avec une majuscule s'il fait indiscutablement partie du nom de l'établissement.

- *La Maison des vins.*
- *La Maison danoise.*

Mis en apposition, *maison* reste invariable et ne se joint pas au substantif qui précède par un trait d'union.

- *Des concerts maison.*

maison (types de)

On appelle *bungalow* une « maison de plain-pied, c'est-à-dire n'ayant qu'un seul niveau d'habitation ». La « maison à un étage » (donc à deux niveaux d'habitation) est un *cottage*. Quant à la « maison dont les niveaux d'habitation sont décalés », que les Anglais appellent *split-level*, l'OLF recommande de la nommer *maison à demi-niveaux*.

Au Québec, on appelle *maison unifamiliale* une habitation n'ayant qu'un logement. En France, on parle plutôt de *maison individuelle*.

En France également, le mot *duplex* désigne un « appartement sur deux étages ». Chez nous, ce mot désigne une « maison comprenant deux logements superposés ». La « maison comprenant trois logements » s'appelle un *triplex* et la « maison comprenant quatre logements », un *quadruplex*.

Une maison peut être *isolée*, c'est-à-dire « indépendante d'une autre construction », *jumelée*, c'est-à-dire « attenante à une autre demeure par un mur mitoyen », ou *en rangée*, c'est-à-dire « reliée à deux autres demeures par un mur mitoyen de chaque côté ».

Maison-Blanche

Le nom donné à la résidence du président des États-Unis s'écrit en français avec deux majuscules et un trait d'union.

maison mobile

Les Américains appellent *mobile home* une « maison légère et transportable ». Les Français se sont d'abord contentés de joindre les deux mots par un trait d'union. Mais cet usage ne faisait pas l'unanimité. Aussi a-t-on recommandé *résidence mobile*. Chez nous, on parle plutôt de *maison mobile*.

- *Le parc de maisons mobiles du Domaine de Rouville.*

On peut aussi parler de *caravane résidentielle* ou de *grande caravane*.

majuscules (accents sur)

On met les accents, de même que le tréma et la cédille, sur les majuscules quand les minuscules équivalentes en comportent.

- *À ce moment...*
- *Ça veut dire...*

Cette règle vaut également pour les abréviations, mais elle ne vaut pas pour les sigles.

- *Les É.-U., mais l'ALENA, l'ENAP, l'UQAM.*

Malaisie

Le Petit Robert opte pour *Malaysia*, le Petit Larousse pour *Malaisie* tandis que le Hachette accepte l'un et l'autre. Allez vous y retrouver ! Les journaux français, quant à eux, emploient *Malaisie* dans environ 75 % des cas.

Dans le Dictionnaire géopolitique des États, on prétend que choisir *Malaisie*, c'est appuyer un certain chauvinisme malais, les Malais de souche n'étant majoritaires que dans la partie occidentale de la Fédération. Mais je vois mal en quoi opter pour *Malaysia* à l'anglaise serait moins choquant pour les habitants des îles orientales. Je conseille donc *Malaisie*.

- *La Fédération de Malaisie est formée de la Malaisie occidentale et de la Malaisie orientale.*

Malaysia

Voir *Malaisie*.

management

Bien que cet anglicisme ait été entériné par l'Académie française, on peut le juger inutile. Dans la majorité des cas, *management* peut être rendu par *gestion* ou *gestion des affaires*.

- *La gestion de cette société laisse à désirer.*

Au sens d'« ensemble des dirigeants d'une entreprise », *management* peut être traduit par *direction*.

Les dérivés *manager* (substantif) et *manager* (verbe) ne paraissent pas plus utiles, malgré leur popularité en France. Le français dispose déjà des mots *cadres*, *dirigeants* et *gestionnaires* pour qualifier les personnes qui *dirigent* ou *gèrent* des entreprises.

manège militaire

Cette dénomination s'écrit avec une minuscule.

- *Le manège militaire de Québec.*

manager

Voir *management*.

manifestations (noms de)

Les noms des grandes manifestations commerciales, culturelles ou sportives s'écrivent généralement avec une majuscule, de même que l'adjectif qui précède, le cas échéant.

- *La Biennale de Venise.*
- *Le Carnaval de Québec.*
- *La Coupe Stanley.*
- *Le Concours Chopin.*
- *Le Festival de Cannes.*
- *La Fête des neiges*
- *La Foire du livre de Berlin.*
- *Le Grand Prix de Montréal.*
- *Les Internationaux de tennis du Canada.*
- *Les Jeux du Québec.*
- *Le Salon des métiers d'art.*
- *La Série mondiale.*

Les noms génériques des manifestations ne prennent cependant pas de majuscule si l'événement a sa propre dénomination.

- *Le concours L'empire des futures stars.*
- *Le festival Montréal en lumière.*

manoir

Lorsque ce mot désigne un établissement hôtelier, il prend une majuscule, de même que le substantif qui l'individualise.

- *Le Manoir des Pins.*
- *Le Manoir de Neuville.*

manquer (quelqu'un)

Une personne peut *manquer à* une autre, un joueur peut *manquer à* son équipe, mais on ne *manque* pas quelqu'un, pas plus qu'une équipe *manque* un joueur.

- *Elle est partie depuis quelques semaines. Elle me manque beaucoup.*
- *Blessé, Vincent Damphousse manque à l'équipe.*

marchand de tabac

Voir *tabagiste*.

marchandise

Voir *livrer la marchandise*.

marché

Ce mot prend une majuscule quand il désigne un organisme unique.

- *Le Marché commun européen.*

Lorsque ce mot désigne un bâtiment public, il s'écrit avec une minuscule s'il est déterminé par un nom propre de personne ou par un équivalent.

- *Le marché Atwater.*
- *Le marché Bonsecours.*

marcher

Ce verbe ne peut être suivi d'un complément de distance. Ainsi, *on ne marche pas cinq kilomètres* (cette tournure est anglaise), *on fait cinq kilomètres à pied*.

De plus, la locution *prendre une marche* est un calque de *to take a walk*. On dira plutôt *faire une promenade, se promener*.

Par ailleurs, *marcher* s'emploie correctement au sens de *fonctionner* (en parlant d'un mécanisme, d'un organe).

- *Notre téléviseur marche encore très bien.*
- *Son cœur ne marche pas très bien.*

Par analogie, *marcher* s'emploie au sens de « produire l'effet désiré ».

- *Les affaires marchent de mieux en mieux.*

On peut aussi faire *marcher* une usine, un commerce, une maison, etc.

On peut également dire d'un chanteur, d'un comédien, etc., que sa carrière *marche* très fort ou, au contraire, fort mal.

Il arrive parfois qu'on emploie *marcher* au figuré en parlant de personnes. Mais ce sens est considéré comme familier.

- *Je suis sûr qu'il ne marchera pas là-dedans.*

On considère également comme familier l'emploi de *ça marche* au sens de *c'est d'accord*.

marier

Suivi d'un complément d'objet direct, ce verbe a le sens d'« unir par les liens du mariage ».

- *Il a marié sa fille à un jeune ambitieux.*

Au sens d'*épouser*, *marier* commande la forme pronominale.

- *Il s'est marié l'été dernier avec une compagne de travail.*

Dans un cas comme dans l'autre, *marier* se construit indifféremment avec *à* ou *avec*.

marque du pluriel

Contrairement à l'anglais, le français considère que la marque du pluriel ne s'inscrit qu'à partir de deux unités.

- *La nouvelle ville de Montréal compte 1,8 million d'habitants.*
- *Le budget de ce ministère sera de 1,9 milliard de dollars.*

Mettre un *s* dans les exemples précédents à *million* et à *milliard* serait donc fautif.

marquer

Voir *compteur*.

marques (noms de)

Les noms de marques de fabrique prennent généralement une majuscule et sont invariables.

- *Des voitures Ford.*
- *Des bières Molson.*

Certains sont cependant devenus des noms communs. Ils s'écrivent alors avec une minuscule et prennent la marque du pluriel, le cas échéant.

- *Des camemberts.*
- *Des champagnes.*
- *Des jeeps.*

marshal de l'air

À la suite des événements du 11 septembre 2001, les *marshals de l'air*, qui avaient pratiquement disparu depuis la fin des années 80, ont repris du service à bord des avions de ligne aux États-Unis. L'objectif : prévenir tout nouveau détournement et rassurer un public frappé par la psychose de l'avion.

Le terme *marshal* est, bien entendu, américain. La presse française l'a traduit par *policier de l'air*, solution d'autant plus justifiée qu'on dit déjà *pirate de l'air* et *hôtesse de l'air.*

- *Le ministre des Transports ne juge pas utile la présence de policiers de l'air à bord des avions canadiens.*

match

Le français a emprunté ce mot à l'anglais, il y a déjà plus d'un siècle, pour qualifier une « compétition entre deux concurrents ou deux équipes ». On hésitera d'autant moins à l'employer qu'il est plus juste que *joute*, dont le sens est plus limité. Quant à *partie*, il décrit « les règles et les conditions d'un *match* ».

- *La partie de baseball comprend neuf manches ; la partie de hockey, trois périodes.*

On notera que le *match* de tennis se divise en *manches*, lesquelles sont constituées de *jeux*.

Le pluriel de *match* est *matchs* ou *matches*. Le premier est plus fréquent.

Voir aussi *plan de match*.

matériel

L'emploi de *matériel* au sens de *matière, matériau, fournitures, accessoires, tissu* ou *étoffe* constitue autant d'anglicismes.

- *La pierre est un matériau solide.*
- *Il a là suffisamment de matière pour rédiger un livre.*
- *Les fournitures de bureau sont arrivées.*
- *De quel tissu est fait ce manteau ? De laine.*

Par contre, on appelle *matériel didactique* « un document ou un appareil soutenant l'enseignement ».

mature

Voir *immature*.

maximum

Les dictionnaires acceptent généralement le pluriel latin *(maxima* et *minima)* et le pluriel français *(maximums* et *minimums)*. Mais la tendance actuelle est à la francisation.

média

La forme latine *(media)* n'est plus en usage. *Média* est maintenant un mot français. C'est pourquoi il prend un accent et, le cas échéant, la marque du pluriel.

- *Un média, des médias.*

On aura remarqué que le singulier est *média* et non *médium*, mot qui en français désigne, non pas un moyen de communication, mais une « personne qui a le pouvoir de communiquer avec les esprits ».

medium

Un steak qui n'est ni bien cuit ni saignant est *à point*, non *médium*. Et un vêtement dont la taille n'est ni grande ni petite, est de taille *moyenne*, non *médium*. Ce mot est un anglicisme dans ces deux cas.

Voir aussi *média*.

meeting

Ce mot est un anglicisme au sens de *rassemblement*.

méga

Il y a un abus du préfixe *méga* dans les médias québécois. Pourquoi parler, par exemple, d'une *mégaproduction* cinématographique, quand on dispose déjà du mot *superproduction* ? Ou d'une *mégamission* commerciale quand il serait plus simple de s'en tenir à une *grande* mission commerciale ? Ou de *mégasupermarché* quand le français compte déjà *hypermarché* et *grande surface ?* Et pourquoi parle-t-on de *mégahôpital* pour désigner le futur CHUM ? La locution *grand hôpital* suffirait amplement.

En outre, contrairement à ce qu'on rencontre fréquemment, les mots composés avec *méga* s'écrivent en un mot, sauf si le second élément commence par une voyelle : *mégalomane, mégalopole, mégafête, méga-octet.*

mégacité

Les médias emploient parfois le mot *mégacité* pour décrire la grande ville née de la fusion de Montréal et de sa banlieue. Ce terme paraît être une traduction littérale de *megacity*. Mais anglicisme ou pas, il n'est pas utile, car il existe déjà un mot pour désigner une grande agglomération urbaine : *mégapole.* Et il convient très bien pour décrire le nouveau Montréal.

- *Gérald Tremblay est devenu le premier maire de la mégapole.*

mégaplex

Ce mot est un québécisme inutile au sens de *cinéma à salles multiples*, de *complexe cinématographique* ou de *grand cinéma.*

meilleur

L'emploi de ce superlatif est influencé par l'anglais dans quelques expressions.

Avoir le meilleur sur est un calque de *to get the better of someone*. On le remplacera par *l'emporter sur.*

- *Les Expos l'ont emporté sur les Pirates.*

Au meilleur de ma connaissance est un calque de *to the best of my knowledge*. La traduction juste est *autant que je sache.*

Être à son meilleur est une traduction de *to be at one's best*. On dira plutôt *être au mieux, être au mieux de sa forme, être au sommet de son art, exceller.*

- *Il n'est pas au mieux de sa forme depuis qu'il a subi une blessure au genou.*
- *Steffi Graf a longtemps excellé dans les tournois du Grand Chelem.*

La locution superlative *le meilleur* ou *la meilleure* est généralement suivie d'un verbe au subjonctif, lequel introduit un léger doute dans l'affirmation.

- *Elle est la meilleure joueuse que j'aie jamais vue.*

meilleur avant

Voir *date de péremption.*

mél

Voir *e-mail.*

membership

Cet anglicisme est inutile puisque le français dispose du mot *effectif* pour désigner le « nombre de personnes dans un parti ou une association ».

- *L'effectif du Parti libéral a diminué à la suite du référendum sur l'entente de Charlottetown.*

mémoire (trou de)

Voir *blanc de mémoire.*

menotter

Beaucoup considèrent ce verbe comme un québécisme, mais c'est plutôt un mot apparu en français autour de 1600 et aujourd'hui presque inusité en France, où on lui préfère *mettre* ou *passer les menottes*. Mais *menotter* est demeuré bien vivant chez nous. On aurait tort de lui tourner le dos, car il est plus court que les locutions qu'il remplace.

On rencontre de plus en plus souvent *menotter*, dans le vocabulaire sportif, au sens de *déjouer*.

- *Le tir de Gagné l'a complètement menotté.*

mépris de cour

Le « délit par lequel une personne exprime son mépris à l'égard d'un magistrat » est un *outrage au tribunal*, non un *mépris de cour*. On peut aussi dire *outrage à magistrat*, mais cette expression est peu courante au Québec.

mer

Ce mot prend une minuscule.

- *La mer Rouge.*

mère

Mis en apposition, ce mot s'écrit sans trait d'union et prend la marque du pluriel le cas échéant.

- *La reine mère.*
- *Une maison mère.*
- *Des idées mères.*

On notera que la *maison mère* désigne un « établissement dont relève un ordre religieux ». L'expression est une impropriété au sens de *siège social* d'une société.

Le mot *mère* est parfois antéposé. Il s'écrit alors sans trait d'union et prend la marque du pluriel le cas échéant.

- *La mère patrie.*
- *Une mère poule*
- *Les mères porteuses.*

mériter

Ce verbe n'a pas de forme pronominale. C'est pourquoi, on ne *se mérite* pas un prix : on le *remporte*, on le *gagne*, on le *reçoit*, on l'*obtient*. On remplace souvent *se mériter* par *mériter*, mais à tort. Ce dernier verbe s'emploie correctement au sens de « digne de récompense ».

- *Il a bien mérité ses vacances.*

Mais *mériter* n'est pas un parfait synonyme de *remporter* ou de *gagner*. Il peut arriver en effet qu'on obtienne une récompense sans la *mériter*.

- *Calixthe Beyala a reçu le prix du roman de l'Académie française, mais le mérite-t-elle vraiment ?*

L'emploi fautif de *mériter* peut même engendrer une certaine confusion. Lorsqu'on lit, par exemple, qu'un lanceur *mérite* le trophée Cy Young, doit-on en conclure qu'il devrait recevoir ce trophée ou qu'il vient de l'obtenir ?

métropole

Ce mot désigne la « principale ville d'une province ou d'un État », laquelle n'est pas nécessairement la *capitale*.

- *Toronto est à la fois la métropole et la capitale de l'Ontario. Ce n'est pas le cas de Montréal, qui n'est que la métropole du Québec.*

métropolitain

Cet adjectif désigne « ce qui se rapporte à une métropole ».

- *Les chemins de fer métropolitains.*

Mais il est incorrect d'accoler *métropolitain* (même en abrégé) à Montréal pour désigner la métropole et sa banlieue. Il faut plutôt parler de l'*agglomération de Montréal*.

Certains croient que l'expression *le grand Montréal* est un anglicisme. Mais l'emploi de *grand* en ce sens est entériné tant par le Harrap's que par le Robert-Collins, le Multidictionnaire et le Grand Dictionnaire terminologique.

metteure en page(s)
Forme féminine de *metteur en page(s)*.

metteure en scène
Forme féminine de *metteur en scène.*

mettre à jour
Voir *jour (à et au).*

mettre au jour
Voir *jour (à et au).*

mettre au rancart
Voir *rancart (au).*

mettre sous arrêt
Voir *arrêt (mettre sous).*

meurtre au premier (second) degré
Je veux bien croire que nous vivons dans un contexte nord-américain, mais était-ce bien nécessaire, comme on l'a fait dans le Code criminel, de traduire *first degree murder* par *meurtre au premier degré*, quand le français disposait déjà de *meurtre avec préméditation* et de *meurtre prémédité* ? La même remarque vaut pour *second degree murder*, qu'on a traduit par *meurtre au second degré*, alors qu'on devrait plutôt parler de *meurtre sans préméditation* ou de *meurtre non prémédité*. Ces locutions, en plus d'être pleinement françaises, sont bien plus claires.

MF
Voir *FM.*

mieux (des)
Voir *des plus.*

millésime
Depuis le début de l'an 2000, il existe un grand flottement dans la presse quant à l'emploi du millésime. Tantôt on écrit *les années 60, 70, 80,* etc., comme on le faisait jusque-là, tantôt on écrit les *années 1960, 1970, 1980*, etc. Puisqu'il n'existe généralement aucune confusion quant au siècle, l'ajout du millésime m'apparaît, pour de nombreuses années encore, aussi lourd qu'inutile. Je suggère donc avec insistance qu'on l'évite.

- *L'inflation n'est plus à craindre comme dans les années 80.*

minifourgonnette
Voir *fourgonnette.*

minimum
Voir *maximum.*

ministère
Ce mot s'écrit chez nous avec une minuscule.

- *Le ministère des Affaires culturelles.*

On l'écrira cependant avec une majuscule quand il est employé de façon elliptique.

- *Le Ministère annoncera sa décision la semaine prochaine.*

ministre
Ce mot prend une minuscule.

- *Le ministre du Travail.*

minous

Le mot *minous* est évidemment un québécisme au sens de *moutons* ou *chatons*, mots qui, en français standard, désignent ces « petits amas de poussière qui s'accumulent si vite sous les meubles ».

minutes

Ce mot est un anglicisme au sens de *procès-verbal*.

miracle

Mis en apposition, ce mot s'écrit sans trait d'union mais prend, le cas échéant, la marque du pluriel.

- *Des remèdes miracles.*

mise à pied

Ce mot n'est pas un parfait synonyme de *licenciement* ou de *congédiement*. En effet, la *mise à pied* est temporaire tandis que le *licenciement* et le *congédiement* sont définitifs. Si le *licenciement* est généralement le résultat d'une compression budgétaire, le *congédiement* peut être la conséquence d'une mesure disciplinaire.

- *La crise de la vache folle a entraîné des mises à pied dans les abattoirs.*
- *Air Canada entend procéder à des licenciements massifs.*
- *Vidéotron a congédié les employés impliqués dans des sabotages.*

mise en jeu

C'est cette expression qui est juste, non *mise au jeu*.

- *Il gagne la plupart des mises en jeu.*

mise en page(s)

Dans cette locution, on peut écrire *page* ou *pages*. La graphie au pluriel est un peu plus fréquente.

mission suicide

Voir *suicide*.

mistrial

Ce mot anglais désigne un « procès qui avorte en raison d'un vice de procédure ». On peut le traduire par *procès avorté*.

modèle

Mis en apposition, ce mot s'accorde en nombre mais ne prend pas de trait d'union.

- *Des maisons modèles.*

moins (des)

Voir *des plus*.

moi pour un

Cette locution est un calque de *I for one*. En français, on dira *quant à moi, pour ma part, selon moi*.

mois

Ce mot s'écrit généralement avec une majuscule lorsqu'il désigne une manifestation publique.

- *Le Mois de l'environnement.*

moment (dans le)

La locution *dans le moment* est un calque de *in the moment*. En français, on dira plutôt *pour le moment (actuellement)* ou *en ce moment (à présent)*.

momentum

Ce mot d'origine latine n'existe pas en français. En anglais, il a le sens de *circonstances favorables, élan, impulsion, lancée, vitesse acquise*. Ce sont ces mots ou locutions qu'il convient d'employer dans notre langue.

- *Les débats ont donné au chef conservateur l'élan dont il avait besoin.*
- *Après avoir éliminé l'Avalanche, les Red Wings ont continué sur leur lancée.*

monétaire

Cet adjectif se rapporte aux monnaies.
- *Le système monétaire international.*
- *La masse monétaire d'un pays.*

C'est un anglicisme au sens de *financier, pécuniaire, salarial.*
- *Des besoins financiers.*
- *Une aide pécuniaire.*
- *Les clauses salariales d'une convention collective.*

monoparental

Voir *famille.*

monsieur Tout-le-Monde

Voir *Tout-le-Monde.*

mont

Ce mot prend une minuscule s'il désigne un toponyme naturel ; une majuscule et un trait d'union s'il désigne un toponyme administratif.
- *Le mont Royal est situé dans le parc du Mont-Royal.*

montant

Un voleur peut-il s'emparer d'un *montant* d'argent ? Ce serait bien difficile puisque ce mot désigne le « chiffre auquel s'élève un compte ».
- *Le montant des frais est de 300 $.*

Une « quantité déterminée d'argent » s'appelle plutôt une *somme*. Le mot anglais *amount* a, quant à lui, les deux sens. C'est sans doute de là que vient la confusion.
- *Les voleurs se sont emparés d'une somme de 100 000 $.*
- *Il a perdu une jolie somme au casino.*

Par ailleurs, l'expression *au montant de* est un calque de *in the amount of.* En français, on dit tout simplement *de.*
- *Un achat de 50 $.*

monuments (noms de)

Les noms de monuments s'écrivent généralement avec une minuscule à l'élément générique.
- *La tour Eiffel.*
- *La porte Saint-Louis.*

L'usage a toutefois consacré l'emploi de la majuscule pour certains d'entre eux.
- *L'Acropole.*
- *Le Grand Palais.*
- *La Bastille.*
- *L'Arc de Triomphe.*

mort

Voir *décès.*

motard criminalisé

Les médias parlent souvent de *motards criminalisés*. Sans doute a-t-on voulu accoler une épithète péjorative aux motards liés au crime organisé pour les distinguer des honnêtes motocyclistes. L'intention est louable, mais le terme choisi est impropre.

Le Petit Larousse et le Petit Robert ne donnent qu'un sens au verbe *criminaliser* : « faire passer de la juridiction civile à la juridiction criminelle ». On pourrait dire, par exemple, que la loi a *criminalisé* la conduite en état d'ébriété.

Dans le cas qui nous occupe, il vaudrait mieux parler de *gangs de motards.* Le français a emprunté le mot *gang* à l'américain pour désigner une « bande organisée de malfaiteurs ». Or, c'est précisément de cela qu'il s'agit.

- *Montréal tente d'expulser les gangs de motards.*

Par souci de diversité, on peut aussi employer le mot *bande*. Bien que ce substantif soit plus neutre que *gang*, il est souvent utilisé en français pour désigner une « association de voyous ou de malfaiteurs ».

On peut également parler de *motards hors la loi*.

Enfin, soulignons que le contexte est parfois si clair que toute épithète serait inutile.

- *La guerre des motards.*

motion de non-confiance

Ce terme du vocabulaire parlementaire est un calque de *non-confidence motion*. En français, on dira plutôt *vote de censure* ou *de blâme*.

moto (à ou en)

La locution *en moto* est parfois employée, mais elle est critiquée. Il est préférable de dire *à moto*.

moulin à papier

Ce calque de *paper mill* est en voie de disparition. Il est souvent remplacé par *papetière*, qui est impropre pour qualifier une *usine de papeterie* ou une *papeterie*.

- *Il faut moderniser les papeteries du Québec.*

L'adjectif *papetière* a le sens de « ce qui est relatif au papier ».

- *Une société papetière.*

Dans les titres notamment, on fait parfois l'ellipse de *société*.

- *Les papetières ont connu une mauvaise année.*

mousser

On ne *mousse* pas une chose, on la *fait mousser*. L'expression est d'ailleurs péjorative puisqu'elle signifie « vanter exagérément ». Dire, par exemple, qu'on *mousse* une candidature est doublement fautif. On dira plutôt qu'on *appuie* une candidature, qu'on la *favorise*, qu'on la *pistonne*, qu'on la *pousse*.

Pour les mêmes raisons, on ne *mousse* pas un programme, pas plus qu'on ne le *fait mousser*. On en *fait la promotion*, on le *vante*, on le *met en valeur*, etc.

mur à mur

La locution *tapis mur à mur* est un calque de *wall to wall carpet*. En français, on appelle plutôt *moquette* un « tapis qui recouvre entièrement le plancher d'une pièce ».

On trouve aussi de plus en plus souvent l'expression *mur à mur* au figuré, comme dans la phrase suivante :

- *Avant 1993, l'Alberta était conservatrice mur à mur.*

Il n'existe pas une solution de remplacement unique à cet anglicisme familier. Dans le cas cité précédemment, la formulation pourrait être la suivante :

- *Avant 1993, l'Alberta était totalement conservatrice.*

Une assurance *mur à mur* est une *assurance tous risques* ; une offensive *mur à mur* est une offensive *tous azimuts* ; une campagne publicitaire *mur à mur* est une *grande* campagne publicitaire ; etc.

musée

On mettra une majuscule à ce mot lorsqu'il désigne un organisme national unique.

- *Le Musée de la civilisation.*
- *Le Musée des beaux-arts.*
- *Le Musée du Québec.*

Dans les autres cas, le mot s'écrit avec une majuscule s'il est suivi d'un nom commun ou d'un adjectif.

- *Le Musée de cire.*
- *Le Musée postal.*

Il s'écrit avec une minuscule s'il est suivi d'un nom propre.

- *Le musée Laure-Conan.*

musique (faire face à la)

La locution *faire face à la musique* est un calque de *to face the music*. En français correct, on dira plutôt *affronter la tempête, faire face à la situation, se montrer courageux.*

must

Cet anglicisme est tenace. Pourtant, il n'est pas si difficile de le traduire, même s'il n'existe pas de traduction unique. Ainsi en France, *must* cède peu à peu la place à *indispensable.*

Chez nous, j'ai trouvé, dans une publicité, le mot *incontournable.*

- *Pour courir ou se promener à vélo, ce baladeur est un incontournable !*

Mais on peut aussi recourir à diverses locutions. Dans le cas d'un film, d'un spectacle, d'une pièce de théâtre, par exemple, on pourra dire : *à voir absolument, à tout prix, à ne pas manquer.* Dans le cas d'un livre : *à lire absolument* ou *à tout prix.* Dans le cas d'un voyage, d'une excursion : *à faire à tout prix.* Dans le cas d'un article : *un article indispensable, un article que tout bricoleur doit posséder,* etc.

Bien sûr, il y a quelques contextes où l'emploi de *must* peut à la rigueur se justifier. Dans cette réclame, par exemple :

- *L'anglais, un must.*

musulman

Dans l'ex-Yougoslavie, ce mot désigne plus une personne appartenant à une ethnie qu'une personne professant la religion islamique. C'est pourquoi on l'écrira dans ce cas avec une majuscule.

- *Les Musulmans, les Croates et les Serbes se sont fait la guerre en Bosnie.*

muter

Muter, c'est « affecter une personne à un autre poste ». On comprendra donc que *muter à un autre poste* soit un pléonasme.

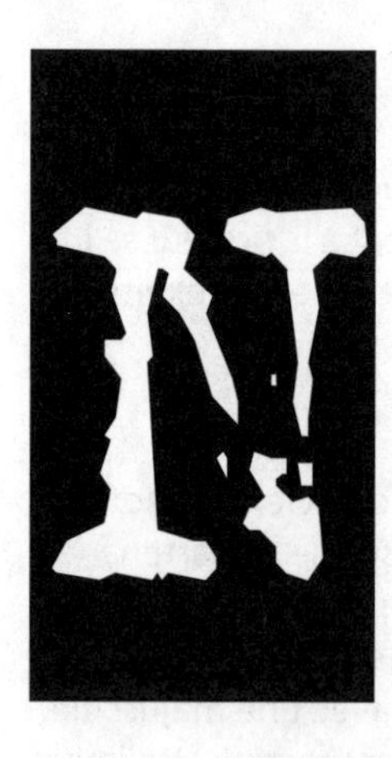

Nations unies

La plupart des dictionnaires écrivent *Nations unies* avec une seule majuscule et sans trait d'union. Le nom complet de l'organisme est l'*Organisation des Nations unies*. Son sigle est *ONU*.

nature

Ce mot peut être employé au sens de *naturel*. Il est alors invariable.

- *Des yaourts nature.*

naturel (c'est un)

La locution *c'est un naturel* est un calque de *it's a natural*. En français, elle n'a pas de sens. On la remplacera par des expressions comme *il a un talent fou, il a un talent inné, il est bourré de talent, il a toutes les aptitudes*.

- *Cet acteur-là est une future vedette. Il a un talent fou !*

Dans certains cas, la solution consiste à ajouter *-né* à la qualité qu'on veut souligner.

- *C'est un coureur-né.*

négociation

Au pluriel, ce mot désigne le « déroulement des discussions entre deux parties cherchant à parvenir à un compromis ».

- *Les négociations s'annoncent difficiles entre le gouvernement et ses employés.*

Au singulier, ce mot désigne plutôt le « processus en tant que concept ».

- *La négociation des conventions collectives a beaucoup changé au Québec.*

néo

Le préfixe *néo* s'écrit avec une majuscule s'il entre dans la composition d'un gentilé.

- *Les Néo-Zélandais, les Néo-Écossais.*

Il prend une minuscule s'il signifie « de souche récente ».

- *Les néo-Québécois, les néo-Albertains, les néo-Canadiens.*

Net-économie

Voir *point-com(s)*.

nettoyeur

Ce mot désigne la « personne qui nettoie » et non le produit.

- *Les nettoyeurs utilisent des détergents ou des détersifs.*

Chez nous, on donne également au mot *nettoyeur* le sens de « commerce spécialisé dans le lavage et le repassage du linge ». La locution *nettoyeur à sec* est à éviter, car il s'agit d'un calque de *dry cleaner*. On évitera également le terme *buanderie*, qui désigne plutôt une « pièce de la maison aménagée pour la lessive ».

Ailleurs dans la francophonie, on parle de *blanchisserie* ou de *teinturerie* plutôt que de *nettoyeur*.

- *Je suis allé porter mon imper à la blanchisserie.*

En France, on emploie fréquemment aussi le mot *pressing*, un anglicisme inutile.

new-look

Selon le Dictionnaire des anglicismes du Robert, Christian Dior a inventé ce faux anglicisme après la Deuxième Guerre mondiale pour qualifier sa nouvelle mode. Le mot a été employé par la suite pour désigner un « changement radical de forme ou de conception ». Étiemble juge cette expression inutile, suggérant plutôt *nouveau style, nouvelle mode, nouveau genre, dernier cri*.

nez à nez

Cette expression est bien française, mais au sens de *face à face*.

- *Ils se sont retrouvés nez à nez en faisant leurs courses.*

Sous l'influence de *nose to nose*, on lui donne souvent, mais à tort, le sens de *à égalité, égaux, ex æquo, sur le même rang*.

- *Les deux partis sont à égalité dans les sondages.*

Soucieux d'éviter le calque, certains remplacent *nez à nez* par la locution *(au) coude à coude*, qui signifie « côte à côte ».

- *Marcher, travailler au coude à coude.*

L'ennui, c'est que cette locution suppose une entente étroite, pas une rivalité. Elle n'est donc pas appropriée pour exprimer que deux partis, deux personnes, deux clubs, etc., sont *à égalité*.

ni... ni

Lorsque deux sujets au singulier sont liés par *ni*, le verbe se met au singulier si les sujets s'excluent l'un l'autre.

- *Ni l'un ni l'autre ne viendra.*

Par contre, si les deux sujets forment un tout, le verbe se met au pluriel.

- *Ni sa formation ni son expérience ne le préparent à occuper cet emploi.*

Si un des sujets est au pluriel, le verbe est nécessairement au pluriel.

- *Ni sa sœur ni ses frères ne viendront.*

Si les sujets liés par *ni* ne sont pas de la même personne, le verbe est au pluriel et à la personne qui a la priorité.

- *Ni vous ni moi ne viendrons.*

Lorsque *ni* est répété une seule fois, les deux éléments ne sont pas séparés par une virgule. Lorsque *ni* est répété plus d'une fois, chacun des groupes de mots est séparé par une virgule.

- *Ni elle, ni vous, ni moi ne viendrons.*

nid-de-poule

Au pluriel : *nids-de-poule.*

nier que

Construit avec *que*, le verbe *nier* est suivi le plus souvent du subjonctif.

- *La Curatelle nie que ses protégés aient été soumis à des expériences.*

Toutefois, quand on veut insister sur la réalité du fait, on peut employer l'indicatif.

- *Il ne nie pas qu'il a mal agi.*

Nier peut aussi être suivi du conditionnel si le fait exprimé est hypothétique.

- *Elle nie qu'elle pourrait agir ainsi.*

nippon

Au féminin, on écrit indifféremment *nippone* ou *nipponne.*

niveau

Les locutions *niveau* et *palier de gouvernement* sont considérées comme impropres au Canada, où le gouvernement fédéral et les gouvernements provinciaux sont souverains à l'intérieur de leurs compétences. L'expression *ordre de gouvernement* est donc plus juste.

- *Les autochtones du Canada réclament la création d'un nouvel ordre de gouvernement.*

Niveau est également impropre pour désigner les *ordres* d'enseignement au Québec. Ces derniers sont l'enseignement primaire, l'enseignement secondaire, l'enseignement collégial et l'enseignement universitaire.

niveau de (au)

La locution *au niveau de* signifie *au diapason, à la portée, à la hauteur.*

- *L'écran cathodique doit être placé au niveau des yeux.*

C'est abusivement qu'on lui donne le sens de *au stade de, en ce qui a trait à, en ce qui concerne, en matière de, sur le plan de...*

- *Sur ce plan, rien n'a progressé.*

Noël

Certains dictionnaires font une distinction entre la fête religieuse, qui serait du genre masculin, et la période de réjouissances, qui serait du genre féminin. Mais de nombreux auteurs jugent, avec raison, cet usage inutile, faisant de *Noël* un mot masculin, sauf dans l'expression *à la Noël.*

Par ailleurs, le mot *noël* s'écrit sans majuscule quand il désigne une « chanson de Noël ».

- *Les gens aiment les noëls d'autrefois.*

nœud papillon

Ce composé ne prend pas de trait d'union. Au pluriel : *nœuds papillons.*

no-fault

On peut traduire *no-fault (insurance)* par *assurance sans égard à la responsabilité* ou par *indemnisation sans égard à la responsabilité.* Bien sûr, l'appellation française est plus longue, mais elle décrit avec précision un « système de règlement ou d'indemnisation qui n'est pas fondé sur la notion de responsabilité, de faute ou de culpabilité ».

Quand, pour des impératifs de concision (dans un titre sur une colonne, par exemple), on emploie néanmoins *no-fault*, il faut mettre le terme en italique.

noirceur

Au Québec, ce mot est synonyme familier d'*obscurité.*

- *Les enfants doivent rentrer avant la noirceur.*

nombres

Voir *chiffres.*

nomination

En français, ce mot qualifie l'« action d'un supérieur qui désigne quelqu'un pour occuper un poste, une fonction, un emploi ».

- *Sa nomination à la Cour suprême devrait être annoncée la semaine prochaine.*

Le mot désigne le « fait d'être nommé parmi les lauréats d'un concours ». En ce sens, *nomination* s'apparente à *mention.*

Sous l'influence de l'anglais, on a créé les expressions *mises en nomination* et *mettre en nomination*, qui, elles, ne sont pas françaises.

- *Le choix des sélectionnés pour les Félix sera connu lundi.*
- *Deux hommes d'affaires sont candidats à l'investiture libérale.*
- *Le choix des nominations pour les Olivier vient d'être dévoilé.*

nominé, e

Nominé est un calque de l'anglais *(nominee)*. Il désigne une « personne sélectionnée pour un prix, une distinction ». Il existe une recommandation officielle pour le remplacer par *sélectionné*, mais l'usage la boude. On rencontre toutefois de plus en plus souvent *nommé*, qui constitue une excellente solution de remplacement pour l'affreux *nominé.*

- *On connaîtra cette semaine les nommés pour les Oscars.*
- *Karine Vanasse a été nommée pour le Jutra de la meilleure actrice.*

Voir aussi *nomination.*

nominer

Voir *nominé, e.*

noms propres (pluriel des)

Prennent la marque du pluriel :

- les noms de peuples, d'habitants ;
  - *Les Canadiens, les Québécois, les Montréalais, les Jeannois.*
- les noms des familles royales, princières ou célèbres ;
  - *Les Bourbons, les Condés.*
- les œuvres d'un artiste.
  - *J'ai lu tous les Verlaines.*
  - *Il y a quelques Riopelles dans ce musée.*

Cette dernière règle n'est toutefois pas absolue, certains auteurs préférant le singulier.

Restent au singulier :

- les familles ordinaires ;
  - *Les Germain, les Tremblay.*
- les familles étrangères ;
  - *Les Martinez, les Ricci.*
- les marques commerciales ;
  - *Des Chevrolet, des Ford.*
- les noms désignant une seule personne bien qu'ils soient précédés d'un *les* emphatique.
  - *Les Charron, les Léger, les Morin ont tenu tête aux libéraux.*

non

Ce mot prend un trait d'union devant un substantif.

- *L'association des non-fumeurs.*

Il n'en prend pas devant un adjectif.

- *Une usine non concurrentielle.*
- *Un point non mérité.*

Cela dit, il arrive parfois que *non* soit lié par un trait d'union à l'adjectif qui suit, sans doute quand l'un et l'autre forment un tout indissociable.

- *Une exposition non-conformiste.*

note

Voir *addition*.

nous

Les adjectifs ou les participes qui se rapportent au *nous* de majesté ou au *nous* de politesse s'accordent en genre mais non en nombre. En revanche, le verbe est au pluriel.

- *Nous sommes heureuse de vous avoir rencontré.*

Le *vous* de politesse suit la même règle, car il désigne lui aussi une seule personne.

- *Vous êtes trop permissive avec lui.*

nouveau

Dans les expressions dont le premier élément est *nouveau* et le second un adjectif ou un participe ayant valeur de nom, *nouveau* est variable en genre et en nombre bien qu'il ait une valeur adverbiale.

- *Des nouveaux mariés.*
- *Des nouvelles venues.*

L'expression *nouveau-né* fait toutefois exception.

- *Des nouveau-nés.*
- *Une nouveau-née.*

Mais cette dernière règle n'est pas absolue, certains auteurs, et non des moindres, n'hésitant pas à écrire *nouveaux-nés* et *nouvelle-née*.

nouveau (à)

Il arrive de plus en plus souvent que l'on confonde les locutions *à nouveau* et *de nouveau*. Mais cet usage fait perdre au français une nuance intéressante, car les deux expressions ne sont pas tout à fait identiques. *De nouveau* signifie « encore une fois » ; *à nouveau* veut dire « d'une façon différente ».

Cela dit, il faut reconnaître que cette distinction est de moins en moins respectée, y compris par les dictionnaires.

nouveau (de)

Voir *nouveau (à)*.

Nouveau Parti démocratique

On mettra une majuscule à l'adjectif qui précède le substantif, une minuscule à celui qui le suit.

nouvelles (bulletins de)

Les *bulletins d'information* diffusent les dernières *nouvelles*, mais ils ne sont pas pour autant des *bulletins de nouvelles*.

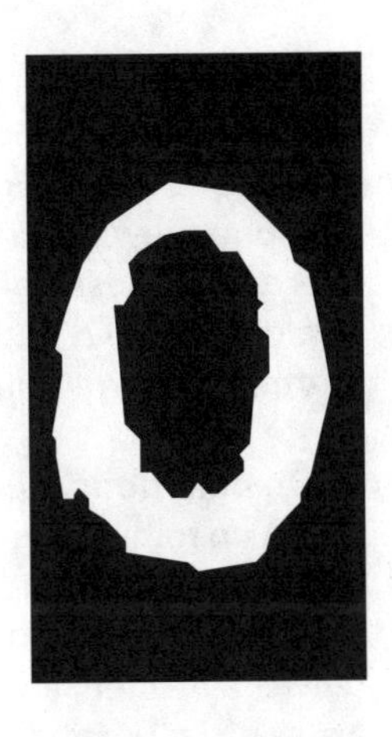

objecter (s')

C'est une erreur fréquente d'employer ce verbe à la forme pronominale. On dira plutôt *s'opposer à*, *s'élever contre*.

- *Le ministre des Transports a invité l'opposition à ne plus s'opposer à une mesure susceptible de réduire la vitesse sur les routes.*
- *Le procureur de la Couronne s'est opposé à la libération de l'accusé.*

Bien entendu, on peut utiliser le verbe *objecter* correctement, au sens de *répliquer*.

- *« L'avance de Schumacher n'est pas si grande », a objecté Jean Todt au soir de la victoire de son pilote au Grand Prix de Monaco.*

obsèques

Voir *funérailles*.

océan

Ce nom prend une minuscule, sauf lorsqu'il est employé de façon elliptique.

- *Ce marin a traversé l'Océan.*

Dans les autres cas, c'est l'élément spécifique qui prend une majuscule.

- *L'océan Pacifique.*
- *L'océan Indien.*

octroi

Ce mot désigne l'« action d'octroyer ».

- *L'octroi d'un privilège.*

Octroi est une impropriété au sens de *subvention*.

- *Le ministère des Affaires culturelles a diminué ses subventions aux musées.*

Subside n'est pas non plus synonyme de *subvention*. Il désigne plutôt l'« assistance apportée par une personne à une autre, ou par un État à un autre ».

- *Il subsiste grâce aux subsides de son père.*
- *Le Canada a réduit ses subsides aux pays en voie de développement.*

œuvrer

Ce verbe n'est pas un banal synonyme de *travailler*. *Œuvrer*, c'est « travailler à une œuvre artistique », « travailler avec désintéressement », « travailler à quelque chose d'important » ou « tout mettre en œuvre pour obtenir quelque chose ».

On peut donc *œuvrer* à une exposition, à un roman, à un scénario. On peut *œuvrer* pour une cause humanitaire, une œuvre de charité, un idéal. On peut aussi *œuvrer* à assurer l'avenir de ses enfants, à assainir les finances publiques. Mais on n'*œuvre* pas dans un bureau ou une usine ; on y *travaille*, tout simplement. On peut dire familièrement qu'on y *bosse*. Et si le boulot est inintéressant, on peut dire qu'on *besogne*, qu'on *peine*, qu'on *trime*.

On *œuvre* encore moins dans le trafic de stupéfiants, comme je l'ai lu. Un tel usage est à proprement parler... stupéfiant.

- *On le soupçonne de faire du trafic de stupéfiants.*

office

Ce mot prend une majuscule lorsqu'il désigne un organisme national ou international unique.

- *L'Office de la langue française.*

Ce mot est un anglicisme au sens de *bureau* ou de *réception*.

- *Vous trouverez la réception à la droite du hall.*

office (en)

La locution *en office* est un anglicisme au sens de *en fonction*, *en exercice*, *en service*.

officier

Ce mot est un anglicisme au sens d'*administrateur* ou de *dirigeant*.

- *Les administrateurs de la compagnie.*
- *Les dirigeants syndicaux.*

ombudsman

On traduit maintenant cet anglicisme par *protecteur du citoyen*.

- *Elle a écrit au protecteur du citoyen pour se plaindre de la lenteur gouvernementale.*

on

L'accord des adjectifs et des participes se fait souvent avec ce que représente *on*. Mais le verbe, lui, reste au singulier même quand *on* se substitue à *nous*.

- *On est tombés dedans quand on était petits.*

De plus, comme le note le grammairien Joseph Hanse, adjectifs et participes sont généralement laissés invariables quand « *on* peut être vu comme un indéfini de sens très général ».

- *On chante en anglais afin d'être entendu par le plus grand nombre.*

Par ailleurs, le pronom *on* est parfois précédé de *l'* par souci d'euphonie ou pour éviter l'hiatus.

- *Ça fait bien 100 ans que l'on a constaté qu'il est possible de se servir de l'azote comme source d'énergie.*
- *Si l'on en croit les souverainistes, Pierre Brien a commis une erreur en adhérant à l'ADQ.*

Cela dit, cet emploi est toujours facultatif. Dans certains cas, notamment en début de phrase, il est considéré comme littéraire, voire comme affecté.

- *L'on se souviendra longtemps de la palme d'or controversée de Maurice Pialat au Festival de Cannes pour* Sous le soleil de Satan.

onde

Ce mot reste au singulier dans l'expression *être sur la même longueur d'onde*. Il prend la marque du pluriel dans l'expression *être* ou *mettre en ondes*.

opération

Ce mot constitue un anglicisme au sens de *fonctionnement, activités, exploitation, production.*

- *Les activités d'une entreprise.*
- *L'exploitation d'un commerce.*
- *Le directeur de l'exploitation.*
- *Les coûts d'exploitation.*
- *Les bénéfices ou les pertes d'exploitation.*
- *Le budget de fonctionnement.*
- *La production d'une usine.*

opération (en)

L'expression *en opération* est un calque de l'anglais *(in operation)*. On dira plutôt, selon le contexte, *en activité, en exploitation, en marche, en service, en vigueur.*

- *Un parc en activité.*
- *Un plan en application.*
- *Une usine en exploitation.*
- *Un appareil en marche.*
- *Un train en service.*
- *Un programme en vigueur.*

opérer

Le verbe *opérer* subit l'influence de son double anglais, *to operate*. Dans notre langue, on peut *opérer* un patient ou un changement, une armée peut *opérer* une manœuvre ou une jonction. Mais, on n'*opère* pas un commerce, un service, une boutique ou une entreprise ; on l'*exploite*, on l'*administre*, on le *dirige*, on le *possède*, on l'*ouvre*, on le *gère*, on *tient boutique* ou *commerce*, etc. On n'*opère* pas davantage un appareil ou une machine ; on *fait fonctionner*, on *actionne*, on *utilise* un appareil, on *conduit*, on *manœuvre* une machine.

opportunisme

En français, l'*opportunisme* est un défaut. Être opportuniste en effet, c'est « placer son intérêt au-dessus de ses principes ». Qualifier un joueur d'*opportuniste*, ce n'est pas, contrairement à ce qu'on croit généralement, lui faire un compliment. Un joueur *opportuniste* est, en fait, un joueur qui place son intérêt au-dessus de celui de son équipe. C'est sous l'influence de l'anglais qu'on donne à ce mot le sens de *doué, habile, astucieux*, etc.

opportuniste

Voir *opportunisme*.

opportunité

Il est incontestable que l'emploi de ce mot au sens d'*occasion* vient de l'anglais. Mais son usage est si répandu dans l'ensemble de la francophonie qu'il paraît désormais inutile de s'y opposer. Les personnes que cette origine anglaise gêne peuvent, bien sûr, continuer à employer *occasion*.

- *La chanteuse a profité de l'occasion pour remercier ses musiciens.*

opposition

Certains journalistes écrivent ce mot avec une majuscule pour distinguer le principal parti d'opposition de l'ensemble des partis d'opposition. Cet usage n'est pas entériné par les dictionnaires. Le principal parti d'opposition est en fait l'*opposition officielle*.

- *En 1997, le Parti libéral a été réélu à Ottawa. Le Parti réformiste a succédé au Bloc québécois comme opposition officielle. Le reste de l'opposition était constitué du Parti conservateur et du Nouveau Parti démocratique.*

orage électrique

Cette expression est un calque de l'anglais *(electric storm)*. En français, on la considère comme pléonastique, car un *orage* est toujours accompagné de phénomènes électriques.

oratoire

Ce mot prend une minuscule, sauf lorsqu'il est employé de façon elliptique.

- *L'oratoire Saint-Joseph.*
- *Elle compte se rendre à l'Oratoire cet été.*

orchestre

Ce mot prend une majuscule quand il désigne un organisme unique.

- *L'Orchestre symphonique de Québec.*

ordre

Ce mot prend une majuscule lorsqu'il désigne un organisme unique.

- *L'Ordre des ingénieurs forestiers du Québec.*

Les noms des membres des ordres religieux prennent généralement une minuscule.

- *Les carmélites, les dominicains, les jésuites, les ursulines.*
- *Les recettes de sœur Angèle.*
- *Les frères des Écoles chrétiennes.*

On écrit cependant les *Sœurs grises*.

Pour les distinctions entre *ordre* et *niveau*, voir ce dernier mot.

ordre (en)

Cette expression est un anglicisme au sens d'*en règle, en bon état*.

- *Vos papiers sont en règle.*
- *Cette montre est vieille, mais en bon état.*

ordre (hors d')

Cette expression est un anglicisme au sens d'*en panne*.

- *Mon automobile est en panne.*

Cette expression est également un anglicisme au sens de *procédure irrégulière, intervention antiréglementaire*. De la même manière, *être hors d'ordre*, c'est *aller contre le règlement, déroger au règlement, faire une intervention antiréglementaire.*

organisation

Ce mot prend une majuscule lorsqu'il désigne un organisme unique.

- *L'Organisation de l'unité africaine.*

organiseur

On rencontre souvent ce mot pour désigner un « logiciel de gestion du temps ». Il s'agit d'une traduction littérale d'*organizer*. À mon avis, il s'agit d'un calque inutile, le français disposant déjà d'*agenda électronique*. La locution est évidemment un peu plus longue, mais quand le contexte est clair, on peut tout simplement parler d'*agenda*.

- *Il est tout fier de son nouvel agenda.*

Ce type d'*agenda* est intégré soit à un ordinateur de bureau, soit à un ordinateur de poche. Les modèles les plus récents permettent de synchroniser les données de ces deux types d'ordinateur.

organismes (noms d')

L'élément générique d'un nom d'organisme s'écrit avec une majuscule lorsqu'il fait indiscutablement partie de la dénomination. C'est le cas lorsqu'il est suivi d'un nom commun ou d'un adjectif.

- *La Régie de l'assurance maladie.*
- *L'Association forestière québécoise.*

En revanche, l'élément générique est généralement considéré comme un nom commun lorsqu'il est déterminé par un nom propre ou un équivalent. Dans ce cas, il s'écrit avec une minuscule.

- *Les entreprises Dalcourt.*
- *Le groupe SNC-Lavalin.*
- *L'association Midi-Quarante.*

Lorsque le premier substantif d'un nom d'organisme prend une majuscule, il la conserve quand il est employé seul, à condition qu'il soit précédé d'un article défini.

- *Le Conseil de la langue française fera connaître son avis la semaine prochaine. Il semble que le Conseil prônera la ligne modérée.*

originer

Ce néologisme est une traduction de *to originate*. Ses équivalents français sont nombreux et, bien entendu, préférables : *avoir* ou *tirer son origine, commencer, dériver de, émaner de, être l'auteur de, naître, prendre naissance, prendre sa source dans, provenir de, remonter à...*

- *Le virage ambulatoire est né de la volonté de réduire les coûts.*
- *Cet usage remonte au siècle dernier.*

Oscar

Voir *récompenses (noms de).*

ouailles

Ce mot du vocabulaire religieux désigne les « chrétiens par rapport à leurs pasteurs ». C'est un synonyme familier de *paroissiens*. Il s'agit d'une impropriété au sens de *joueurs (d'un club).*

outrage

Voir *mépris de cour.*

outrageux

Outrageux qualifiait jadis une personne insolente ou une chose de caractère outrageant. C'est vraisemblablement sous l'influence de l'anglais qu'on ressuscite le mot aujourd'hui au sens de *convaincant, décisif, éclatant, écrasant.*

- *L'écurie McLaren a remporté une victoire écrasante en Australie.*

ouvert (être)

La locution *être ouvert à l'idée de* est un anglicisme au sens d'*être disposé à.*

La question est ouverte est également un anglicisme. On dira plutôt que *la question est en suspens.*

ouvert 24 heures

Voir *jour et nuit.*

ouvertures

Au pluriel, ce mot est un anglicisme *(openings)* au sens de *débouchés, emplois, perspectives d'emploi* ou *postes vacants.*

pacte

Ce mot s'écrit avec une majuscule quand il est suivi d'un nom commun ou d'un adjectif.

- *Le Pacte atlantique.*

Il s'écrit avec une minuscule quand il est suivi d'un nom propre.

- *Le pacte de Varsovie.*
- *Le pacte de l'Atlantique Nord.*

pagination électronique

Voir *édition électronique*.

paiements faciles

Dans plusieurs messages publicitaires traduits de l'anglais, on entend parler de *paiements faciles*. Il s'agit d'un calque de *easy payments*. On traduit généralement cette locution par *facilités de paiement*.

pain brun

Cette locution est un anglicisme *(brown bread)* au sens de *pain bis* ou *pain de son*.

pain d'épice(s)

On écrit indifféremment *pain d'épice* ou *pain d'épices*.

paix des Braves

On trouve la locution *paix des braves* sans majuscule dans le Robert. En ce sens, l'expression désigne une « paix honorable pour les vaincus qui se sont battus courageusement ».

- *Les Palestiniens aspirent à la paix des braves.*

Mais chez nous, cette locution désigne plus précisément une entente conclue entre le gouvernement du Québec et la nation crie. On l'écrira donc avec une minuscule au mot commun *(paix)* et une majuscule au mot caractéristique *(Braves)*.

- *La paix des Braves.*

palais

Lorsque ce mot désigne un bâtiment, il prend une majuscule s'il est suivi d'un nom commun ou d'un adjectif.

- *Le Palais des congrès.*

Il s'écrit avec une minuscule s'il est suivi d'un nom propre.

- *Le palais de Buckingham.*

Lorsque ce mot désigne plus spécifiquement un « lieu où les tribunaux rendent la justice », il prend une minuscule, sauf s'il est employé de façon elliptique.

- *Le palais de justice de Montréal.*
- *Elle travaille au Palais.*

palet

Voir *puck.*

palier de gouvernement

Voir *niveau de gouvernement.*

pallier

On se rappellera que ce verbe se construit avec un complément direct et non indirect.

- *Cet échange vise à pallier les lacunes de la défensive.*

La fréquence de *pallier à* s'explique sans doute par sa ressemblance avec *remédier à* et *parer à.*

pamphlet

Ce mot qualifie un « petit écrit satirique et mordant ». Il constitue un anglicisme au sens de *brochure, circulaire, dépliant, prospectus.*

panel

Panel est un anglicisme au sens de *table ronde* ou *groupe de discussion.* Quant aux *panelistes*, ce sont plutôt des *participants* (à une table ronde, à un groupe de discussion).

Panel est également un anglicisme au sens de *comité d'études, comité d'experts, groupe de travail, groupe d'experts, groupe de spécialistes* ou *réunion d'experts.*

paneliste

Voir *panel.*

paparazzi

Ce mot est le pluriel italien de *paparazzo.* Le Petit Robert conseille de le franciser. Ainsi, on écrira *paparazzi* au singulier et *paparazzis* au pluriel. Cet usage devrait s'imposer.

- *Les paparazzis ont hanté la vie de la princesse Diana.*

papeterie

Ce mot désigne un « magasin où l'on vend des articles de bureau ou des fournitures scolaires ». Il ne désigne pas les articles eux-mêmes.

Voir aussi *moulin à papier.*

papetière

Voir *moulin à papier.*

papier de toilette

La locution *papier de toilette* est un calque de *toilet paper.* En français, on dira plutôt *papier hygiénique.*

papier hygiénique

Voir *papier de toilette.*

papiers d'identification

Les « pièces attestant l'identité d'une personne » sont des *papiers d'identité* et non des *papiers d'identification.*

Pâque

Au féminin, sans s, avec ou sans la majuscule, ce mot désigne la fête juive.

- *Les juifs célèbrent la Pâque.*

La fête chrétienne, elle, est du genre masculin et son accord se fait au singulier malgré son *s* final.

- *Pâques est arrivé tôt cette année.*

Toutefois, avec une épithète ou un déterminant, *Pâques* devient un mot féminin pluriel.

- *Joyeuses Pâques !*

Pâques

Voir *Pâque.*

par

C'est l'adverbe *sur* et non *par* qu'il faut employer quand on indique les dimensions d'une surface.

- *Un bureau mesure trois mètres sur quatre.*

parade

Ce mot est un anglicisme au sens de *défilé.*

- *Le défilé de la Saint-Jean.*
- *Le défilé du père Noël.*

La locution *parade de mode* est un anglicisme au sens de *présentation de collection(s), présentation de mode, défilé de mannequins, défilé de mode.*

parascolaire

L'*activité parascolaire* est une « activité qui se déroule dans le cadre de l'école, mais sans constituer un complément à l'enseignement ». Une « activité qui, sans être à proprement parler scolaire, mais qui complète la formation » est une *activité périscolaire.*

- *Les cours de théâtre sont des activités périscolaires.*

parc

Ce mot s'écrit avec une majuscule quand il est suivi d'un nom commun ou d'un adjectif.

- *Le Parc zoologique.*

Il prend une minuscule lorsqu'il est suivi d'un nom propre.

- *Le parc Cartier-Brébeuf.*
- *Le parc des Îles.*

On écrit cependant *Parcs Canada.*

Un « lieu où l'on peut faire des tours de manège » est un *parc d'attractions* et non un *parc d'amusement.* Cette dernière locution est un calque d'*amusement park.*

pare-balles

Voir *anti-balles.*

pare-brise

Ce mot composé est invariable au pluriel.

parker

On remplacera cet anglicisme formé à partir du verbe anglais *to park* par les verbes *garer, parquer* ou *stationner* (un véhicule).

parking

Ce mot d'origine anglaise gêne certains usagers, même s'il s'intègre sans problème au français et même si son usage est courant, tant en France que chez nous.

On peut, bien entendu, y substituer *parc de stationnement, parc à autos* ou *parc-autos.*

- *La société SDM exploite des parcs-autos sans permis.*

par le biais de

Voir *biais (par le – de).*

parlement

Ce mot désigne la ou les « assemblées qui exercent le pouvoir législatif ». Il s'écrit avec une majuscule.

- *Le Parlement canadien comprend la Chambre des communes et le Sénat.*

L'édifice où siège le Parlement s'appelle le *palais du Parlement*. Mais dans l'usage courant, on emploie tout simplement le mot *parlement*, sans majuscule.

- *L'UPA a tenu une manifestation devant le parlement.*

Le mot *parlement* est un anglicisme au sens de *législature*, mot qui désigne la « période durant laquelle une assemblée exerce son mandat ».

- *Jean Chrétien a mis fin à la 35e législature pour déclencher des élections fédérales.*

parquet

On appelle *parquet* un « assemblage de planches ou de planchettes de bois couvrant le sol d'une pièce ». Le *parquet à l'anglaise*, très répandu chez nous, est constitué de lames de bois parallèles. Le *parquet en mosaïque*, que l'on rencontre aussi, est constitué de planchettes de bois posées en mosaïque. Chez nous, on appelle souvent ce type de parquet *marqueterie*. Mais ce mot désigne plus précisément un « assemblage décoratif, généralement de plusieurs couleurs, fait de pièces de bois, de marbre, de métal, de nacre, etc. ». Quant au mot *parqueterie*, il désigne la « pose des parquets », non les *parquets* eux-mêmes.

parrain

Voir *commanditaire.*

parrainage

Voir *commanditaire.*

part

Ce mot est un anglicisme au sens d'*action*.

- *Cet homme a des actions en Bourse.*

Cependant, on peut dire avec justesse que quelqu'un cède sa *part* (et non *ses parts*) dans une compagnie ou une coopérative. *Part* a en effet le sens de « portion du capital d'une société ».

part (de toute)

On peut écrire *de toute part* ou *de toutes parts*, mais le pluriel est plus fréquent. Par contre dans les locutions *de part en part* et *de part et d'autre*, le singulier est obligatoire.

part (faire sa)

Faire sa part est un calque de *to do one's part*. En français, on dira plutôt *appuyer, collaborer à, contribuer, fournir sa part, participer à.*

- *Le gouvernement du Québec estime avoir fourni sa part.*

part (prendre la)

Prendre la part (de quelqu'un) est un anglicisme au sens de *prendre la défense* ou *le parti* (de quelqu'un).

parti

Lorsque ce mot qualifie un regroupement politique, il prend une majuscule, ainsi que l'adjectif qui le précède s'il y a lieu.

- *Le Parti québécois.*

- *Le Parti égalité.*
- *Le Nouveau Parti démocratique.*

Quand on désigne les membres d'un parti, c'est toutefois la minuscule qu'il convient d'employer.

- *Les libéraux, les péquistes, les communistes, les républicains,* etc.

participe passé

Le participe passé des verbes pronominaux est source de maux de tête pour bien des auteurs, et non des moindres. Voici quelques éléments utiles.

Réglons d'abord le cas le plus facile, celui des verbes qui sont toujours pronominaux : *se suicider, s'évanouir, s'enfuir,* etc. Le participe passé de ces verbes s'accorde toujours avec le sujet du verbe, à l'exception du participe passé de *s'arroger.*

- *Elles se sont évanouies.*

C'est que le sujet de ces verbes désigne le même acteur que le pronom réfléchi *se.*

Dans le cas du participe passé des verbes occasionnellement pronominaux, la façon la plus simple de procéder est de remplacer (mentalement) l'auxiliaire *être* par l'auxiliaire *avoir* et de se demander si le pronom *se* est complément d'objet direct.

- *Elles se sont retrouvées.*

C'est-à-dire : *elles ont retrouvé* qui : *elles.*

En revanche, on écrira :

- *Elles se sont succédé.*

C'est-à-dire : *elles ont succédé* à qui : *à elles.*

Le participe passé des verbes transitifs indirects employés pronominalement est toujours invariable.

- *Ils se sont plu à jouer ensemble.*

Ces règles simples permettent de résoudre à peu près 99 % des cas. Reste un pour cent de pièges. En voici un bon exemple.

- *1. Elles se sont réservées.*
- *2. Elles se sont réservé de bonnes places.*
- *3. Les bonnes places qu'elles se sont réservées.*
- *4. Les bonnes places, elles se les ont réservées.*
- *5. De bonnes places, elles s'en sont réservé(es).*

Dans le premier cas, il y a accord parce que le pronom réfléchi *se* est complément d'objet direct. *Elles ont réservé* qui : *elles.*

Dans le deuxième cas, il n'y a pas d'accord parce que le pronom réfléchi *se* est complément d'objet indirect. Il y a bien un complément d'objet direct, mais il est situé après le verbe.

Dans le troisième et le quatrième cas, le pronom réfléchi n'est toujours pas complément d'objet direct, mais il y a quand même accord parce qu'il y a un complément d'objet direct *(les bonnes places)* placé avant le verbe.

Enfin, dans le dernier cas, le complément d'objet direct est *en.* De nombreux auteurs considèrent ce pronom comme neutre, même lorsqu'il représente un mot féminin et pluriel. Pour eux donc, le participe passé doit rester invariable. Mais d'autres grammairiens, au contraire, estiment que le pronom *en* doit assumer le genre et le nombre du mot qu'il représente. De sorte qu'il n'est pas incorrect de faire varier le participe passé dans un tel cas.

Autre cas difficile, celui de l'accord du participe *laissé* utilisé à la forme pronominale. Par exemple, faut-il écrire *elles se sont laissées prendre* ou *elles se sont laissé prendre* ?

La règle est la suivante : il y a accord si le pronom *se* est sujet de l'infinitif, et il n'y a pas d'accord si le pronom *se* est objet de l'infinitif. Dans le cas qui nous occupe, le pronom *se* est objet de l'infinitif. *Elles ont laissé prendre elles*. Donc pas d'accord. Par contre, il faudrait écrire : *elles se sont laissées aller*, parce que, dans ce cas, le pronom *se* est sujet de l'infinitif. C'est-à-dire : *elles ont laissé elles aller*.

partie

Voir *match*.

parti pris

Pas de trait d'union.

partir

Ce verbe ne peut avoir de complément d'objet direct. On ne part pas une affaire, on la *lance* ; on ne part pas une entreprise, on la *fonde* ; on ne part pas un magasin, on l'*ouvre*.

partisa(n)nerie

Ce mot est un québécisme. Les Français parlent tout simplement d'*esprit de parti* ou d'*esprit partisan*. On le retrouve avec deux *n* dans le Dictionnaire des canadianismes de Dulong et avec un seul *n* dans le Dictionnaire québécois du Robert. Le second usage paraît préférable.

partition

Si francophones et anglophones ne s'entendent pas sur le partage du Québec en cas d'indépendance, ils emploient le même terme pour en parler. *Partition* est en effet commun aux deux langues. D'abord emprunté par l'anglais au XVe siècle, le mot est revenu dans notre langue au sens de « division d'un territoire en plusieurs États », à l'occasion du partage de l'Inde, après la Deuxième Guerre mondiale.

Partition est critiqué par certains auteurs, qui lui préfèrent *démembrement, division, morcellement* ou *partage* (d'un territoire).

Partition a engendré *partitionniste.*

- *Conrad Black a galvanisé les partitionnistes en relançant le débat sur la partition du Québec.*

parts (à – égales)

La locution *à parts égales* est critiquée. Il vaut mieux employer *en parts égales*.

- *La somme a été divisée en parts égales.*
- *Les coûts seront assumés en parts égales par Ottawa et Montréal.*

parts (en – égales)

Voir *parts (à – égales)*.

party

Le français a emprunté à l'anglais le mot *party* au sens de « réunion mondaine ». *Party* avait lui-même été emprunté au mot français *partie*. Ce qui explique peut-être qu'on le francise de plus en plus souvent en *partie*. Cette tendance est d'autant plus justifiée que *partie* a déjà le sens de « divertissement réunissant des gens ».

- *Une partie de chasse, de pêche, de campagne, de jambes en l'air*, etc.

En France, le mot *party* est féminin.

passager

Autrefois, le français distinguait les *passagers* d'un paquebot ou d'un avion des *voyageurs* d'un train ou d'un autocar. Vraisemblablement sous l'influence de l'anglais, qui emploie le même mot pour qualifier les uns et les autres, le français contemporain ne fait plus cette distinction.

passe

Ce mot est désuet au sens de *carte d'abonnement, laissez-passer, carte d'entrée* ou *billet de faveur*. Cet archaïsme s'explique, chez nous, par l'influence du mot anglais *pass*.

- *La STCUM n'augmentera pas le coût de ses cartes (d'abonnement).*
- *Il a un laissez-passer pour l'exposition.*
- *Elle a un billet de faveur pour le spectacle.*
- *J'ai égaré ma carte d'entrée.*

passé

Placé en tête de phrase, ce mot est généralement considéré comme une préposition. Aussi demeure-t-il invariable.

- *Passé 23 h, l'épicerie est fermée.*

Postposé, *passé* s'accorde comme un adjectif en genre et en nombre.

- *Il s'est marié à 50 ans passés.*
- *Elle est venue la semaine passée.*

passé dû

Un compte qui n'a pas été payé après la date d'échéance est un *compte arriéré, échu* ou *en souffrance*, non un compte *passé dû*.

passer

Le verbe *passer* est un anglicisme au sens de *voter, adopter, établir, faire*. On ne *passe* pas une loi, on la *vote*. On ne *passe* pas un règlement, on l'*adopte*, on l'*établit*. On ne *passe* pas des remarques, on les *fait* tout simplement. Et on ne *passe* pas *le chapeau (to pass the hat)*, on *fait une collecte*.

Par contre, on dit avec justesse qu'on *passe* une commande, un contrat, un acte.

Par ailleurs, lorsque le verbe *passer* est transitif, l'auxiliaire *avoir* s'impose.

- *Il a passé ses vacances en Italie.*

Mais quand *passer* est employé intransitivement, c'est l'auxiliaire *être* qui aujourd'hui l'emporte, *avoir* étant considéré comme vieilli.

- *Le courant est passé.*
- *Mais où donc était-elle passée ?*

passé simple

S'il est vrai que le passé composé convient davantage au style journaliste, il faut rappeler que le passé simple n'est pas pour autant un temps interdit. C'est un temps littéraire dont il ne faut pas abuser, mais qui a tout à fait sa place dans certains contextes. Le grand grammairien Joseph Hanse rappelle d'ailleurs que le passé simple est resté vivant, du moins à la troisième personne, dans le style écrit, où il alterne parfois avec le passé composé.

Bien entendu, on peut employer le passé composé dans tous les cas. Mais certains auteurs préfèrent le passé simple pour décrire un fait qui est noyé dans un passé généralement éloigné.

pastel

Cet adjectif est invariable.

- *La mode est aux couleurs pastel.*

patate

La *patate* est un tubercule qui ne pousse pas au Canada, où l'on cultive plutôt la *pomme de terre*. On ne peut donc trouver chez nous de *patates frites ou pilées*. On mange plutôt des *pommes de terre frites* (on dit aussi des *frites*) ou des *pommes de terre en purée* (on dit aussi une *purée de pommes de terre)*. On trouve par contre chez nous la *patate douce*, qui ressemble à la *pomme de terre*, mais qui a un goût sucré. L'appellation *patate sucrée* est impropre.

patate chaude

Cette expression nous vient de l'américain *(hot potato)*. En français, on parlera de préférence d'un *épineux problème*, d'une *affaire embarrassante*, d'une *épine au pied*.

- *L'affaire Parizeau a été embarrassante pour les souverainistes.*
- *Le président du Conseil du Trésor doit résoudre un épineux problème.*
- *Le travail au noir est une épine au pied des gouvernements.*

paterner

Ce verbe est un néologisme calqué sur *materner*. Il vient sans doute du mouvement « politiquement correct ».

patins à roues alignées

Il y a quelques années, un brillant cerveau a eu l'intuition que les *patins à roulettes* seraient plus rapides et plus agréables si les roulettes étaient disposées en ligne plutôt qu'en parallèle. Cette heureuse innovation est devenue si populaire que les nouveaux patins ont pratiquement éliminé les anciens. Au Québec, on a même inventé une nouvelle appellation pour les désigner : *patins à roues alignées*. Fallait-il le faire ? Je n'en suis pas convaincu. Certes, les nouveaux patins sont révolutionnaires. Mais doit-on inventer de nouveaux mots chaque fois qu'il y a une percée technologique ? La réponse est non, car au rythme où la science progresse, il faudrait constamment réinventer le vocabulaire.

Cela dit, l'usage, du moins chez nous, a massivement imposé *patins à roues alignées*, à tel point qu'il paraît difficile de s'y opposer. Pour beaucoup de gens, en effet, *patins à roulettes* fait vieux jeu alors que *patins à roues alignées* fait branché. Tant pis !

L'OLF déconseille *rollers*, qui est un anglicisme, et *Rollerblades*, qui est une marque de commerce. L'OLF accepte par contre *patins à roulettes alignées* et *patins en ligne*.

patio

Ce mot désigne en français une « cour intérieure dans une maison ». Il constitue une impropriété au sens de *cour extérieure* ou *terrasse*.

- *Il a installé un pavillon de jardin dans sa cour.*
- *Sa cour donne sur une ruelle.*
- *L'été, nous prenons le petit-déjeuner sur la terrasse.*

Voir aussi *porte-patio*.

patronage

Ce mot est un anglicisme au sens de *favoritisme* (politique). Quand les faveurs sont octroyées aux membres d'une famille, on peut parler de *népotisme*.

- *Le gouvernement italien est secoué par les accusations de favoritisme.*
- *Le président du Brésil a été accusé de népotisme.*

pause-café

Ce mot composé s'écrit avec un trait d'union. Au pluriel : *pauses-café*.

pavage

Ce mot désigne en français un « revêtement formé de pavés, de dalles, de briques, de pierres ou de mosaïque ». C'est un anglicisme au sens d'*asphalte* ou de *chaussée asphaltée*.

Quant au verbe *paver*, il signifie « couvrir de pavés ». C'est un anglicisme au sens d'*asphalter*.

- *Certaines rues jadis pavées ont été asphaltées.*

paver la voie

La locution anglaise *to pave the way* ne se traduit pas par *paver la voie*, qui est un calque. On dira plutôt *préparer le terrain* ou *le chemin, laisser le champ* ou *la voie libre, ouvrir la porte* ou *la voie*.

- *La catastrophe provoquée par le verglas a ouvert la porte aux demandes d'Hydro-Québec.*

pavillon

Ce mot prend une minuscule quand il désigne un édifice et qu'il est déterminé par un nom propre ou un équivalent.

- *Le pavillon Parent.*
- *Le pavillon de la Jeunesse.*

Voir aussi *kiosque*.

pawnshop

Les médias ne savent pas trop comment traduire ce terme. Lors d'une descente effectuée par la police de la CUM, on a parlé de *prêteurs sur gage*. Mais le mot *prêteur* désigne la personne qui prête, pas l'établissement. Il vaudrait mieux parler de *bureau* ou de *commerce de prêt sur gage*. Notons qu'on trouve parfois le mot *gage* au pluriel, l'usage étant plutôt flottant.

Les Français emploient également *mont-de-piété* pour désigner ce type d'établissement, mais ce composé est peu connu chez nous.

payeur de taxes

Cette locution est une mauvaise traduction de *taxpayer*. La « personne qui paie des impôts » est un *contribuable*.

- *Les contribuables sont au bord de la révolte.*

pay per view

Cette locution anglaise se traduit par *commande à la carte* (dans le vocabulaire de la télévision).

- *La télévision permet maintenant la commande à la carte.*

pays (noms de)

Les génériques des noms de pays (*confédération, émirat, empire, fédération, principauté, république, union*, etc.) s'écrivent avec une majuscule quand ils sont suivis d'un nom commun ou d'un adjectif.

- *Les Émirats arabes unis.*
- *L'Empire britannique.*
- *La République tchèque.*

Ils s'écrivent avec une minuscule quand ils sont suivis d'un nom propre.

- *L'empire des Indes.*
- *La principauté de Monaco.*

Les dictionnaires ne s'entendent pas sur la graphie de la *République dominicaine*, qu'on trouve aussi sous les formes *République Dominicaine* et *république Dominicaine*. La première graphie est plus conforme à l'usage habituel.

PDG

Voir *président-directeur général.*

peacekeeper

Ce mot est un anglicisme au sens de *Casque bleu* ou de *gardien de la paix.*

Au Québec, on emploie cependant ce terme anglais pour désigner un « policier d'une réserve mohawk ». En ce sens, *peacekeeper* s'écrit avec une minuscule et l'usage de l'italique est inutile.

peau (par la – des dents)

La locution *par la peau des dents* est un calque de *by the skin of one's teeth.* En français, on dira préférablement *de justesse.*

- *Jacques Villeneuve a gagné le Grand Prix d'Argentine de justesse en 1997.*

Quant à la locution *to escape by the skin of one's teeth,* il est préférable de la traduire par *l'échapper belle* plutôt que par *l'échapper par la peau des dents.*

- *Explosion à l'Accueil Bonneau : beaucoup de gens l'ont échappé belle.*

pêcherie

On évitera de confondre *pêche* et *pêcherie,* ce dernier substantif désignant un « lieu aménagé pour la pêche », non la *pêche* elle-même.

pécuniaire

C'est *pécuniaire,* et non *pécunier,* qui est synonyme de *financier.* En fait, *pécunier* n'existe pas.

Par ailleurs, *pécuniaire* n'est pas synonyme de *monétaire,* qui signifie « relatif à la monnaie ». Dans une convention collective, par exemple, les clauses *pécuniaires* ne sont pas des clauses *monétaires,* mais *salariales.*

pégriot

Ce mot vient de *pègre* et de *petiot.* On ne le trouve pas dans les dictionnaires usuels, mais il est cité dans le Dictionnaire du français non conventionnel, qui lui donne le sens de « jeune délinquant, petit voyou ou voleur ». *Pégriot* est considéré comme littéraire.

peinturer

Peinturer, au sens de « couvrir de peinture », est devenu un archaïsme en France, où ce verbe veut désormais dire *barbouiller.* Il n'y a donc plus qu'au Québec qu'on retrouve la distinction entre *peindre* un tableau et *peinturer* un mur.

Par ailleurs, le québécisme familier *se peinturer dans le coin* fait concurrence à une autre locution, apparemment régionale elle aussi, *se tirer dans le pied.* Ces deux locutions ont le sens d'« agir de façon maladroite ».

pelure de banane

Bien sûr, le mot *pelure* peut désigner la « peau ôtée d'un fruit ». Mais au sens de « procédé déloyal », c'est *peau* plutôt que *pelure* qu'il convient d'employer.

- *Le ministre Rock a glissé sur une peau de banane.*

pénalité

Voir *punition*.

per capita

Cette expression latine est utilisée en anglais. En français, il s'agit d'un anglicisme inutile, car on peut lui substituer, selon le contexte, *par habitant, par individu, par personne* ou *par tête*.

- *Le revenu par habitant est plus élevé au Canada qu'au Mexique.*
- *Le coût par personne est de 300 $.*

perdurer

Comme le fait remarquer le grammairien Joseph Hanse, ce verbe n'est pas un régionalisme, mais un vieux mot français. Peu usité en France, il est demeuré bien vivant chez nous et en Belgique. Et pourquoi pas !

- *Le débat sur la société distincte perdure au Canada.*

Bien sûr, on peut aussi rendre l'idée d'une chose qui dure (trop) longtemps par *persister, se poursuivre, se prolonger, s'éterniser* ou *traîner*.

père

Ce mot s'écrit avec une minuscule quand il désigne un membre d'une communauté religieuse.

- *Le père Ambroise.*

Le *père Noël* n'a pas davantage le droit à la majuscule. En revanche, c'est le cas du *Saint-Père le pape*, de *Dieu le Père* et des *Pères de l'Église*.

performance

Ce mot a en français le sens de « résultat obtenu dans une épreuve sportive ».

- *Sa performance a été vraiment médiocre.*

Il a aussi le sens de « résultat optimal obtenu par un appareil ».

- *Les performances de cet ordinateur sont remarquables.*

Enfin, *performance* désigne, par extension, « un exploit, un succès, une réussite ».

- *Courir le marathon en moins de deux heures quinze, quelle performance !*

En revanche, le terme *performance* est un anglicisme au sens de *comportement, rendement* ou *résultats* du marché boursier, d'une société, etc.

- *Le comportement de la Bourse est imprévisible en ce moment.*

C'est également un anglicisme au sens de *jeu, exécution, interprétation* ou *spectacle*.

- *L'exécution de ce pianiste laissait à désirer.*
- *Le jeu de cette comédienne est remarquable, mais l'interprétation de son partenaire déçoit beaucoup.*
- *Le chanteur donnera un spectacle en fin de semaine.*

performer

Le verbe *performer* est pratiquement inconnu en France, où l'on n'a pas jugé bon de traduire *to perform* par *performer*, sans doute parce que les synonymes sont nombreux : *réussir, briller, obtenir de bons résultats, faire bonne figure, avoir la main heureuse, accomplir, s'accomplir, se réaliser, atteindre le but, avoir du succès, faire son chemin, mener à bien, se surpasser, avoir un bon rendement, percer, toucher au but, triompher*, etc.

Chez nous par contre, *performer* est assez répandu, notamment dans le vocabulaire des sports, des arts et de l'économie. Ses défenseurs, car il y en a, rappellent que si *performer* vient de *to perform*, ce dernier a lui-même été emprunté à l'ancien français *parformer*. Ils ajoutent que son intégration au français suscite d'autant moins de problèmes que les dérivés *performance* et *performant* sont largement répandus.

Tout cela est vrai, sans doute, mais son emploi est-il vraiment utile ? Pour ma part, je suis loin d'en être convaincu, mais on peut différer d'avis.

périscolaire

Voir *parascolaire*.

personne en situation de pauvreté

Le vocabulaire des euphémismes s'est enrichi d'une nouvelle locution. Ainsi donc, il n'y a plus de pauvres, seulement des *personnes en situation de pauvreté*. Ce qui, bien entendu, ne les rend pas plus fortunées. Ce terme s'ajoute à un glossaire déjà bien rempli, où l'on trouve notamment les *personnes handicapées*, les *personnes assistées sociales*, les *non-voyants*, les *mal-entendants*, les *gens du troisième âge*, les *travailleuses du sexe*. Et j'allais oublier les *assistés sociaux souffrant de contraintes sévères à l'emploi*. Adieu *handicapés, assistés, aveugles, sourds, vieillards, prostituées* et tutti quanti. Vive la langue de bois !

personne-ressource

L'OLF a donné le feu vert à cette traduction de *resource person*. Les mots *conseiller, expert* ou *spécialiste* ne doivent pas pour autant sombrer dans l'oubli.

- *Des personnes-ressources.*

petit-déjeuner

Voir *dîner*.

petites annonces

Voir *annonces classées*.

pet shop

Cette locution est un anglicisme au sens d'*animalerie*.

peu (aussi – que)

L'expression *aussi peu que* est un calque de *as little as*. En français, on s'exprimera autrement. On ne dira pas, par exemple, qu'une automobile coûte *aussi peu que* 7500 $, mais qu'elle *ne* coûte *que* 7500 $.

peuples (noms de)

Les noms de peuples, de races ou d'habitants prennent une majuscule.

- *Les Canadiens, les Québécois, les Jeannois, les Trifluviens.*

Lorsqu'un nom de peuple est composé, chaque élément prend une majuscule.

- *Les Anglo-Québécois, les Nord-Africains.*

En revanche, on ne met pas de majuscule à l'adjectif qui suit un nom de peuple.

- *Un Canadien français.*

photo-finish

Voir *finish*.

photo-radar

Voir *cinémomètre*.

pièces (de toutes)

La locution *de toutes pièces* prend la marque du pluriel.

pièces (en)

La locution *en pièces* prend la marque du pluriel.

- *Son adversaire l'a taillé en pièces.*

pied (sur un – de guerre)

La locution *sur un pied de guerre* est une impropriété au sens de *en état d'alerte*. L'expression juste est d'ailleurs *sur le pied de guerre* et elle signifie « prêt à combattre, à agir ».

- *Londres et Washington en état d'alerte.*
- *La Corée du Nord sur le pied de guerre.*

pierre

Ce mot reste au singulier dans la locution *en pierre*.

- *La façade de cet immeuble est en pierre.*

pigeon voyageur

Pas de trait d'union. Au pluriel : *pigeons voyageurs.*

piger

Ailleurs dans la francophonie, le verbe *piger* s'emploie presque exclusivement de nos jours au sens de « comprendre ».

- *Je n'ai rien pigé à ce film.*

Chez nous, on donne encore couramment à *piger* le sens vieilli de *puiser, se servir.*

- *Le gouvernement a pigé dans la caisse de la SOQUIP.*

Nous donnons aussi à *piger* le sens de *tirer au hasard* (un numéro, une carte).

- *Elle a pigé le huit.*

Ces emplois sont des québécismes familiers.

pile

Voir *batterie.*

pilote

Mis en apposition, ce mot s'écrit généralement sans trait d'union. Il prend la marque du pluriel, le cas échéant.

- *Des usines pilotes.*

pingouin

Saviez-vous qu'on ne trouve pas un seul *pingouin* en Antarctique ? Cet oiseau marin à plumage blanc et noir habite en effet les régions arctiques. Et il peut voler contrairement au *manchot*, plus massif, qui, lui, n'habite que les régions antarctiques.

pin-up

Ce composé anglais qui désigne une « photo d'une jolie femme nue ou presque nue » est invariable.

- *Les murs de sa chambre étaient couverts de pin-up.*

piquerie

Les Québécois ont inventé ce mot pour désigner un « lieu où des drogués peuvent s'injecter des drogues ». Ce néologisme remplace avantageusement *shooting gallery*.

piquetage

Voir *ligne de piquetage.*

piquet de grève

Voir *ligne de piquetage.*

piqueter

Voir *ligne de piquetage.*

piqueteur

Voir *ligne de piquetage.*

pirate

Mis en apposition, ce mot s'écrit sans trait d'union. Il prend la marque du pluriel, le cas échéant.

- *Des radios pirates.*

place

L'OLF définit ce mot comme un « espace découvert, généralement assez vaste, sur lequel débouchent plusieurs voies de circulation, la plupart du temps entouré de constructions et pouvant comporter une fontaine, des arbres ou d'autres éléments de verdure ». On notera que le mot ne prend alors pas de majuscule.

- *La place d'Armes.*
- *La place Victoria.*

L'emploi de *place* au sens d'« immeuble regroupant des activités commerciales ou culturelles » est un anglicisme. En français correct, il faut plutôt employer les termes *complexe, édifice, cité* ou *tour.*

- *Le complexe Desjardins.*

Toutefois, lorsque le terme *place* fait partie d'une raison sociale, on ne le remplacera pas. L'usage veut qu'on emploie alors une majuscule pour distinguer ces lieux des véritables places.

- *La Place des Arts.*
- *La Place Versailles.*

Place est également un anglicisme familier au sens de *ville*, de *village* ou de *lieu.*

- *Un gars du village.*
- *Un lieu agréable.*

Quant à l'anglicisme *place d'affaires*, il désigne soit un *siège social*, soit, tout simplement, un *établissement* ou un *bureau.*

place (à l'amélioration)

Le mot *place* est considéré comme un anglicisme dans la locution *place à l'amélioration*. Ainsi, on ne dira pas qu'*il y a place à l'amélioration*, mais que *cela laisse à désirer* ou qu'*on peut faire mieux.*

placer

Ce verbe est un anglicisme dans les expressions *placer un appel* ou *une commande*. On *fait un appel* et on *passe une commande.*

placier

Au Québec, on emploie ce terme pour désigner la « personne chargée de placer les spectateurs dans une salle de spectacle, un théâtre ou un cinéma ». Ailleurs dans la francophonie, on emploie plutôt *placeur* (pour une femme, on utilise aussi le mot *ouvreuse).*

plaidoyer

Ce mot est généralement suivi de la préposition *pour*, le plaidoyer étant un discours en faveur d'une personne ou d'une idée. Cela dit, le Petit Robert donne l'exemple suivant, tiré du grand Lamartine lui-même :

- *Un plaidoyer contre le célibat des prêtres.*

Plaidoyer a un sens plus large que *plaidoirie*, terme qui se limite au vocabulaire juridique.

plaignant

Voir *accusé.*

plaine

Ce mot prend une minuscule s'il désigne un toponyme naturel.

- *Les plaines d'Abraham.*

- *Les plaines de l'Ouest.*
- *La plaine du Saint-Laurent.*

Toutefois, lorsqu'on fait l'ellipse du nom propre, on emploiera une majuscule.

- *Les Plaines (d'Abraham, de l'Ouest).*

plan

Ce mot est un anglicisme dans les expressions *plan d'assurance, plan de pension* et *plan conjoint*, qui se rendent en français par *police d'assurance, régime de retraite* et *programme à frais partagés.*

Plan est également un anglicisme au sens de *projet.*

- *Nous avons fait des projets pour nos vacances.*

plan de (au)

On dira de préférence *sur le plan de* et non *au plan de*, même si cette dernière tournure, calquée sur *au niveau de*, est fréquente.

- *Sur le plan technique, c'est un excellent joueur.*

plancher

Ce mot est un anglicisme au sens d'*étage.*

- *Le rayon des appareils ménagers est au quatrième étage.*

Par ailleurs, la locution *plancher d'emplois* est synonyme d'*effectif minimal*. Elle est tout à fait française, *plancher* ayant ici le sens de « niveau inférieur, seuil minimal ».

- *Les cols bleus de Montréal ont gagné la semaine de quatre jours au prix d'une réduction du plancher d'emplois.*
- *Les syndicats réclament un plancher d'emplois (c'est-à-dire un effectif minimal).*

Mis en apposition, *plancher* a aussi le sens de « minimal ».

- *Le gouvernement a fixé un prix plancher pour l'essence.*

En ce sens, *plancher* est l'antonyme de *plafond.*

plan de match

Cette locution est sans doute un calque de *game plan*. Mais elle s'intègre bien au français, car le mot *plan* désigne « tout projet comportant une série d'opérations visant à atteindre un objectif ». Si l'on peut parler d'un *plan d'action*, pourquoi ne pourrait-on pas le faire d'un *plan de match* ? Cela dit, cette locution ne doit pas nous faire oublier les mots *tactique* et *stratégie*, qui décrivent la même réalité depuis longtemps.

- *Sa tactique consiste à attaquer le revers de son adversaire.*
- *La stratégie des nouveaux champions de la Coupe Stanley repose sur la contre-attaque.*

plateforme

Le mot *plateforme*, au sens de « programme d'un parti politique », est aujourd'hui largement accepté et employé, tant chez nous qu'en France.

Ce sens, il est vrai, vient de l'anglais *platform*. Mais, selon le Robert, il est apparu dans notre langue dès 1855. Le Littré l'a enregistré en 1877 et le dictionnaire de l'Académie, en 1935. On ne peut donc le considérer comme un anglicisme.

On peut également écrire *plate-forme*, mais le trait d'union tend à disparaître.

plein air

Pas de trait d'union.

- *Un centre de plein air.*

plein(-)emploi

Ce mot, qui est une traduction de *full employment*, s'écrit indifféremment avec ou sans trait d'union.

plein-temps

La locution adverbiale *à temps plein* s'écrit sans trait d'union.

- *Elle travaille à temps plein.*

En revanche, *plein-temps* s'écrit avec un trait d'union lorsqu'il est employé comme adjectif invariable.

- *Un travailleur plein-temps.*

Le Petit Larousse accepte aussi *plein-temps* comme substantif.

- *Ce CLSC consacre dix pleins-temps au maintien à domicile.*

pléonasme

Le grammairien Maurice Grevisse estime que le pléonasme « peut servir à donner plus de force et de relief à tel ou tel élément de la proposition », comme dans l'exemple suivant :

- *Je l'ai vu, de mes propres yeux vu.*

Toutefois, toujours selon Grevisse, « le pléonasme est à rejeter lorsqu'il n'ajoute rien à la force de l'expression », comme dans *monter en haut, descendre en bas, reculer en arrière* et autres locutions typiquement québécoises.

plus

L'emploi de *plus* dans les titres, comme dans tous les usages elliptiques du reste, engendre une certaine ambiguïté. On peut le constater dans les deux titres suivants :

- *Plus de relations avec le Pakistan.*
- *Plus d'ordures à la carrière Miron.*

Dans le premier cas, le titre veut dire « davantage (encore plus) de relations ». Dans le second, il signifie « fini les ordures ». Voilà pourquoi il est préférable d'employer une autre tournure.

- *Davantage de relations avec le Pakistan.*
- *Fini les ordures à la carrière Miron.*

plus (des)

Voir *des plus*.

plus d'un

Le verbe qui suit la locution *plus d'un* est au singulier.

- *Plus d'un ne viendra pas.*

plus (le – que)

La locution superlative *le plus que* est généralement suivie d'un verbe au subjonctif, lequel introduit un léger doute dans l'affirmation.

- *C'est le film le plus mauvais que j'aie vu.*

Toutefois, lorsque le fait affirmé est certain, on emploie l'indicatif.

- *C'est le plus grand nombre d'élèves que nous pouvons accepter.*

poche d'air

Cette locution s'emploie avec justesse pour désigner un « volume d'air indésirable dans un liquide ». Mais elle constitue un anglicisme *(air pocket)* au sens de *turbulence, trou d'air.*

- *Le voyage a été pénible. L'avion a traversé de nombreuses zones de turbulences.*
- *L'avion s'est enfoncé brusquement dans un trou d'air.*

poêle

Le poêle à bois d'antan servait à la fois au chauffage et à la cuisson. L'appareil de cuisson que l'on trouve aujourd'hui dans les maisons n'est pas un *poêle*, mais une *cuisinière*.

- *Elle préfère la cuisinière à gaz à la cuisinière électrique.*

Quant au *rond de poêle*, c'est un *foyer de cuisson*. Son élément chauffant peut être un *brûleur*, une *plaque* ou un *serpentin*.

poids santé

Les diététistes ont créé l'expression *poids santé* pour désigner le « poids idéal pour la santé d'une personne ».

point-com(s)

Les locutions *point-coms, sociétés point-coms,* ou *entreprises pointcoms* sont de mauvaises traductions de *dot-com compagnies*. Avant de les laisser passer dans l'usage, il serait bon de rappeler qu'il existe déjà une expression consacrée en France, la *Net-économie*, qui désigne avec justesse l'« ensemble des sociétés liées à l'Internet ».

point de démérite

La locution *point de démérite* est un anglicisme. En français, on parlera plutôt de *point d'inaptitude*. Soit dit en passant, on ne peut perdre de *points d'inaptitude* ; on les accumule. Et si par malheur, on en accumule douze, on perd son permis de conduire.

- *Sa faute lui a valu trois points d'inaptitude.*

point d'ordre

L'expression *soulever un point d'ordre* est un calque de *to raise a point of order*. En français, on dira plutôt *en appeler au règlement, invoquer le règlement*.

pointe

Ce mot prend une minuscule s'il désigne un toponyme naturel.

- *La pointe Sainte-Foy.*

Il s'écrit avec une majuscule s'il désigne un toponyme administratif.

- *Pointe-Lévy.*

pointer du doigt

Cette expression est un calque de l'anglais. On dira plutôt *montrer* ou *désigner du doigt*.

points cardinaux

On englobe généralement dans les points cardinaux, outre le nord, le sud, l'est et l'ouest, le midi, le centre, l'occident, l'orient, le couchant, le levant, le ponant et le septentrion.

Ces points s'écrivent avec une majuscule lorsqu'ils désignent explicitement un lieu géographique.

- *L'Amérique du Nord.*
- *L'Afrique du Sud.*
- *La rue Ontario Est.*
- *Le pôle Sud.*
- *Les herbes du Midi.*
- *La mer du Nord.*

Ils s'écrivent avec une minuscule quand ils indiquent tout simplement la direction.

- *Le vent du sud.*
- *Une façade exposée au nord.*
- *L'axe est-ouest.*

Les points cardinaux désignant une partie du monde, d'un pays, d'une province ou d'une ville s'écrivent avec une majuscule lorsqu'ils ne sont pas suivis d'un complément déterminatif introduit par *de*. En vertu de cette règle, on écrira, par exemple, *le Nord québécois* mais *le nord du Québec, l'est de Montréal* mais *l'incinérateur de l'Est*.

Les points cardinaux s'écrivent avec une majuscule dans les toponymes et sont placés après l'élément spécifique.

- *Elle habite le 400, Sainte-Catherine Est (et non le 400 Est, rue Sainte-Catherine).*

Le point cardinal prend un trait d'union quand il détermine l'élément spécifique.

- *La ville de Montréal-Nord.*

Le point cardinal s'écrit sans trait d'union quand il détermine l'élément générique.

- *Le boulevard René-Lévesque Ouest.*

point tournant

La locution *point tournant* est un calque de *turning point*. En français, on dira plutôt un *tournant*, un *moment décisif*.

- *L'affaire Parizeau a marqué un tournant dans la campagne électorale.*
- *Les trois buts marqués en fin de match ont constitué le moment décisif de la victoire des Oilers.*
- *Cet échange pourrait être le tournant de sa carrière.*

poivre de Cayenne

S'il avait voulu confondre les sceptiques, l'ancien premier ministre Chrétien aurait pu dire qu'il vaut mieux employer le *gaz poivre* que des « battes de baseball » contre les manifestants. Tel est, en effet, le nom exact de ce gaz irritant utilisé par les policiers.

L'appellation populaire de cette arme vient de ce qu'elle contient un extrait de piment de Cayenne. On aura noté que les experts parlent de *piment* et non de *poivre de Cayenne*.

pole-position

Ce terme du vocabulaire de la course automobile, très populaire dans les médias, est anglais. Il y a une recommandation officielle pour le traduire par *position de tête*, une expression qui dit bien ce qu'elle veut dire.

- *Schumacher a obtenu la position de tête.*

On peut aussi contourner la difficulté en changeant la formulation.

- *Schumacher partira en tête.*
- *Schumacher partira de la première place.*

Polichinelle (secret de)

Majuscule à *Polichinelle*.

politically correct

On traduit généralement cette expression anglo-américaine par *politiquement correct*.

- *Le mouvement politiquement correct fait tache d'huile sur les campus américains.*

politicien

Au Canada, on donne généralement un sens neutre à ce mot. Ailleurs dans la francophonie, on emploie plutôt le terme *politique* (au masculin), le mot *politicien* étant péjoratif. Comme les gens qui font de la politique chez nous ne sont sans doute ni plus intrigants ni plus ambitieux que leurs homologues étrangers, il faut voir dans notre usage l'influence du mot anglais *politician*. Soit dit en passant, le sens neutre et anglais de *politicien* commence à se répandre outre-mer.

politique

En français, ce mot reste généralement singulier. Le gouvernement, par exemple, a *une* politique sociale, dans le cadre de laquelle il met en œuvre divers *programmes* et adopte diverses *mesures*. C'est vraisemblablement sous l'influence de l'anglais *policies* qu'on emploie *politiques* au pluriel. C'est également sous l'influence de l'anglais qu'on emploie *politiques* là où les mots *décisions, lignes de conduite, mesures, principes, programmes* et *propositions*, seraient plus justes.

polyvalente

Ce substantif prend une minuscule. C'est le mot qui le caractérise qui prend une majuscule.

- *La polyvalente Gérard-Filion.*
- *La polyvalente La Camaradière.*

port

Ce terme prend une minuscule lorsqu'il est déterminé par un nom propre de lieu.

- *Le port de Montréal.*

Le mot s'écrit cependant avec une majuscule lorsqu'il est employé de façon elliptique.

- *Le Port a connu sa meilleure année l'an dernier.*

portable

On emploie aujourd'hui cet adjectif comme substantif au sens d'« ordinateur portable ».

- *Un portable est un ordinateur qu'on peut transporter facilement.*

En France, on utilise également *portable* au sens *de téléphone mobile* ou *cellulaire* (on dit aussi *radiotéléphone*). Chez nous, c'est plutôt l'adjectif *cellulaire* qu'on a substantivé.

- *Ayez l'obligeance de fermer vos cellulaires durant la projection.*

porte

Ce mot prend une minuscule lorsqu'il désigne l'« ouverture pratiquée dans l'enceinte d'une ville ».

- *La porte Saint-Louis.*

porte(s) ouverte(s)

On peut employer cette expression au singulier ou au pluriel. Ce dernier est cependant plus fréquent.

- *Une journée porte(s) ouverte(s).*

porte-parole

Ce composé est invariable.

- *Elles sont nos porte-parole.*

porte-patio

Une « porte qui s'ouvre sur un balcon, une cour intérieure ou une terrasse » est une *porte-fenêtre*, non une *porte-patio*. Au pluriel : *portes-fenêtres*.

porter fruit(s)

L'expression juste est *porté ses fruits* ou *porter des fruits*. On ne peut donc écrire ni *porter fruit* ni *porter fruits*.

portrait-robot

Au pluriel : *portraits-robots*.

- *Les portraits-robots aident grandement les enquêteurs.*

poser un geste

Cette expression est un québécisme au sens de *faire un geste.*

positif que (être)

Être positif que est un calque de *to be positive that.* On dira plutôt *être assuré, certain, convaincu, persuadé* ou *sûr.*

- *Je suis sûr de ce que j'avance.*

positif (testé)

Un test peut être positif, mais un individu ne peut être *testé positif.* Cette dernière expression est un calque de l'anglais. On dira plutôt qu'un athlète est *déclaré positif.* On pourra dire également qu'il *a échoué à un test antidopage,* qu'un *test antidopage est positif* ou encore qu'un *contrôle confirme le dopage.*

- *Greg Rusedski avait été déclaré positif. Il a ensuite été innocenté.*
- *Un haltérophile indien a échoué à un test antidopage.*
- *Le surfeur Ross Rebagliati a conservé sa médaille d'or malgré un test positif.*
- *Les tests ont confirmé que Ben Johnson faisait usage de stéroïdes.*

Les agences de presse emploient parfois la locution *contrôlé positif,* qui n'est guère plus française que *testé positif.*

positionner

Ce verbe est un anglicisme au sens de *placer.*

- *On avait cru Jacques Villeneuve bien placé pour finir parmi les premiers.*

Par contre, on emploie correctement *positionner* au sens de « définir une entreprise, un organisme, un État, une ville ou un produit par rapport à un marché ou une clientèle ».

- *Le ministre veut positionner Montréal dans l'économie du savoir.*

positivement

Cet adverbe est un anglicisme au sens de *catégoriquement, affirmativement, assurément* ou *formellement.*

- *Il a répondu affirmativement.*
- *Ils ont assurément mal joué.*
- *La demande a été catégoriquement refusée.*
- *Il est formellement interdit de fumer.*

possiblement

Cet adverbe est synonyme de *peut-être, vraisemblablement.* Bien qu'il soit peu usité en France, il serait puriste d'interdire son usage.

postdater

Voir *antidater.*

post-gradué

Cet adjectif est un calque de *post-graduate.* La traduction juste est *de troisième cycle (universitaire).*

- *Elle a obtenu un diplôme de troisième cycle.*

post(-)mortem

En français, la locution latine *post mortem* a le sens de *posthume, après la mort.* Au Québec, sous l'influence de l'anglais, on a fait de *post(-)mortem* un substantif auquel on donne le sens d'*autopsie* d'un échec, d'*analyse,* de *bilan* ou d'*examen critique* d'une expérience, d'une situation.

- *Ils se sont réunis pour faire l'autopsie de la défaite.*

post-scriptum

Invariable.

- *Des post-scriptum.*

pot-au-feu

Ce mot composé est invariable.

- *Elle aime les pot-au-feu.*

pot aux roses

Pas de trait d'union.

- *Impossible de le berner plus longtemps : il a découvert le pot aux roses.*

pot-de-vin

Au pluriel : *pots-de-vin.*

pouce (faire du)

Voir *auto-stop.*

poursuivre

On emploie souvent ce verbe, notamment dans les titres, sans complément d'objet au sens de « déposer une action en justice ». Cet emploi est fautif.

- *Elle engage des poursuites contre cette compagnie.*
- *Il poursuit son ex-associé.*

pour un

La locution *pour un* est une traduction littérale de *for one.*

Exemple critiqué :

- *Pour un, le maire de Montréal s'est opposé à cette résolution.*

Exemples suggérés :

- *Quant au maire de Montréal, il s'est opposé à cette résolution.*
- *Parmi les opposants à cette résolution, on remarquait le maire de Montréal.*

pouvoir

Ce verbe est parfois employé de façon pléonastique avec le verbe *permettre (permettre de pouvoir)*, le substantif *capacité (la capacité de pouvoir)* et l'adjectif *capable (capable de pouvoir).*

Prairies (les)

Majuscule à *Prairies.*

pratique

Ce mot est un anglicisme au sens de *répétition, entraînement, exercice.*

- *La création de cette pièce a demandé de nombreuses répétitions.*
- *Le Canadien a tenu un dur exercice au lendemain d'une humiliante défaite.*

pratiquer

Ce verbe n'ayant pas de forme pronominale, on ne peut dire *se pratiquer.* On emploiera plutôt *s'exercer, s'entraîner, se préparer* ou *pratiquer.*

pratiques (à toutes fins)

Voir *fins (à toutes).*

préjudice (sans)

Sans préjudice est un calque de *without prejudice* au sens de *sous toutes réserves.*

préjugé

Ce mot n'est pas un adjectif en français. On n'est pas *préjugé* pour ou contre quelqu'un ou quelque chose, mais *prévenu.*

- *J'étais déjà prévenu contre lui.*

prélart

Dans l'ensemble de la francophonie, ce mot désigne une « grosse toile imperméabilisée ». Chez nous, on en a fait un synonyme familier de *linoléum*, terme qu'il convient d'employer en français soutenu.

premier ministre

L'usage québécois ne met pas de majuscule à ce titre, ce qui n'est pas incorrect.

Première Guerre mondiale

Voir *guerre*.

prendre la chance

Cet anglicisme se traduit par *courir le risque* ou *courir la chance*, selon le contexte.

- *Il court un risque en s'attaquant à lui.*
- *Elle court la chance de gagner un voyage dans le Sud.*

Voir aussi *chance*.

prendre la parole (de quelqu'un)

On ne *prend* pas la parole de quelqu'un, on se *fie à* sa parole.

prendre le vote

On ne *prend* pas le vote, on *vote* tout simplement, ou encore on *procède au scrutin*.

prendre place

La locution verbale *prendre place* a le sens de *s'installer*. Sous l'influence de l'anglais *to take place*, on lui donne à tort celui de *voyager* ou de *se déplacer* à bord d'un véhicule.

- *Les deux victimes voyageaient à bord d'une petite voiture.*

prendre pour acquis

Voir *acquis*.

prendre un cours

Voir *cours*.

prendre une marche

Voir *marcher*.

prérequis

On remplacera ce calque de *prerequisite* par le substantif *préalable* ou par la locution *qualifications préalables*.

- *La connaissance de l'anglais est un préalable.*

presbytère

Ce mot ne prend pas de majuscule.

- *Le presbytère de Notre-Dame.*

préservatif

Ce mot est un anglicisme *(preservative)* au sens d'*agent de conservation*.

- *Nos produits ne contiennent aucun agent de conservation.*

président

Il y a une différence entre le titre de président d'un État et celui de président d'une compagnie. Le premier est un titre officiel, le second un titre de fonction. Ce qui explique que si l'on peut parler, par exemple, du *président Chirac*, il ne saurait être question d'en faire autant avec le président du Mouvement Desjardins. Dans ce cas, on dira plutôt : *le président du Mouvement Desjardins, M. Alban D'Amours*.

président-directeur général

Général étant un adjectif, on ne le joint pas au substantif qui précède par un trait d'union.

On retrouve le sigle de président-directeur général sous au moins cinq formes : *P.-D.G., PDG, P.d.g., pdg* et *pédégé*. Pourquoi ne pas utiliser la façon la plus simple et la plus coutumière de former un sigle et écrire *PDG* ?

presque

La voyelle ne s'élide que dans le mot *presqu'île*.

pressage

Ce mot est un anglicisme *(pressing)* au sens de *repassage*.

pressing

Voir *nettoyeur*.

prestation

Ce mot est de plus en plus souvent employé au sens d'« action de se produire en public pour un artiste, un orateur, un sportif ».

- *Sa prestation a répondu aux attentes de son public.*

Cet emploi est cependant critiqué.

présumé

Voir *allégué*.

preview

Ce mot anglais se traduit par *bande-annonce* ou *film-annonce*.

prime de séparation

La locution *paye de séparation* est un calque de *separation pay*. *Prime de séparation* est également un calque *(separation allowance)*. En français, on parlera plutôt d'une *indemnité de licenciement, de départ* ou *de fin d'emploi*.

- *Certains collaborateurs du premier ministre ont touché une indemnité de départ par le biais d'un congédiement fictif.*

prime rate

Le taux d'intérêt dont jouissent les clients de premier ordre est le *taux préférentiel*.

prime time

Les « heures où l'auditoire est le plus nombreux » sont les *heures de grande écoute* ou la *période de pointe*.

- *La concurrence entre les chaînes est féroce aux heures de grande écoute.*
- *La publicité coûte plus cher pendant la période de pointe.*

primeur

Voir *scoop*.

prince

Ce mot prend une minuscule.

- *Le prince de Galles.*

principauté

Voir *pays (noms de)*.

prioriser

Ce néologisme fait aujourd'hui concurrence à *donner priorité à, donner la priorité à, accorder la priorité à*. Son emploi est critiqué, mais il a l'avantage de la brièveté.

priorité

Ce qui est prioritaire, c'est « ce qui passe avant toute chose ». Parler de la *première priorité*, comme on le fait souvent, est donc un pléonasme. Ce dernier nous vient sans doute de l'anglais, qui emploie la locution *first priority*.

privé

Ce mot est un anglicisme au sens de *particulier, isolé* ou *retiré.*

- *J'aime cet endroit isolé.*
- *Elle suit des leçons particulières.*

prix

Ce mot s'écrit avec une minuscule lorsqu'il désigne la récompense ; avec une majuscule lorsqu'il qualifie le lauréat.

- *Cet homme politique a gagné le prix Nobel de la Paix ; c'est un Prix Nobel.*

On écrit un *Grand Prix* dans le domaine des courses automobiles.

- *Le Grand Prix de Montréal a lieu à l'île Notre-Dame.*

proactif

Ce calque de *proactive* est à la mode tant dans le vocabulaire de la psychologie que dans celui de la gestion, où on lui donne le sens de « qui prend les devants », « qui agit sur des faits à venir ».

Proactive est peu utile. Dans la majorité des cas, en effet, on peut lui substituer les adjectifs *prévoyant, actif, diligent, dynamique* ou *entreprenant.*

probation

Le mot *probation* et la locution *période de probation* sont tous deux des calques de l'anglais *(probation, probationary period)* au sens de « temps précédant l'engagement définitif d'un employé ». L'expression juste est *période d'essai.* On peut aussi parler d'un *stage d'essai.*

- *Sa période d'essai a été prolongée de six mois.*

procéder

Ce mot est une impropriété au sens de *continuer, poursuivre.*

- *Vous pouvez poursuivre, dit le juge à l'avocat de la défense.*

procès-verbal

Voir *minutes.*

procureur général

Pas de majuscule.

produits (noms de)

Voir *marques (noms de).*

professeur, e

Voir *enseignant, e.*

professionnel

Ce mot désigne une « personne qui exerce un métier ou une profession en vue d'une rémunération ». C'est l'antonyme d'*amateur.* En ce sens, le plombier est aussi professionnel que le médecin. Sous l'influence de l'anglais, on donne à ce mot, au Québec, le sens de *membre* d'une profession libérale ou de *spécialiste* dans un domaine intellectuel, scientifique ou technique.

professionnèle

Je n'ai rien contre la féminisation des titres de fonctions. Mais pas au point d'entériner ce (cette ?) *professionnèle,* qu'on nous présente comme un néologisme audacieux, alors que ce mot n'est rien d'autre qu'un barbarisme doublé d'un anglicisme.

programme

Ce mot est un anglicisme au sens d'*émission* de radio ou de télévision.

projet

Ce mot est un anglicisme au sens de *travaux.*

- *De nombreux travaux sont en cours à Montréal.*

Par ailleurs, on ne peut parler d'un *projet de construction* (ou *d'architecture*) qu'à l'étape des plans. Dès que l'objet à construire est défini, il devient un *ouvrage*. Et dès que la première pelletée de terre est levée, l'ouvrage se transforme en *chantier*. Enfin, quand les travaux prennent fin, le chantier s'est métamorphosé, selon le contexte, en *maison, immeuble, complexe, tour, édifice, ensemble, grand ensemble, gratte-ciel* ou, parfois même, en *stade*.

- *Le stade de M. Brochu n'est pour l'instant qu'un projet. S'il se concrétise, un appel d'offres sera lancé pour la réalisation de l'ouvrage. Le chantier devrait durer deux ans.*

prolongation (aller en)

Voir *aller en prolongation*.

pronominal

Pour connaître l'accord du participe passé des verbes pronominaux, voir *participe passé*.

propositions relatives

Il est important de distinguer les propositions relatives déterminatives des propositions relatives explicatives. Les premières précisent l'antécédent en y ajoutant un élément indispensable au sens. On ne pourrait les supprimer sans détruire la signification de la phrase. C'est pourquoi on ne les sépare pas de l'antécédent par une virgule.

- *On a détecté des anomalies cancéreuses chez 9,5 % des femmes qui ont subi une mammographie.*

Les secondes, au contraire, ajoutent à l'antécédent un détail, une explication, non indispensable au sens. On pourrait les supprimer sans modifier la signification de la phrase. C'est pourquoi elles sont introduites par une virgule.

- *L'automobile, qui était puissante, a dérapé avant de capoter.*
- *La fièvre aphteuse est une maladie très contagieuse, qui s'attaque surtout aux porcs, moutons, bœufs et chèvres.*

Les pronoms relatifs *lequel, laquelle, lesquels et lesquelles* n'introduisent jamais une relative déterminative.

On pourra constater la différence entre la relative déterminative et la relative explicative dans l'exemple suivant :

- *Les voyageurs qui étaient fatigués se sont endormis.*
- *Les voyageurs, qui étaient fatigués, se sont endormis.*

Dans le premier cas, il faut comprendre que seuls les voyageurs qui étaient fatigués se sont endormis. Dans le second, il faut conclure que tous les voyageurs étaient fatigués.

protecteur du citoyen

Voir *ombudsman*.

protocole

Au sens de *traité, accord,* voir *convention*.

province

Ce mot prend une minuscule lorsqu'il est suivi d'un nom propre.

- *La province de Québec.*

Il s'écrit avec une majuscule lorsqu'il est suivi d'un adjectif qui forme avec lui un toponyme.

- *Les Provinces maritimes.*

Il s'écrit aussi avec une majuscule dans le surnom géographique *la Belle Province.*

provision

Ce mot est un anglicisme au sens de *clause, disposition* d'un contrat, d'une loi.

publication assistée

Voir *édition.*

publiciser

Ce verbe est un anglicisme au sens de *rendre public, faire connaître, annoncer.*

publicitaire

Une personne qui s'occupe de publicité est un *publicitaire*, non un *publiciste.*

publi-information

Voir *publireportage.*

publireportage

On appelle *publireportage* ou *publi-information* une « publicité rédactionnelle insérée dans une publication ».

puck

Comment s'appelle le « disque de caoutchouc dur avec lequel on vise le but au hockey » ? Les Français le nomment *palet.* Mais ce terme est inutilisé au Québec, du moins en ce sens. Les Français emploient également *puck*, comme les Québécois d'ailleurs. Mais ce mot d'origine anglaise appartient chez nous au langage familier. Dans un registre plus relevé, on parle généralement de *rondelle* ou de *disque.*

punition

Ce mot est une impropriété au sens de *pénalité* dans le domaine du hockey.

- *L'arbitre a imposé peu de pénalités au cours du match.*

pupitre

Voir *desk.*

pupitreur

Voir *desk.*

pusher

Ce mot est un anglicisme au sens de *revendeur* de drogue. Les Français emploient souvent le mot *dealer* en ce sens. On le trouve parfois francisé en *dealeur*, ce qui rend cet anglicisme plus acceptable.

Quant au mot *trafiquant*, il se dit plus d'une « personne qui fait le trafic de la drogue » que d'un *revendeur.*

qualification

L'emploi de ce mot au sens de *compétence, formation* ou *qualités* est considéré par la majorité des auteurs comme un anglicisme.

- *Il a toutes les qualités pour occuper ce poste.*

On peut cependant parler de la *qualification professionnelle* pour décrire la « formation et les aptitudes d'un ouvrier qualifié ».

quart (trois)

La fraction *trois quarts* s'écrit sans trait d'union, mais elle prend la marque du pluriel.

quartier

Ce mot prend une majuscule s'il est suivi d'un adjectif.

- *Le Quartier latin.*
- *Le Quartier chinois.*

Il s'écrit avec une minuscule s'il est déterminé par un nom propre.

- *Le quartier de Rosemont.*

Par ailleurs, lorsqu'il est question non pas du quartier, mais du cinéma *Quartier Latin*, l'usage veut que l'on mette deux majuscules.

quartier général

Ce mot désigne le « poste de commandement d'une armée et, par analogie, de la police ou d'une bande de truands ». Il constitue un anglicisme au sens de *siège social* d'une société ou de *permanence* d'un parti.

Il faut noter que c'est sous l'influence de l'anglais *headquarters* qu'on parle de *quartiers généraux* pour désigner le *quartier général*. Bien entendu, il faut employer le pluriel si l'on désigne plusieurs postes de commandement.

quasi

Cet adverbe prend un trait d'union devant un substantif *(quasi-unanimité)*. Il ne prend pas de trait d'union devant un adjectif *(quasi insurmontable)*, un autre adverbe (*quasi unanimement)* ou un pronom *(quasi personne)*.

quasiment

Cet adverbe est demeuré courant dans la langue familière au Québec.

Québec

L'OLF propose d'abréger *Québec* en *QC* (et non *Qc*). Suggestion intéressante puisque *PQ* est le sigle du Parti québécois. Quant à *Québ.*, il s'agit d'une abréviation un peu longue pour un mot aussi court.

québécois

Le substantif s'écrit avec une majuscule, l'adjectif avec une minuscule.

- *Les Québécois.*
- *La nation québécoise.*

Par ailleurs, l'évolution du Québec pose d'intéressants problèmes de langue. Jadis, les *Québécois francophones* se considéraient comme des *Canadiens français* et les *Québécois anglophones* comme des *Canadiens anglais*. Quant aux *Québécois allophones*, naguère peu nombreux, on les appelait *immigrants*.

Mais les choses ont bien changé. Peu de *Québécois francophones* se reconnaissent encore sous l'appellation *Canadiens français*, quelle que soit leur allégeance politique. On emploie souvent pour les désigner la locution *Québécois de souche*, qui est imprécise. Il vaudrait mieux dire *de vieille souche*, par opposition à *de souche récente*. Mais même là, l'expression reste contestable, car les *autochtones (Amérindiens* et *Inuits)* sont de souche plus ancienne encore, et certains *anglophones québécois*, de souche presque aussi vieille.

On parle aussi à l'occasion de *Québécois pure laine*. L'expression est plaisante ou péjorative, c'est selon. De plus, son emploi devrait-il se limiter à certains contextes : chroniques, citations, etc. Il vaudrait mieux s'en tenir, en général, à *Québécois francophones* pour désigner les quelque 80 % de Québécois d'origine française.

Nos compatriotes de langue anglaise sont, pour leur part, des *Québécois anglophones* (qu'on peut abréger en *anglophones*), terme d'autant plus justifié qu'environ la moitié d'entre eux ne sont pas d'origine britannique. On peut aussi parler d'*Anglo-Québécois*.

Quant aux immigrants de souche autre que française ou anglaise, on peut les regrouper sous le vocable *Québécois allophones* (qu'on peut abréger en *allophones*). Ce terme désigne également leurs descendants. Il est préférable, dans leur cas, d'éviter de parler de *gens d'origine ethnique*, car nous le sommes tous. En revanche, on peut parler de *membres des communautés culturelles*.

Il est préférable également d'éviter de regrouper *anglophones* et *allophones* sous le terme *non-francophones*, si cher aux sondeurs. Cette façon de définir nos compatriotes, outre qu'elle les irrite, n'est pas précise, car bon nombre d'entre eux parlent couramment français.

Bien entendu, dans la majorité des cas, on peut tout simplement qualifier les uns et les autres de *Québécois*.

quelque

On évitera de confondre l'adverbe *quelque*, qui signifie *environ*, et l'adjectif indéfini *quelque*, qui veut dire *un certain nombre*. Le premier est invariable, le second variable.

- *Quelque 50 personnes sont venues.*
- *Quelques personnes sont venues.*

Soulignons au passage qu'on abuse souvent de l'adverbe *quelque*. Dans la phrase suivante, par exemple, son emploi n'ajoute rien.

- *Le camion-citerne contenait quelque 20 000 litres de mazout.*

question

En français, on ne *demande* pas une question, on la *pose*.

questionner

Le verbe *questionner* a en français le sens de « poser des questions à quelqu'un ». Sous l'influence de l'anglais, on lui donne de plus en plus souvent, au Québec mais aussi en France, le sens de *contester, critiquer, douter de, mettre en doute, mettre en question, remettre en question, s'interroger sur*. Ces anglicismes n'ajoutent rien à notre langue.

- *Hotte : le travail de la police de Laval critiqué.*
- *La pauvreté l'amène à s'interroger sur les valeurs de notre société.*
- *La présidente de la CSN conteste les orientations de l'ADQ.*
- *Nous devons remettre en question notre vision de la femme.*

quitter

Ce verbe est considéré comme un anglicisme au sens de *démissionner*. Par contre, on peut l'employer avec justesse au sens d'*abandonner* (une activité, un genre de vie).

- *Le ministre menace de démissionner. Il quitterait la vie politique.*

Quitter employé sans complément est parfois critiqué au sens de *partir, s'en aller*. Mais le Petit Larousse fait remarquer que cet usage est encore vivant en Afrique. Il l'est aussi chez nous. Autrement dit, *quitter* employé intransitivement est un régionalisme. En français standard, il est préférable d'employer *partir, s'en aller*.

Enfin, lorsqu'on désire qu'un interlocuteur reste au bout du fil, on lui dira : *Ne quittez pas*, et non : *Gardez la ligne*, qui est un calque de *Hold the line*.

quoique

La conjonction *quoique* est synonyme de *bien que*. Elle commande le subjonctif.

- *Quoiqu'elle n'ait pas appelé, elle viendra.*

L'élision se fait devant *il, ils, elle, elles, on, un, une* et *ainsi*.

On évitera de confondre *quoique* et *quoi que*, cette dernière expression ayant le sens de *quelle que soit la chose que*.

- *Quoi qu'on en dise, je ne changerai pas d'avis.*

quota

Le français a emprunté ce mot latin à l'anglais, au début du siècle, pour désigner une « limite quantitative ».

- *Des quotas d'importation, d'immigration, de vente.*

Bien que le français dispose déjà du mot *contingent* pour rendre cette idée, *quota* est passé dans l'usage, des deux côtés de l'Atlantique.

rabais (au)

On écrit *au rabais* et non *à rabais*.

- *Elle court les ventes au rabais.*

races (noms de)

Les noms de races prennent une majuscule.

- *Les Noirs, les Blancs, les Amérindiens, les Asiatiques.*

radio

Ce mot est féminin tant au sens de *radiodiffusion* que de *poste récepteur*.

- *Grâce à sa radio neuve, elle capte mieux la radio de Radio-Canada.*

Radio n'est masculin qu'au sens de *radiotélégraphiste*, terme en voie de disparition.

radiologue

Les termes *radiologue* et *radiologiste* sont tous deux attestés, mais chez nous, le second est plus fréquent, sans doute en raison de son double anglais, *radiologist*.

rafale

L'expression *rafale de vent* est pléonastique, une *rafale* étant un « coup de vent ».

rage au volant

Les locutions *rage au volant* et *rage routière* sont des traductions plus ou moins littérales de *road rage*. Existe-t-il une expression tout à fait française pour les remplacer ? La locution *violence routière* est couramment employée en France, où on trouve même la Ligue contre la violence routière. L'expression désigne les différents types d'agressivité au volant, du coup de klaxon intempestif à l'accident meurtrier, en passant par les menaces et les altercations.

- *La violence routière est un phénomène de plus en plus inquiétant.*

- *Nouveau cas de violence routière hier soir.*

Cela dit, *rage au volant* n'est pas pour autant à condamner. Le mot *rage* décrit en effet correctement dans notre langue un « état d'irritation, de colère, de fureur qui peut porter à des actes excessifs ». Ne dit-on pas *être fou de rage* ?

Par ailleurs, peut-être parce que le phénomène n'est pas assez répandu, les Français n'ont pas encore trouvé de traduction pour *air rage*, si ce n'est la même traduction littérale qu'ici, c'est-à-dire *rage de l'air*.

rage de l'air

Voir *rage au volant*.

raisons sociales

Les noms de sociétés, d'associations, de compagnies, etc., prennent une majuscule au premier mot faisant indiscutablement partie de la raison sociale. On remarquera que les mots *société, association, compagnie*, etc., ne font pas nécessairement partie de la raison sociale. Ce sont des noms communs qui s'écrivent avec une minuscule quand ils sont suffisamment individualisés par un nom propre ou par un équivalent.

- *La société Desourdy.*
- *La plomberie Y. Beaudoin.*
- *La brasserie Le Verseau.*

Ces mêmes mots s'écrivent cependant avec une majuscule quand ils sont suivis d'un substantif ou d'un adjectif.

- *L'Agence du livre français.*
- *La Compagnie républicaine de sécurité.*

Quand un article et un adjectif précèdent le mot caractéristique, ils s'écrivent aussi avec une majuscule.

- *Le restaurant Le Grand Café.*

Les abréviations *ltée, inc., enr.* s'écrivent avec une minuscule. Elles appartiennent à la langue administrative. Aussi leur usage est-il généralement inutile dans les textes courants.

Lorsqu'une raison sociale débute par les articles *le* ou *les*, ces derniers se contractent en *au, aux, du* ou *des*, selon le cas, à l'intérieur d'un texte suivi.

- *Nous sommes descendus au Grand Hôtel.*

raisons sociales (accord)

Lorsqu'une raison sociale commence par un article, on fait l'accord en genre et en nombre des mots s'y rapportant en fonction de cet article.

- *Le Méridien a été vendu.*
- *Les réseaux Premier Choix pourraient être vendus.*
- *Les entreprises électriques Desjardins fêtent leur quinzième anniversaire.*

En l'absence d'article, l'accord peut se faire avec le premier mot, s'il s'agit d'un nom commun, ou avec le mot sous-entendu (société, association, organisme, etc.).

- *Air Transat sera actif (ou active) pendant le temps des Fêtes.*

En l'absence d'article et de nom commun l'accord se fait avec le mot sous-entendu.

- *Hydro-Québec est débordée par les pannes.*

ralliement

La « réunion de plusieurs personnes par un parti ou un mouvement politique » s'appelle un *rassemblement* ou une *assemblée*. Les termes *ralliement* et *rallye* sont impropres en ce sens.

- *Les bloquistes ont tenu un grand rassemblement en fin de campagne.*
- *Un millier de personnes ont participé à l'assemblée conservatrice.*

rallye

Voir *ralliement*.

rancart (au)

Mettre une chose *au rancart*, c'est l'abandonner, la mettre de côté, la jeter au rebut.

- *Il a mis au rancart son vieux chauffe-eau.*

Au rancart n'a donc pas le sens neutre de *à l'écart de*. C'est pourquoi on ne dira pas qu'une blessure tiendra un joueur *au rancart*, mais *à l'écart* du jeu.

rang

Ce québécisme qui désigne une « succession de lopins de terre reliés par une route » s'écrit avec une minuscule s'il est déterminé par un nom propre ou un équivalent.

- *Le rang Saint-Jean-Baptiste.*

S'il est seulement déterminé par un adjectif numéral, il prend une majuscule.

- *Il a acheté une ferme dans le 5e Rang.*

rapport (d'impôt)

La locution *rapport d'impôt* est une impropriété au sens de *déclaration de revenus, déclaration d'impôt sur le revenu* ou de *déclaration fiscale*.

- *N'oubliez pas que vous avez jusqu'au 30 avril pour terminer votre déclaration de revenus.*

rapport (en – avec)

L'expression *en rapport avec* est française, mais elle a le sens de *proportionné à, qui convient à*.

- *Ils ont choisi une maison en rapport avec leurs revenus.*
- *Vous avez choisi un métier en rapport avec vos goûts.*

Sous l'influence de la locution anglaise *in relation to*, on lui donne souvent le sens de *à la suite de, à propos de, au sujet de, concernant, en ce qui concerne, pour ce qui est de, quant à, relativement à*, etc. Ce sont ces locutions qu'il convient d'employer.

- *Il a été arrêté relativement à une affaire de mœurs.*

rapport (maison de)

L'expression *maison de rapport* désigne un « immeuble dont le ou les propriétaires tirent un revenu ». Mais on l'emploie de moins en moins. L'usage moderne préfère *immeuble d'habitation* ou *immeuble résidentiel*.

Voir aussi *bloc*.

rapporter

Ce verbe est un anglicisme *(to report)* au sens de *dénoncer*.

- *Il a dénoncé sa voisine aux bouboumacoutes.*
- *Elle a signalé un accident à la police.*

rapporter (se – à)

Se rapporter est une impropriété au sens de *communiquer avec, se présenter à*.

- *Elle devra communiquer avec son supérieur avant de prendre une décision.*
- *En attendant son procès, il devra se présenter chaque semaine à un poste de police.*

On évitera de confondre *se rapporter à* et *s'en rapporter à*, qui signifie *s'en remettre à* (quelqu'un), lui *faire confiance*.

ras (à, au)

On peut dire *au ras* ou *à ras*, mais dans un cas comme dans l'autre, il faut employer la préposition *de*.

- *Il a lancé au ras de la glace.*

ras-le-bol

Utilisé comme substantif, *ras-le-bol* s'écrit avec des traits d'union.

- *Le ras-le-bol des sinistrés est manifeste.*

Employé comme adverbe, *ras le bol* s'écrit sans trait d'union.

- *Certains sinistrés en ont ras le bol.*

rassemblement

Voir *ralliement*.

rater le bateau

Cette locution est un calque de *to miss the boat*. On peut, bien entendu, lui substituer des tournures plus françaises comme *rater* ou *manquer l'occasion*, *louper* ou *manquer le coche*. En revanche, la locution *manquer son train (son avion* et, pourquoi pas ! *son bateau)* est bien française au sens d'« arriver après son départ ».

ratio

Ce mot d'origine latine, venu au français par l'intermédiaire de l'anglais, s'est répandu dans le vocabulaire administratif, ainsi que dans celui de l'économie et de la finance. Dans la langue courante, on lui préférera les termes *proportion*, *pourcentage*, *rapport* ou *taux*.

- *La CEQ s'oppose à la hausse du rapport élèves-maîtres.*

rayons (magasin à)

Voir *magasin*.

rayons X

Voir *X (rayons)*.

réacté

Ce néologisme n'a pas reçu l'aval des grands dictionnaires. Le terme accepté est *avion à réaction*.

réaliser

L'emploi de ce verbe au sens de *se rendre compte*, *prendre conscience de* nous vient de l'anglais *to realize*. Longtemps critiqué, condamné par les puristes, cet emploi est passé dans l'usage. C'est sans doute parce qu'il remplace des expressions plus longues, ce qui est bien commode pour les traducteurs.

récidiver

Récidiver, c'est « refaire les mêmes crimes, commettre les mêmes erreurs ». C'est donc un terme péjoratif, qu'on emploie souvent de façon impropre. On ne dira pas, par exemple, que les organisateurs d'une campagne de charité vont *récidiver* l'an prochain. Selon le contexte, on emploiera les mots *recommencer*, *répéter*, *remettre*, *être de retour*, etc.

récipiendaire

Ce mot qualifie une « personne en l'honneur de qui a lieu une cérémonie de réception dans une compagnie ou un corps constitué ». Le mot qualifie également une « personne qui reçoit un diplôme universitaire ». Mais quelqu'un qui reçoit un prix, gagne un concours ou remporte une épreuve est un *lauréat*, un *gagnant* ou un *vainqueur*. L'individu qui reçoit une décoration est tout simplement *décoré*. Celui à qui est destiné un envoi en est le *destinataire*. Quant à celui qui reçoit un organe, c'est un *receveur*. Ces termes sont plus justes que *récipiendaire*, qu'on emploie aujourd'hui à toutes les sauces.

réclamer

Ce verbe est un anglicisme au sens d'*inscrire*.

- *Inscrivez cette déduction à la ligne 57 de votre déclaration.*

récompenses (noms de)

Les dictionnaires usuels considèrent les *noms de récompenses* les plus courants comme des noms communs. Aussi les écrivent-ils avec une minuscule et leur font prendre la marque du pluriel le cas échéant.

- *On connaîtra cette semaine les nommés pour les césars.*
- *Tom Hanks a déjà gagné deux oscars.*

Mais cet usage est peu répandu, tant dans la presse québécoise que française. *Le Ramat de la typographie*, un ouvrage qui fait autorité, conseille d'ailleurs la majuscule et l'invariabilité.

- *Le Gala des Olivier.*
- *La Soirée des Jutra.*
- *La Nuit des César.*

Dans certains cas cependant, l'invariabilité serait difficile à justifier. C'est le cas notamment lorsque le nom de la récompense est à l'origine un nom commun. Ainsi, dans *La Soirée des Masques*, le pluriel va de soi. L'usage veut également qu'on écrive le pluriel d'*Oscars* avec un *s*. Pour les *Césars*, l'usage est hésitant, mais le pluriel est plus fréquent. D'autres appellations sont plus problématiques. Faut-il mettre un *s*, par exemple, à *Juno*, à *Génie* ou à *Emmy* ? Comme Ramat, je penche ici en faveur de l'invariabilité. On écrira donc *les Molières, les Oscars, les Césars, les Victoires*, mais *les (prix) Anik, les (prix) Emmy, les (prix) Génie, les (prix) Grammy, les (prix) Jupiter, les (prix) Juno, les (prix) Nobel.*

Les *Félix* et les *Gémeaux* ne posent évidemment pas de problème d'accord.

recomptage

Ce mot est une impropriété au sens de *second dépouillement* ou de *dépouillement judiciaire.*

- *Le candidat battu a demandé un dépouillement judiciaire.*

réconcilier

Ce verbe veut dire « rétablir des relations harmonieuses entre des personnes brouillées ». Certains auteurs lui donnent aussi, au figuré, le sens de *concilier* des opinions, des doctrines ou des intérêts différents, voire opposés. Mais cet usage est critiqué. L'emploi de *concilier* est préférable en ce sens.

Réconcilier est un anglicisme au sens de *faire concorder* des comptes.

Voir aussi *irréconciliable.*

record

Ce mot est un anglicisme au sens de *disque* ou encore de *dossier, archives, registre.*

Employé adjectivement, *record* s'accorde au pluriel.

- *Des ventes records.*

Notons toutefois que les avis à cet égard sont partagés, certains auteurs préconisant l'invariabilité.

Voir aussi *briser (un record).*

recteur d'université

La locution *recteur d'université* est pléonastique. *Recteur* suffit.

R & D

Peut-on utiliser la perluète dans l'abréviation de la locution *recherche et développement* ? En principe, ce signe typographique ne peut être employé que dans les raisons sociales. Ce qui n'empêche pas le Robert de l'utiliser dans l'abréviation *R & D*. On trouve la même abréviation, mais avec des points, dans la Banque de terminologie de l'OLF.

Les espaces situées avant et après la perluète doivent être insécables afin que l'expression ne subisse pas de rupture de ligne. Si l'on opte pour l'abréviation avec le trait d'union, ce dernier doit également être insécable.

D'autres abréviations sont cependant possibles :

- *R et D et R-D.*

redevances

Voir *royalties*.

redéveloppement

Ce mot est un anglicisme *(redevelopment)* au sens de *réaménagement, rénovation*.

- *Le réaménagement du centre Paul-Sauvé débutera le mois prochain.*

référer

Ce verbe est français au sens de *soumettre* un cas à un supérieur.

- *Je dois en référer au chef de service.*

Référer est également correct, à la forme pronominale, au sens de *se reporter à, recourir à.*

- *Je m'en réfère au règlement.*

Référer est par contre un anglicisme au sens de *confier à, adresser à, diriger vers, envoyer à, orienter vers.*

- *Mon médecin m'a adressé à un spécialiste.*
- *Cette femme violée a été confiée à une travailleuse sociale.*

Référer est aussi un anglicisme au sens de *faire allusion à, faire mention de, mentionner, parler de, renvoyer à.*

- *Vous faites allusion à une conversation précédente.*

refiler

Refiler, c'est « donner ou vendre quelque chose dont on veut se débarrasser ». C'est un mot familier et péjoratif. Il n'a donc pas un sens neutre. On ne *refile* pas un conseil, on le *donne*. On ne *refile* pas une information, on la *transmet*.

réfugié

Voir *immigrant*.

regarder

Ce verbe est un anglicisme au sens de *s'annoncer*.

- *À quelques mois des élections, ça s'annonce mal pour le Parti libéral.*

régie

Ce mot prend une majuscule quand il qualifie un organisme unique.

- *La Régie de l'assurance automobile du Québec.*
- *La Régie de l'assurance maladie du Québec.*

Il s'écrit généralement avec une minuscule quand il désigne un organisme multiple.

- *Les régies régionales.*

Il s'écrit également avec une minuscule quand il est déterminé par un nom propre.

- *La régie Renault.*

région

Ce mot s'écrit avec une minuscule.

- *La région de Québec.*

La locution *en région* est l'équivalent québécois de *en province.*

- *Le gouvernement incite les jeunes médecins à s'établir en région.*

Voir aussi *agglomération.*

règlement de compte(s)

Dans cette locution, on écrit indifféremment *compte* avec ou sans *s*. Le pluriel est cependant plus fréquent.

règlement hors cour

Voir *hors cour.*

règne (sous le)

On emploie souvent de façon impropre la locution *sous le règne* là où il faudrait plutôt dire *sous le régime.*

- *Le « beau risque » a eu lieu sous le régime Lévesque.*

régulier

Ce mot est un anglicisme au sens de *assidu, courant, habituel, normal, ordinaire, permanent, standard.*

- *Un client assidu.*
- *Une clientèle fidèle.*
- *Le prix courant.*
- *Des heures normales.*
- *De l'essence ordinaire.*
- *Le format ordinaire.*
- *Une séance ordinaire.*
- *Le personnel permanent.*
- *Un modèle standard.*

réhabilitation

Ce mot est un anglicisme au sens de *réadaptation, rééducation* ou *réinsertion.*

- *La réadaptation des handicapés.*
- *La rééducation des blessés.*
- *La réinsertion sociale des ex-détenus.*

réingénierie

Le terme *réingénierie* est une traduction de *re-ingineering*. Ce calque appartient au vocabulaire de la gestion. Selon *Le Monde diplomatique*, la *réingénierie* consiste à « identifier, dans l'entreprise, les activités qui constituent son *métier cœur*, en éliminant ou en sous-traitant toutes les autres… » Dans le domaine politique, cependant, les termes *reconfiguration, réorganisation, restructuration* ou *révision* conviendraient sans doute davantage.

- *Jean Charest a proposé une reconfiguration de l'État.*
- *Le chef libéral a entrepris une révision du rôle de l'État.*

On peut également substituer à *réingénierie*, dans certains contextes, les mots *modernisation, redéfinition, redéploiement, refonte, remaniement* ou *remodelage.*

Cela dit, il est difficile de se débarrasser complètement de *réingénierie*, ne serait-ce que parce qu'il est couramment employé. Mais il est préférable de limiter son usage aux citations.

rejoindre

Voir *joindre.*

relationniste

Ce québécisme qualifie une « personne spécialisée dans les relations publiques ». On notera les deux *n.*

relax

Certains auteurs condamnent l'adjectif *relax* (qu'on peut aussi écrire *relaxe*), lui préférant *décontracté, détendu, reposant*. Le Petit Robert le cite comme un anglicisme familier. Le Petit Larousse le considère aussi comme un terme familier, mais il ne mentionne pas son origine anglaise.

Quant au verbe *relaxer*, au sens de *se relaxer, se détendre*, il est passé dans l'usage.

relaxer

Voir *relax*.

religions (noms de)

Les noms des religions, ainsi que de leurs fidèles ou disciples, s'écrivent avec une minuscule.

- *Le catholicisme, l'hindouisme.*
- *Les catholiques, les hindous.*

remorqueuse

Voir *dépanneuse*.

remue-méninges

Voir *brainstorming*.

rencontrer

L'usage de ce verbe est largement influencé par l'anglais. En français, on ne *rencontre* pas un objectif, on l'*atteint* ; on ne *rencontre* pas ses frais, on les *couvre* ; on ne *rencontre* pas une difficulté, on l'*éprouve*, on y *fait face* ; on ne *rencontre* pas une dépense, on *s'en acquitte*, on la *règle* ; on ne *rencontre* pas des conditions, on les *remplit* ; on ne *rencontre* pas un besoin, on y *répond* ; on ne *rencontre* pas une échéance, on la *respecte* ; on ne *rencontre* pas une demande, on la *satisfait*.

renforcir

Ce verbe est un régionalisme. En français standard, on dira *renforcer*.

renouveler

On notera qu'il y a redoublement du *l* devant un *e* muet.

- *Il renouvelle, elle renouvelait.*

renseignement

Ce mot s'écrit au singulier quand il s'applique à la chose qu'on veut savoir.

- *Vous pourrez obtenir ce renseignement au guichet.*

renverser

Ce verbe est un anglicisme au sens de *casser, annuler, infirmer* une décision, un jugement.

réouverture

Petit piège du français : on écrit *réouverture* mais *rouvrir*.

- *La réouverture aura lieu le 12 avril.*
- *Les portes rouvriront à 10 h.*

repartir en neuf

On ne repart pas *en neuf*, ni même *à neuf*, mais *à zéro*. On peut dire, par contre, avec justesse qu'on remet, retape, refait ou repeint *à neuf*.

répondre

On *répond* à une lettre, pas à une porte. On y *va*, on *va l'ouvrir*.

Les locutions *répondre dans l'affirmative* et *répondre dans la négative* sont des calques de *to answer in the affirmative* et de *to answer in the negative*. En français soigné, on dira plutôt *répondre par l'affirmative* et *répondre par la négative*. On peut dire aussi *répondre affirmativement* ou *négativement*.

reporter à plus tard

Cette locution est pléonastique. On se contentera de *reporter*.

reposer

On peut *se reposer* chez soi, le soir ou les jours de congé. On peut *reposer* pour de bon, une fois mort et enterré. Mais on ne *repose* pas à l'hôpital dans un état plus ou moins grave, par suite d'un accident. On est *hospitalisé*.

- *La victime est hospitalisée dans un état critique.*

représentation (fausse)

Fausse représentation est une traduction littérale de *false representation*. On traduira plutôt cette locution par *abus de confiance*, *escroquerie*, *fraude*, *publicité trompeuse* ou *tromperie*, selon le contexte.

république

Voir pays *(noms de)*.

réserve

On écrit *sans réserve, sous réserve, sous réserve de,* mais *sous toutes réserves*. On écrit aussi *avec réserve*, mais *avec des réserves*.

D'autre part, on va *dans une réserve*, et non *sur une réserve*, ce mot étant considéré comme un contenant.

réserver

L'expression *réserver d'avance* (ou *à l'avance*) est pléonastique. Il suffit de *réserver*.

résidant

Voir *résident*.

résidence

Résidence et *domicile* ne sont pas de parfaits synonymes. Les deux mots désignent des lieux d'habitation, mais le *domicile* est la demeure légale. Une personne peut avoir plus d'une *résidence*, mais elle n'a qu'un *domicile*.

Lorsque le mot *résidence* désigne un bâtiment, il s'écrit avec une minuscule s'il est déterminé par un nom propre ou un équivalent.

- *La résidence Chomedey.*
- *La résidence Les Maronniers.*

résident

Le mot *résident* désigne correctement en français une « personne qui habite de façon permanente dans un pays étranger ».

- *Les résidents canadiens en France.*

Résident qualifie aussi un « médecin en cours de spécialisation ».

Résident est par contre un anglicisme au sens de « personne qui habite un lieu ». Ce sont les mots *habitant* ou *résidant* qu'il convient d'employer en ce sens. Ailleurs dans la francophonie, le mot *habitant* est le plus souvent employé. Mais ce substantif ayant au Québec une connotation vaguement péjorative, on lui préfère habituellement le mot *résidant*.

- *Les résidants de Laval.*
- *Les résidants d'un centre d'accueil.*

Au Québec, la confusion entre *résidant* et *résident* vient d'un vieil avis de l'OLF, qui avait recommandé fort mal à propos le terme *résident*. Dans son dernier avis sur le sujet, l'OLF reconnaît que la forme *résidant* est également attestée, mais persiste à conseiller *résident*. Il faut dire à la décharge de l'OLF que le Petit Larousse entretient lui aussi l'ambiguïté entre les deux termes. Précisons toutefois que tous les exemples donnés par le Petit Larousse privilégient le terme *résidant*.

Par ailleurs, on appelle *riverains* les « gens qui habitent le long d'un cours d'eau ou d'une voie de circulation ».

- *Les riverains de l'avenue du Parc se plaignent des voies réservées.*
- *Des stationnements réservés aux riverains (ou aux résidants).*

Quant aux résidants d'un immeuble en copropriété, ce sont des *copropriétaires*.

- *La réunion des copropriétaires aura lieu le 12 avril.*

résignation

Ce mot est un anglicisme au sens de *démission*.

- *Le député de Vanier a annoncé sa démission.*

résigner

Ce verbe est transitif. On peut *résigner* une fonction, une charge, mais on ne *résigne* pas tout court. Dire d'un premier ministre, par exemple, qu'il *résigne*, c'est s'exprimer à l'anglaise. On dira plutôt qu'il *démissionne*.

restaurant

Lorsque ce mot désigne simplement une catégorie, il est considéré comme un nom commun. On met alors une majuscule au mot qui le caractérise ainsi qu'à l'article et à l'adjectif qui précèdent le mot caractéristique s'il y a lieu.

- *Les restaurants Saint-Hubert.*
- *Le restaurant Le Petit Extra.*

Toutefois, lorsque le mot *restaurant* fait indiscutablement partie du nom de l'établissement, il prend une majuscule.

- *Le Restaurant oriental.*

Les mêmes remarques valent pour *café-restaurant*, *restaurant-bar*, *bistro-restaurant*, etc.

rester (être là pour)

Être là pour rester est un calque de *to be there to stay*. En français soigné, on dira plutôt d'une chose qu'elle est *définitive, irrévocable, acquise* ou qu'elle *est là pour de bon*.

- *Ce nouvel impôt est définitif.*
- *Le grand choc des cultures est là pour de bon.*

Et on dira d'une personne qu'elle *s'installe à demeure*.

résulter (en)

To result in ne se traduit pas par *résulter en* mais par *causer, engendrer, entraîner, occasionner, provoquer*, etc.

retour (à l'école)

L'expression *retour à l'école* est un calque de l'anglais. En français, on parlera plutôt de *rentrée des classes*. Pour la même raison, on ne parlera pas de *retour au travail* mais de *reprise du travail*.

retourne (de quoi il)

L'expression juste est *de quoi il retourne*, et non *de quoi il en retourne*, où le *en* est pléonastique.

retourner (un appel)

Retourner un appel est un calque de *to return a call*. En français, on se contentera de *rappeler*. On peut aussi parfois changer la formulation. Au lieu de dire, par exemple, que le maire n'a pas *retourné un appel*, on dira que le maire n'a pu *être joint*.

retracer

Ce verbe est une impropriété au sens de *dépister, localiser, repérer, retrouver*.

- *La police a retrouvé rapidement le voleur.*

rétroactivité

Ce mot désigne « ce qui a un caractère rétroactif ». On peut parler avec justesse, par exemple, de la *rétroactivité* d'une loi.

- *Les centrales syndicales ont protesté contre la rétroactivité de cette loi.*

En revanche, à la suite de la signature d'une convention collective, les employés ne reçoivent pas une *rétroactivité* mais une *somme (d'argent) rétroactive*.

revamper

Ce néologisme à la mode est un calque de *to revamp*. Il n'est pas vraiment utile puisque le français dispose déjà de *métamorphoser, rafraîchir, refaire, renouveler, rénover, transformer*, etc.

- *Ce parti devra refaire son image d'ici les élections.*
- *La mise en scène a été rafraîchie.*
- *L'édifice a été rénové (transformé).*
- *Il a renouvelé son répertoire.*

réviseur

Voir *rewriter*.

réviseure

Cette forme féminine de *réviseur* est actuellement en concurrence avec *réviseuse*. L'une et l'autre formes sont acceptées.

réviseuse

Voir *réviseure*.

révolution

Ce mot s'écrit généralement avec une minuscule. Les Français font une exception pour la *Révolution française*. Nous pouvons en faire une également pour la *Révolution tranquille*, en raison de son importance dans l'histoire du Québec.

rewriter

On appellera *rédacteur-réviseur*, plutôt que *rewriter*, la « personne chargée de réécrire, d'adapter, de remanier ou de modifier un texte en vue de sa publication ». On ne dira pas d'elle qu'elle *rewrite*, mais qu'elle *récrit* ou qu'elle *réécrit*. Et on appellera son travail *révision* ou *réécriture*, plutôt que *rewriting*.

Le rôle du *rédacteur-réviseur* est plus étendu que celui du *réviseur*, qui corrige les textes sans les réécrire.

risque

Voir *chance*.

risque (à)

La locution *à risque* signifie « exposé à un danger ». On l'écrit indifféremment avec ou sans *s*.

- *Les adolescents constituent un groupe à risque(s) pour les MTS.*

risquer

Ce verbe ne s'applique pas aux choses favorables. Par exemple, on ne *risque* pas sa chance, on la *tente*.

Voir aussi *chance*.

rive

En France, la Seine serpente entre une *rive droite* et une *rive gauche*. Notre Saint-Laurent, lui, coule entre une *rive nord* et une *rive sud*.

En face de Montréal, la *rive sud* désigne un territoire administratif, ce qui entraîne l'usage de deux majuscules et d'un trait d'union.

- *Les maires de la Rive-Sud s'opposent aux trains de banlieue.*
- *La Société de transport de la Rive-Sud.*

On se rappellera que, chez nous, c'est l'île de Montréal et non l'île Jésus (encore moins les municipalités de la couronne nord de la métropole) qui forme la *rive nord* du Saint-Laurent.

riverain

Voir *résidant*.

rivière

Ce mot prend une minuscule quand il désigne un toponyme naturel.

- *La rivière Saint-Maurice.*

Il prend une majuscule quand il désigne un territoire administratif.

- *Rivière-au-Renard.*

Le français fait une distinction entre *rivière* et *fleuve*. Ce n'est pas le cas de l'anglais, qui se contente du mot *river*.

Les noms des rivières sont parfois masculins.

- *Le Saint-Maurice, le Richelieu.*

roulis-roulant

Voir *skate-board*.

roulotte

Ce mot désigne d'abord la « voiture aménagée en maison des bohémiens ou des forains ». Par extension, on lui a donné le sens de *roulotte de camping*. Si cet emploi est vieilli en France, il est resté vivant au Québec. L'OLF recommande cependant d'appeler *caravane* le « véhicule tractable aménagé pour servir de logement de camping ». Lorsque le véhicule est autotracté, on le nomme *autocaravane*.

round up

Cette expression du jargon journalistique peut se traduire par *synthèse*, *tour d'horizon* ou *tour* (d'une question).

routine

Ce mot désigne l'« habitude prise de faire une chose toujours de la même façon ».

- *Ce travail convient aux gens qui aiment la routine.*

Il n'a pas, comme en anglais, le sens de *numéro* d'un danseur ou d'un gymnaste.

L'expression *de routine* est également influencée par l'anglais. On ne dira pas un *examen de routine*, mais un *examen* ou un *bilan de santé* ; les *affaires de routine*, mais les *affaires courantes* ; une *inspection de routine*, mais une *inspection régulière* ; une *visite de routine*, mais une *visite habituelle*.

rouvrir

Voir *réouverture*.

royalties

Ce mot anglais peut être traduit, selon le contexte, par *droits d'auteur* ou *redevances*.

- *L'écrivain touche des droits d'auteur ; le propriétaire d'une concession pétrolière, des redevances.*

rue

Ce mot prend une minuscule, sauf s'il est précédé d'un chiffre.

- *La rue de la Couronne.*
- *La 12e Rue.*

La *rue* étant bordée de bâtiments de chaque côté, elle est considérée comme un contenant. C'est pourquoi elle commande la préposition *dans*, et non *sur*.

- *Je l'ai croisé dans la rue.*

On emploie cependant *sur* dans certaines expressions comme *avoir pignon sur rue* ou *avoir vue sur la rue*.

Dans beaucoup de cas, on peut faire l'ellipse de la préposition.

- *Elle habite rue Sainte-Catherine.*

ruer (se)

Le verbe se ruer se construit avec les prépositions *sur* ou *vers* selon qu'il a le sens de *se jeter (sur)* ou de *s'élancer (vers)*.

- *L'homme se rua sur sa compagne. Celle-ci se rua vers la sortie.*

On observe habituellement les mêmes nuances pour le substantif *ruée*, encore que l'usage soit assez flottant.

- *La ruée sur les soldes.*
- *La ruée vers les villes.*
- *La ruée vers l'or.*

rupturer (se)

Le verbe *se rupturer* est un calque du verbe anglais *to rupture*. En français, on dira plutôt *se rompre* (en parlant d'un vaisseau sanguin, d'un appendice, d'une membrane, etc.) ou *perdre* (en parlant du liquide amniotique).

- *Au septième jour, la membrane pellucide, sorte de gelée qui entoure l'ovule, est sur le point de se rompre.*
- *La patiente a commencé à perdre ses eaux.*

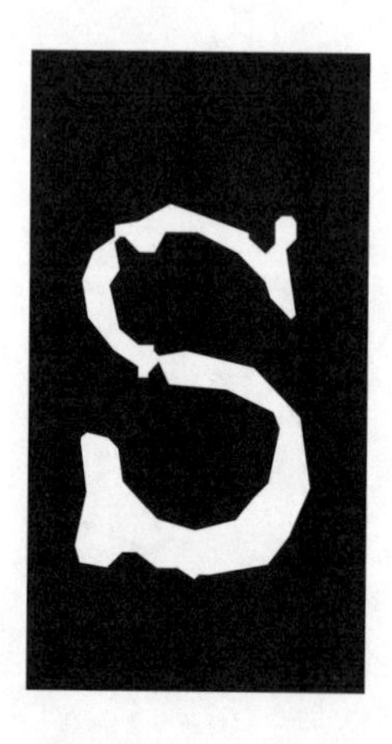

sabler

Faut-il *sabrer* ou *sabler le champagne* ? La locution *sabler le champagne* signifie « boire du champagne pour célébrer un événement ». On peut, il est vrai, *sabrer le champagne* en ouvrant la bouteille d'un coup de sabre, comme le faisait les hussards sous l'Empire. Mais la méthode est aussi désuète que risquée. Le geste peut être pratiqué aujourd'hui, paraît-il, avec un couteau de cuisine, mais à moins que vous ne vouliez épater à tout prix vos invités, je n'hésite pas à vous le déconseiller.

sabrer

Ce verbe est transitif direct : on *sabre* un budget, des dépenses, etc. On ne *sabre* pas *dans*...

Voir aussi *sabler*.

sacoche

Ce mot n'est pas synonyme de *sac à main*. La *sacoche* est un « grand sac utilitaire ». Le facteur, par exemple, transporte son courrier dans une *sacoche*. Quant au *sac à main*, il sert à ranger de menus objets.

saga

Ce mot a d'abord désigné en français une « légende scandinave médiévale », puis, sous l'influence de l'anglais, une « épopée familiale se déroulant sur plusieurs générations ». Par extension, *saga* a pris peu à peu le sens de *feuilleton, péripéties, rebondissements multiples, affaire, aventures, mésaventures, imbroglio, histoire, roman-fleuve, tribulations, vaudeville*, etc. Ces acceptions sont si largement employées, tant au Québec qu'en France, qu'il devient inutile de s'y opposer. Cela dit, je me permets de souligner qu'on surexploite *saga*, alors qu'il existe tant de mots français plus précis. En voici quelques exemples :

- *La contestation de la direction de Jean Chrétien a-t-elle été un feuilleton, un roman-fleuve ou un vaudeville ?*

- *George W. Bush a été élu président des États-Unis au terme d'un interminable feuilleton.*
- *Les tribulations de Napster sont loin d'être terminées.*
- *L'affaire Michaud a divisé le Parti québécois.*
- *L'imbroglio persiste entre les écuries Jaguar et McLaren.*
- *L'accord du lac Meech a constitué un véritable roman-fleuve.*
- *Le feuilleton judiciaire opposant le coroner Bouliane au ministère de la Sécurité publique dure depuis des années.*
- *Le procès de Fabrikant a été marqué de multiples rebondissements.*

sage-femme

Au pluriel : *sages-femmes.*

saint

Quand ce mot qualifie le *saint* lui-même, il s'écrit sans majuscule et sans trait d'union.

- *Un film consacré à saint François d'Assise.*
- *La bonne sainte Anne.*

Quand *saint* entre dans la composition d'un nom propre, il s'écrit avec une majuscule et un trait d'union.

- *L'hôpital Saint-François-d'Assise.*
- *La basilique Sainte-Anne de Beaupré.*

Il est préférable d'éviter les abréviations *St* et *Ste.* On pourra faire exception toutefois pour les titres.

Saint-Esprit

Voir *Esprit saint.*

salade de fruits

On appelle *salade de fruits* un « mélange de fruits coupés servis froids ». On appelle parfois improprement ce mets un *cocktail de fruits.*

salle

On écrit *salle des actes, salle d'armes, salle de concerts, salle de conférences, salle des pas perdus, salle de quilles* et *salle des ventes,* mais *salle d'arrêt, salle d'attente, salle d'audience, salle de bal, salle de classe, salle de danse, salle d'eau, salle d'exercice, salle d'opération, salle de spectacle.*

L'usage est hésitant dans le cas de *salle d'étude(s)* et de *salle de jeu(x),* mais le singulier est plus fréquent.

Voir aussi *salle de bain(s).*

salle à dîner

Voir *salle à manger.*

salle à manger

La pièce où l'on prend ses repas s'appelle une *salle à manger* et non une *salle à dîner,* qui est un calque de *dining-room.*

salle de bain(s)

Une « pièce comprenant toilettes, baignoire ou douche » est une *salle de bains,* non une *chambre de bains.* On trouve parfois *salle de bain* plutôt que *salle de bains,* l'usage étant, si l'on peut dire, flottant. Mais le pluriel est préférable.

On appelle parfois *salle d'eau* une « pièce où l'on trouve toutes les commodités reliées à l'eau : lavabo, douche, baignoire, etc. ».

salle de séjour

On appelle *salle de séjour* ou *séjour* la « pièce où l'on vit normalement (pour lire, regarder la télé, écouter de la musique, etc.) ». C'est l'équivalent français du *living-room*. Le *salon* est la « pièce où l'on reçoit ». Dans beaucoup de maisons ou d'appartements, *salon* et *séjour* décrivent une seule et même réalité. Au Québec, on donne parfois au *séjour* le nom de *vivoir*. Le mot est bien constitué, mais il fait double emploi avec son équivalent français. C'est pour cette raison sans doute qu'il est de moins en moins employé.

salle (en)

Dans la locution *(sortir) en salle*, le mot *salle* doit rester au singulier.

- Fanfan la Tulipe *est sorti en salle vendredi.*

salon

Ce mot s'écrit avec une majuscule quand il désigne une grande manifestation culturelle, commerciale ou sportive.

- *Le Salon du livre de Québec.*
- *Le Salon de l'auto de Montréal.*

sandwich

Contrairement à l'usage populaire, ce mot est masculin. Son pluriel est *sandwichs* ou *sandwiches* ; le premier est plus usité.

- *De bons sandwichs au pain grillé.*

sans

Le nom qui suit la préposition *sans* s'écrit, en effet, tantôt au singulier, tantôt au pluriel, selon le contexte, le sens, la logique ou la vraisemblance, de sorte qu'il est souvent difficile de choisir. Par exemple, on écrit *sans chapeau, sans gilet, sans manteau,* mais *sans gants* et *sans manches*. On écrira aussi *une chambre sans porte,* mais *sans fenêtres.*

Cela dit, voici quelques pistes.

- On écrit au singulier *sans adresse, sans alcool, sans argent, sans crainte, sans défaut, sans dégoût, sans délai, sans difficulté, sans effort, sans espoir, sans explication, sans façon, sans faille, sans fin, sans gêne, sans hâte, sans murmure, sans pareil(le), sans preuve, sans le sou, sans scrupule, sans sucre, sans visage.*
- On écrit au pluriel *sans amis, sans bavures, sans faux-fuyants, sans fenêtres, sans frontières, sans heurts, sans motifs, sans nouvelles.*
- Souvent, l'usage est flottant. C'est le cas, entre autres, de *sans bagage(s), sans commentaire(s), sans excepion(s), sans incident(s), sans nuance(s), sans précaution(s), sans préjugé(s), sans raison(s), sans regret(s)*. Mais dans tous ces cas, le singulier est plus fréquent.
- Enfin, on écrit *sans faute* au sens de « à coup sûr », mais *sans fautes* au sens de « sans erreurs ».

sans-abri

Ce mot s'écrit avec un trait d'union et reste invariable au pluriel.

- *Des sans-abri.*

saut (de chaîne)

Voir *zapping*.

sauver

On peut *sauver* son âme ou sa réputation. Mais on ne *sauve* pas du temps ou de l'argent. Ce verbe est un anglicisme au sens de *gagner, économiser, épargner, ménager.*

- *Il économise (épargne) en courant les soldes.*

- *Elle gagne du temps en travaillant chez elle.*
- *Il ménage ses forces avant le match.*

scanner

On emploie de moins en moins le mot anglais *scanner* pour désigner en médecine l'« appareil de radiographie qui permet d'obtenir des images traitées par ordinateur ». On lui préfère aujourd'hui *tomodensitomètre* ou *scanographe*. Ce dernier terme, qui fait moins savant, a été l'objet d'une recommandation officielle.

- *L'examen au scanographe a révélé une tumeur de la taille d'un œuf.*

sclérose multiple

Que ce soit au singulier ou au pluriel, cette locution est un calque de *multiple sclerosis*. La traduction juste est *sclérose en plaques*.

- *Un homme souffrant de sclérose en plaques réclame la légalisation du cannabis à des fins thérapeutiques.*

scientiste

Un *scientiste* n'est pas un *savant*, un *scientifique* ou un *homme de science*, mais un « adepte d'une doctrine selon laquelle la science peut satisfaire toutes les aspirations humaines ».

scoop

La télésérie *Scoop* a popularisé ce mot anglais qui désigne une « nouvelle généralement importante, diffusée par un média avant les autres ». Les équivalents français sont *primeur* et *exclusivité*.

score

Ce mot d'origine anglaise, aujourd'hui bien intégré au français, désigne le « décompte des points au cours d'un match ».

- *Après trois périodes, le score était de deux à deux.*

En ce sens, *score* est synonyme de *marque*.

Le mot *compte* ne devrait s'employer, dans le langage sportif, que pour désigner le « temps passé par un boxeur au tapis ».

- *Mike Tyson est allé au tapis pour le compte.*

Quant au terme *pointage*, il constitue un québécisme inutile au sens de *marque* ou de *score*.

Si *score* est accepté, *scorer* et *scoreur* ne le sont pas. Aussi faut-il s'en tenir à *marquer* et à *marqueur*.

scrum

Dans le jargon des médias, ce mot anglais désigne un « commentaire arraché à un personnage public par un groupe de journalistes qui se sont rués vers lui ». On peut le traduire par *commentaire à chaud*.

- *Le premier ministre a refusé tout commentaire à chaud.*

Radio-Canada a suggéré de traduire *scrum* par *mêlée de presse*.

- *Le ministre a dû s'expliquer au cours d'une mêlée de presse.*

séance

On confond parfois *séance* et *session*. On appelle *séance* le « temps que dure une réunion d'un corps constitué ».

- *Le conseil municipal de Longueuil a tenu sa séance hebdomadaire hier.*

Le mot *session* désigne la « période de l'année pendant laquelle une assemblée ou un tribunal siège ». Une *session* comprend normalement plusieurs *séances*. On notera que la *séance* d'un tribunal s'appelle *audience*.

À l'université, le mot *session* désigne une « période d'examens » et non un *semestre* ou un *trimestre*.

sécheuse

Au Québec, on appelle *sécheuse* la « machine à sécher le linge ». Cet usage est reconnu par le Petit Robert et par le Petit Larousse, bien que les Français emploient plutôt *sèche-linge* ou *séchoir*.

second

Second et *deuxième* ne sont pas parfaitement synonymes. Le premier ne s'emploie en principe que lorsqu'il n'y a que deux éléments.

- *La seconde demie d'un match de football.*
- *La deuxième période d'un match de hockey.*

Mais cette distinction est de moins en moins respectée.

On dit toujours *de seconde main, un état second, voyager en seconde*.

seconde main (de)

Voir *usagé*.

seconder

On peut *seconder* quelqu'un, mais on ne *seconde* pas une proposition, une motion ou un projet de loi. *Seconder* est en ce sens un anglicisme qu'il convient de remplacer par *appuyer*.

- *J'ai aussitôt appuyé la proposition qu'elle a faite.*

secondeur

Les Anglais appellent *seconder* la « personne qui appuie une proposition, une demande, un projet », etc. On ne traduira pas ce mot par *secondeur*, mais par *coproposeur* ou *second proposeur*.

- *Je serai le coproposeur de votre proposition.*

On pourra aussi modifier la formulation de la phrase, ce qui est souvent préférable.

- *J'appuierai votre proposition.*

secrétariat d'État

Pas de majuscule à *secrétariat*.

sectes (noms de)

Les noms de sectes et de leurs adeptes s'écrivent généralement avec une minuscule.

- *La secte Moon, les mormons.*

sécure

Sécure et *insécure* sont deux anglicismes peu utiles. On peut remplacer *sécure*, selon le contexte, par *assuré, en sécurité, sûr, sûr de lui, sécuritaire, solide, tranquille*.

- *Elle se sent en sécurité.*
- *Ce moyen est sûr.*

Et on peut remplacer *insécure*, selon le contexte, par *anxieux, inquiet, dangereux, exposé au danger, incertain, peu sûr*.

- *Elle se sent inquiète.*
- *Le quartier est dangereux.*

sécuriser

Ce verbe signifie d'abord « rassurer, mettre en confiance ». Certains dictionnaires lui donnent aussi le sens de « rendre plus sûr, fiabiliser ». Ce sens est voisin de celui du verbe anglais *to secure*. Voilà pourquoi il me paraît préférable de dire qu'Hydro-Québec, par exemple, va *consolider, protéger* ou *renforcer* son réseau, ce qui lui permettra peut-être de *sécuriser* ses clients.

sécuritaire

Le Petit Larousse et le Petit Robert limitent le sens de cet adjectif à « ce qui est relatif à la sécurité publique ».

- *La Garde côtière a adopté des mesures sécuritaires.*

Chez nous, son sens est plus étendu, englobant « l'absence relative de danger matériel pour un usager ». Ce sens a été entériné par l'OLF.

- *Une autoroute sécuritaire.*
- *Des pneus sécuritaires.*

Cependant, on limitera l'usage de *sécuritaire* à la sécurité matérielle. Un placement, par exemple, n'est pas *sécuritaire*, mais *sûr*.

self-service

Voir *libre-service*.

semaine

Ce mot prend une majuscule quand il désigne un événement unique en son genre.

- *La Semaine des non-fumeurs.*
- *La Semaine de la francophonie.*

Par ailleurs, la locution *sur semaine* est un calque de *on weekdays*. On dira plutôt *en semaine*.

- *Cette épicerie est ouverte en semaine jusqu'à 20 h.*

Enfin, des expressions comme *trois fois semaine* ou *vingt heures semaines* sont incorrectes. Il faut dire *par semaine*. Quand on emploie le mot *fois*, on peut cependant employer simplement l'article défini.

- *Il se rend au gymnase deux fois par semaine.*
- *Il se rend au gymnase deux fois la semaine.*

semi

Le préfixe *semi* est invariable. Il se joint au mot qui suit par un trait d'union, qu'il s'agisse d'un adjectif ou d'un substantif.

- *Une liaison semi-polaire.*
- *Des semi-produits.*

Semi a sensiblement le même sens que *demi*, mais il a une connotation plus technique.

semi-annuel

Semi-annuel est un calque de *semi-annual*. En français correct, on appelle *semestriel* « ce qui se fait une fois par six mois ». On évitera de confondre *semestriel* et *bisannuel*, qui désigne plutôt « ce qui se fait tous les deux ans ou qui dure deux ans ».

séminaire

Le français a emprunté ce mot à l'allemand au début du siècle, mais sa vogue actuelle vient de l'anglais.

L'OLF définit le *séminaire* comme une « réunion à caractère scientifique d'un groupe restreint de personnes et généralement animée par un professeur, un chercheur ou un spécialiste ».

Le Comité consultatif de la qualité du français à l'Université Laval donne en outre à *séminaire* le sens de « stage de courte ou de moyenne durée dans un organisme de formation ou d'information ».

On évitera de confondre *séminaire* avec *colloque* ou *congrès*.

Lorsqu'il désigne un établissement d'enseignement religieux, le mot *séminaire* s'écrit avec une minuscule s'il est déterminé par un nom propre de lieu ou de personne.

- *Le petit séminaire de Québec.*

Sénat

Le nom de l'institution s'écrit avec une majuscule, celui de ses membres avec une minuscule.

- *Le Sénat, les sénateurs.*

senior

Ce mot latin venu au français par l'intermédiaire de l'anglais s'écrit sans accent sur le *e*, mais prend la marque du pluriel. Le Petit Robert mentionne qu'on « écrirait mieux sénior », mais cette suggestion, si pleine de bon sens soit-elle, n'est pas passée dans l'usage.

Senior désigne depuis longtemps en français des « sportifs adultes ou une ligue leur étant réservée ».

- *Sitôt remis de son opération, Arnold Palmer a repris sa carrière chez les golfeurs seniors.*
- *La Ligne senior du Québec.*

Plus récemment, sous l'influence de l'anglais, *senior* a pris le sens de « personne confirmée sur le plan professionnel ».

- *Des médecins seniors.*

On trouve aussi, dans la presse française, généralement entre guillemets, *senior* au sens de *personne âgée* ou *du troisième âge, vieux, aîné, retraité*. En ce sens, *senior* est une sorte d'euphémisme.

Le Petit Larousse témoigne de cette évolution récente en acceptant ces sens. Mais est-ce bien utile ? Je n'en suis pas convaincu. Dans la majorité des cas, il vaut mieux s'en tenir aux traductions consacrées de *senior*. On ne dira pas, par exemple, un associé *senior*, mais un associé *principal* ; un cadre *senior*, mais un cadre *supérieur ;* un commis *senior*, mais un *premier* commis ou un commis *principal ;* un fonctionnaire *senior*, mais un *haut* fonctionnaire ; un journaliste *senior*, mais un journaliste *chevronné* ; M. Dupont *senior*, mais M. Dupont *père* ou *aîné* ; un officier *senior*, mais un officier *supérieur* ; un professeur *senior*, mais un professeur *principal* ; une secrétaire *senior*, mais une secrétaire *de direction* ; un technicien *senior*, mais un technicien *en chef*.

À mon avis, le mot *senior* peut aussi être adéquatement remplacé par les adjectifs *expérimenté* ou *chevronné* quand il est accolé à certains titres de fonctions.

- *Un médecin expérimenté.*
- *Un ingénieur chevronné.*

L'OLF suggère de traduire *ministre senior* par *ministre de premier plan*, ce qui est utile quand il faut distinguer les principaux ministres des *ministres d'État* ou *délégués* (qu'on appelle parfois improprement *ministres juniors*).

séniorité

Cet anglicisme tend à concurrencer, tant ici qu'en France, le mot *ancienneté* au sens de « temps passé dans une fonction ou un grade ». On le trouve tantôt avec un accent sur le *e*, tantôt sans ; tantôt entre guillemets, tantôt sans. Deux raisons de plus de lui préférer un mot français déjà solidement implanté.

- *La fusion d'Air Canada et de Canadien a bouleversé les listes d'ancienneté.*

sens unique

Pour indiquer l'« interdiction de s'engager dans une rue en sens inverse du sens autorisé », on écrit au Québec : *sens unique, n'entrez pas*. C'est un calque de *one way, do not enter*. Il aurait mieux valu écrire, comme en France, *sens interdit*. C'est à la fois plus clair, plus court et plus français. Mais sans doute est-il trop tard pour faire demi-tour.

sentence

Ce mot n'est pas un parfait synonyme de jugement. Quand un juge rend une sentence, c'est que l'accusé a déjà été jugé coupable.

Sentence n'est pas non plus synonyme de *peine*, même si l'accusé doit purger une *peine* une fois la *sentence* rendue.

L'expression *sentences concurrentes* est un calque de *concurrence of sentences*. En français, on appelle *confusion des peines* un jugement qui entraîne des *peines non cumulées*.

Sentence suspendue est un calque de *suspended sentence*. L'équivalent français est *condamnation avec sursis*.

séparation de l'épaule

Si un joueur de hockey était vraiment victime d'une *séparation de l'épaule*, on ne le verrait sans doute jamais revenir au jeu. Mais heureusement, ce dont il est question ici, ce n'est pas d'une *séparation* mais d'une *dislocation de l'épaule*. En termes savants, on parle d'une *entorse de l'articulation acromio-claviculaire*. La locution *séparation de l'épaule* est un calque de *shoulder separation*.

séries (faire les)

La locution *faire les séries* est un calque de *to make the play-offs*. On peut la traduire par *participer aux séries* (éliminatoires) ou, le cas échéant, par *rater les séries*.

- *Le Canadien ne ratera pas les séries cette année.*

Série mondiale

Majuscule à *Série*.

serrer

L'emploi de ce verbe au sens de *ranger* est vieilli en France, mais il demeure bien vivant chez nous. En français soutenu toutefois, *ranger* reste préférable.

service

Ce mot prend généralement une majuscule quand il désigne un organisme national ou international unique.

- *Le Service canadien des pénitenciers.*

Il s'écrit avec une minuscule quand il désigne plutôt un organisme multiple.

- *Le service des loisirs de Laval.*

On emploie souvent la préposition *à*, *au* ou *aux* avec *service* alors qu'on devrait utiliser *de*.

- *Le service des voyageurs.*

Le mot *service* est singulier dans les expressions *états de service* et *offre de service*.

servir (un avertissement)

Un fait, une parole peuvent servir d'avertissement. Mais on ne *sert* pas un avertissement, on le *donne*.

session

Voir *séance*.

set

Ce mot anglais désigne une *manche* de tennis. Le mot *manche* est d'ailleurs en train de s'imposer.

Set est un anglicisme au sens d'*attirail* d'outils, de *batterie* d'ustensiles de cuisine, de *choix* de couleurs, de *jeu* (de cartes, de clés, de dominos, etc.), de *mobilier* (de chambre, de salle à manger, de salon, etc.), de *service* (de vaisselle, de café, de thé) ou de *train* (de pneus, de roues).

sévère

L'emploi de *sévère* au sens de *difficile à supporter, grave, important, lourd, majeur, violent* est critiqué en raison de son origine anglaise. Il reste donc préférable de parler d'un coup *violent* plutôt que d'un coup *sévère*, de coupes *claires* plutôt que de coupes *sévères*, d'une *forte* concurrence plutôt que d'une concurrence *sévère*, d'une *dure* ou d'une *amère* défaite plutôt que d'une défaite *sévère*, d'un froid *rigoureux* plutôt que d'un froid *sévère*, d'une maladie *grave* plutôt que d'une maladie *sévère*, de *lourdes* pertes plutôt que de pertes *sévères*, d'un ralentissement *important* plutôt que d'un ralentissement *sévère*. Cet anglicisme difficile à déraciner et fort répandu a le tort de condamner au chômage trop d'adjectifs clairs et précis.

si

L'ellipse du verbe après *si* n'est généralement admise que dans *si possible*. Au Québec, on rencontre souvent *si nécessaire*. Cette abréviation paraît commode, mais elle l'est moins qu'on le pense puisqu'on dispose déjà des expressions *au besoin* et *s'il le faut*.

Dans le langage soigné, des formules comme *si non livré* sont à éviter.

si (suivi d'un conditionnel)

Les *scies* n'aiment pas les *raies*, a-t-on appris à l'école. C'est exact, sauf que la conjonction *si* peut néanmoins être suivie d'un conditionnel quand elle marque la concession ou l'opposition, plutôt que la condition.

- *Si ce dénouement aurait été possible, il aurait choqué les spectateurs.*

La phrase précédente a le sens de « ce dénouement aurait été possible, mais il aurait choqué les spectateurs ».

Si peut également être suivi du conditionnel quand il introduit une interrogation indirecte sans valeur conditionnelle.

- *Elle savait, en regardant les feuilles, si le temps serait à la pluie.*
- *Il se demandait s'il serait capable de réussir l'examen.*

siècle

L'usage se perd de plus en plus d'écrire les siècles en chiffres romains. Il faut dire que ces derniers ne sont plus guère enseignés.

siéger

On ne *siège* pas *sur* un comité, on en *fait partie*, on en *est membre*. On peut dire cependant qu'on *siège à* l'Assemblée nationale, à la Chambre des communes ou au Sénat.

siège social

Voir *bureau-chef*.

sigles

Il est préférable d'écrire les sigles sans points, leur absence facilitant la lecture. La suppression des points est également bien commode dans les titres.

- *CSN, FTQ, CEE, ZLEA.*

On mettra cependant des points lorsqu'il y a un risque de confusion. On écrira, par exemple, *L.A.* pour *Los Angeles*, et non *LA*.

Certains sigles sont conçus de façon à être faciles à prononcer ; ce sont des acronymes. On les écrit parfois avec une seule majuscule.

- *Unesco, Unicef,* etc.

Cependant, cet usage oblige à se demander s'il est devant un sigle ou un acronyme, et la réponse n'est pas toujours évidente. *REER* ou *UPA*, par exemple, appartiennent-ils à la première ou à la seconde catégorie ? Aussi, par souci de simplicité autant que d'uniformité, il est préférable d'écrire les acronymes comme les sigles ordinaires, c'est-à-dire avec des majuscules et sans points.

- *AFNOR, UNESCO, CAM, OTAN, ONU, NASA.*

Les lexiques typographiques déconseillent l'accentuation des sigles et acronymes. On écrira donc, par exemple, *ALENA* et non *ALÉNA*, *REER* et non *REÉR*, *UQAM* et non *UQÀM*, *ZLEA* et non *ZLÉA*.

L'article qui précède un sigle prend le genre du premier mot du sigle.

- *Le MAC, la BBC.*

La première fois qu'on emploie une dénomination dans un texte, on l'écrit généralement au complet.

- *La Commission des écoles catholiques de Montréal...*

Par la suite, on peut employer le sigle de l'organisme.

- *La CECM...*

Certains acronymes sont devenus des noms communs.

- *Des cégeps, des jeeps, des lasers, des radars, le sida.*

signaler

On ne *signale* pas un numéro de téléphone, on le *compose*.

- *Quel numéro avez-vous composé ?*

signer (un joueur)

On peut se demander comment font les équipes pour *signer un joueur*. En fait, cette expression est un calque de *to sign a player*. En français, on dira plutôt qu'une équipe *a embauché un joueur*, qu'elle lui *a fait signer un contrat* ou qu'elle *l'a mis sous contrat*. Quand un joueur fait déjà partie d'un club, on dira que son *contrat a été renouvelé*.

sirop

Un *sirop pour la toux* ne serait pas très efficace. On dira plutôt un *sirop contre la toux*.

sitcom

Ce terme est l'abréviation anglaise de *situation comedy*. On peut donc le traduire par *comédie de situation*, comme le fait d'ailleurs le Harrap's.

- La Petite Vie *est une comédie de situation.*

Cependant, on rencontre *sitcom* de plus en plus souvent, tant chez nous qu'en France. Mais son sens ne paraît pas toujours clair, comme en témoigne cet emploi dans une revue française, où l'on parle d'une *sitcom comique*. Il est vrai que certaines de ces comédies ne sont pas très drôles.

site

Ce mot désigne d'abord en français un « paysage d'une grande beauté ». Il s'emploie aussi pour parler d'un lieu « considéré du point de vue de son utilisation ».

C'est ainsi, par exemple, qu'on parlera d'un *site* archéologique, d'un *site* industriel, d'un *site* militaire ou d'un *site* urbain.

Son équivalent anglais a un sens beaucoup plus étendu : il désigne à peu près n'importe quel lieu – un dépotoir tout autant qu'un paysage hors du commun –, ce qui a engendré plusieurs anglicismes. Certains d'entre eux sont déjà trop solidement implantés dans l'usage pour qu'on puisse s'y opposer. C'est le cas notamment d'un *site Internet* ou d'un *site Web*. Mais il vaut encore la peine de s'opposer à l'extension de *site* au sens de *centre*, *emplacement*, *endroit*, *gisement*, *lieu*, *place*, *siège*, *terrain*, *théâtre*, *ville*, etc., ne serait-ce que par souci de variété.

- *Un centre (lieu) d'enfouissement.*
- *Un chantier de construction.*
- *L'emplacement d'un édifice.*
- *Un riche gisement.*
- *Un lieu d'entreposage.*
- *Un lieu historique.*
- *La préparation des lieux.*
- *La place (le lieu) d'un festival.*
- *Le siège d'une exposition.*
- *Un terrain à bâtir.*
- *Le théâtre d'un accident.*
- *La ville choisie pour la tenue d'un événement.*

sit-in

Ce mot américain désigne une « manifestation au cours de laquelle des protestataires s'assoient par terre pour occuper des lieux publics ». On peut le traduire tout simplement par *occupation* (des bureaux, des lieux, des locaux).

- *Les manifestants ont envahi le bureau du député. L'occupation dure maintenant depuis 24 heures.*

skate

Voir *skate-board*.

skate-board

Un peu partout dans nos rues, on peut voir des *skaters* pratiquer leur sport favori, le *skate*, montés sur des *skate-boards*. Ces différents emprunts à l'américain s'intègrent mal au français et sont, en outre, inutiles. La locution *planche à roulettes* traduit à la fois *skate* et *skate-board*. Quant aux fanas de *skate*, ce sont des *planchistes*.

skater

Voir *skate-board*.

ski

Le *ski* qui se pratique sur l'eau est le *ski nautique*, non le *ski aquatique*.

skinhead

Ce mot désigne un « membre d'une organisation raciste vouée à la promotion de la supériorité blanche ». Il ne prend pas de majuscule. Son abréviation *skin* n'en prend pas davantage. En revanche, les deux mots prennent la marque du pluriel.

- *Des skinheads, des skins.*

sloche

Voir *slush*.

sludge

Voir *slush*.

slush

Ce terme anglais désigne un « mélange de neige fondante, de sable, de sel ou de calcium ». L'orthographe du mot s'intégrant mal au français, on a cherché des solutions de remplacement. C'est ainsi qu'on a vu apparaître la forme francisée *sloche*, considérée comme familière. Puis, on s'est rabattu sur *gadoue*, terme qui a le sens de « terre détrempée » en France, mais qui, comme le fait remarquer l'OLF, est aisément applicable à l'état de nos rues et de nos trottoirs en hiver. *Gadoue* me paraît préférable à *bouillie neigeuse*, locution peu usitée, et à *névasse*, mot qui désigne plutôt une « masse de neige durcie en haute montagne ».

snack-bar

Voir *bar*.

snob

Snob est invariable en genre, que ce soit comme substantif ou comme adjectif. Il prend cependant la marque du pluriel.

- *Des femmes snobs.*

social

Cet adjectif est un anglicisme au sens de *mondain*.

- *Un carnet mondain.*
- *Un événement mondain.*
- *Des obligations mondaines.*

On peut par contre parler de *vie sociale*.

- *Elle a une vie sociale très active.*

société

Le mot *société* s'écrit généralement avec une minuscule quand il est suffisamment individualisé par un nom propre ou par un équivalent.

- *La société Dupont.*

Il s'écrit avec une majuscule s'il fait indiscutablement partie du nom de l'établissement ou de l'institution.

- *La Société nationale des Québécois.*

Voir aussi *raisons sociales*.

sociétés point-coms

Voir *point-com(s)*.

sœur

On emploie une minuscule pour désigner les membres des communautés religieuses.

- *Le livre de sœur Berthe.*
- *Les sœurs du Bon-Pasteur.*

On écrit cependant les *Sœurs grises*.

software

Cet anglicisme du vocabulaire de l'informatique est presque disparu. Il a été remplacé par *logiciel*.

soi-disant

Cette locution est invariable.

- *Les soi-disant féministes.*

soigner

On peut *soigner* quelqu'un ou *se soigner* soi-même, mais on ne *soigne* pas une blessure, on en *souffre*, on *s'en remet*, on *est soigné* pour une blessure.

- *Mario Lemieux se remet d'une blessure au dos.*

soir(s)

On peut écrire indifféremment *tous les vendredis soirs* ou *tous les vendredis soir*. Dans le premier cas, *soir* est accordé comme un adjectif. Dans le second, *soir* reste invariable, l'expression ayant le sens de *tous les vendredis le soir*. Plusieurs grammairiens estiment que l'invariabilité est plus logique.

Les mêmes remarques valent pour *matin*.

- *Tous les jeudis matin(s), elle se rend au gymnase.*

soit... soit

Soit... soit indique une alternative.

- *Il est soit naïf soit stupide.*

Soit que... soit que commande le subjonctif.

- *Soit qu'il se soumette, soit qu'il démissionne.*

solde

Solde est singulier dans l'expression *en solde*, mais il devrait être au pluriel sur les affiches indiquant que le prix de certains articles est réduit.

Voir aussi *vente*.

solide

Cet adjectif ne peut désigner en français un matériau plein. *Massif* est le terme juste.

- *Une table en chêne massif.*

solliciteur général

Pas de majuscule.

solo

Comme adjectif, *solo* est invariable en genre, mais non en nombre.

- *Des guitares solos.*

Comme substantif, *solo* peut avoir un pluriel français *(solos)* ou italien *(soli)*. Le pluriel français est cependant de plus en plus usité, ce qui est souhaitable.

sophistiqué

Cet adjectif signifie « très raffiné, d'une grande subtilité ».

- *Ses manières sont sophistiquées.*

On lui prête aussi le sens de « très perfectionné ».

- *Une mécanique sophistiquée.*

Mais ce dernier sens, qui vient de l'anglais *sophisticated*, est critiqué par certains auteurs, qui lui préfèrent *évolué, complexe, de haute technologie*.

sou

L'emploi de *sou* au sens de *cent* est un archaïsme familier.

- *Un dix sous.*

souhaiter

Contrairement à *espérer, souhaiter* commande le subjonctif.

- *J'espère qu'elle viendra.*
- *Je souhaite qu'elle vienne.*

soumettre

Soumettre que est un calque de *to submit that*. On peut le remplacer par de nombreux verbes : *alléguer, avancer, estimer, être d'avis, prétendre, professer, soutenir*, etc.

sous

La préposition *sous* est souvent employée à mauvais escient chez nous, en raison de l'influence de l'anglais.

Ainsi, une section n'est pas *sous l'autorité (under autority)* de quelqu'un ; elle *relève de sa compétence*.

On n'est pas non plus *sous le commandement* de quelqu'un *(under command)*, mais *sous ses ordres*.

Une situation n'est pas *sous contrôle (under control)*, mais, selon le contexte, *bien en main, maîtrisée, circonscrite*, etc.

Une personne n'est pas *sous enquête (under inquiry)*, mais *fait l'objet d'une enquête*. En revanche, on peut être arrêté *sous l'inculpation* (d'un meurtre, d'une agression, etc.) et un fait peut tomber *sous le coup de la loi.*

Un projet n'est pas *sous étude (under study)*, mais *à l'étude*, pas plus qu'il n'est *sous discussion (under discussion)*, mais *en discussion*.

Un patient n'est pas *sous examen (under examination)* ; on lui *fait des examens*. Un patient n'est pas non plus *sous observation (under observation)*, mais *en observation*.

Un bien n'est pas produit *sous licence (under licence)* d'une société ; il est *autorisé par* cette société ou *produit avec l'autorisation de* cette société.

Une chose n'est pas *sous la loi (under law)*, mais *prévue par la loi*.

Un colloque, un débat, n'est pas *sous le thème (under the theme)*, mais *sur le thème* (du sida, de la pollution, etc.).

Un malade n'est pas *sous traitement (under treatment)*, mais *en traitement*. Par contre, un malade peut être *sous médication (sous antibiotiques, sous tranquillisants*, etc.).

Enfin, la température n'est pas *sous zéro (under zero)*, mais *au-dessous de zéro*.

sous contrôle

Voir *contrôle*.

soutien-gorge

Au pluriel : *soutiens-gorge*.

souvenir

Mis en apposition, *souvenir* s'écrit généralement sans trait d'union et prend, le cas échéant, la marque du pluriel.

- *Des albums souvenirs.*

souvenir (se)

Le verbe *se souvenir* se construit avec la préposition *de*. On *se souvient de* quelqu'un ou *de* quelque chose.

La proposition qui suit *se souvenir que* est à l'indicatif si la proposition principale est affirmative ; elle est au subjonctif dans le cas contraire.

- *Je me souviens qu'elle est venue.*
- *Je ne me souviens pas qu'elle soit venue.*

spaghetti

Au pluriel, on peut écrire *spaghetti* ou *spaghettis*. La forme plurielle française est cependant de plus en plus fréquente.

spécial

Cet adjectif est commun au français et à l'anglais, ce qui a engendré de nombreux anglicismes. *Spécial* se dit dans notre langue de « ce qui est particulier, ce qui constitue une exception, ce qui est bizarre ».

- *Une mission spéciale.*
- *Une édition spéciale.*
- *Un envoyé spécial.*
- *Un traitement spécial.*
- *Un comportement spécial.*

Spécial est un anglicisme au sens d'*extraordinaire*.

- *Une séance extraordinaire du conseil municipal.*
- *Une session extraordinaire de l'Assemblée nationale.*

C'est un anglicisme au sens d'*exprès*.

- *Une livraison exprès.*
- *Un colis exprès.*

C'est encore sous l'influence de l'anglais qu'on emploie *spécial* comme substantif. *Spécial* est donc un anglicisme au sens de *solde, rabais, prix réduit*, ou encore au sens de *plat* ou *menu du jour*.

spécification

Ce mot est un anglicisme au sens de *caractéristiques, stipulations.*

- *Vous trouverez les caractéristiques de cet appareil dans le mode d'emploi.*
- *Les stipulations du contrat sont claires.*

spécifique

Cet adjectif a en français le sens de « ce qui est propre à une espèce ou à une chose ». Il est un anglicisme au sens de *explicite, précis.*

- *J'aimerais que vous soyez plus explicite.*

spéculer

Ce verbe est une impropriété au sens de *conjecturer, émettre des hypothèses.*

sponsor

Voir *commanditaire.*

sport

Comme adjectif, *sport* est invariable en genre et en nombre.

- *Ford lance au printemps de nouveaux coupés sport.*

spot

Voir *commercial.*

square

Voir *place.*

squat

Voir *squatter.*

squatter

Certaines personnes sans logement s'installent parfois illégalement dans une habitation inoccupée. Elles deviennent alors des *squatters,* mot que le français a emprunté à l'anglais et qu'on francise aujourd'hui en *squatteurs.*

- *La Ville de Montréal a conclu une entente avec les squatteurs.*

Le mot *squat* désigne l'« occupation illégale d'un immeuble ».

Squat et *squatteur* ont engendré le verbe *squatter.* On dit aussi, mais rarement, *squattériser.*

squatteur

Voir *squatter.*

stade, stage

On confond parfois ces deux termes. Le premier décrit une « étape dans une évolution ».

- *À ce stade-ci, je m'interroge sur mon avenir.*

Le second désigne une « période d'essai ou de perfectionnement ».

- *Les employés devront aller faire un stage à Boston.*

stand

Ce mot est un anglicisme au sens de *station.*

- *Une station de taxis.*

Voir aussi *kiosque.*

standard

Plusieurs auteurs considèrent *standard* comme un adjectif invariable. Mais le Petit Larousse recommande de le faire varier en nombre, un avis plein de bon sens qu'on retrouve aussi dans la troisième édition du Multidictionnaire.

- *Des pneus standards.*

Comme substantif, ce mot d'origine anglaise est considéré comme français au sens de *norme de fabrication.*

- *Ce constructeur a des standards élevés.*

Standard reste considéré comme un anglicisme au sens de *niveau de vie*.

station

Ce mot désigne un « point d'arrêt d'une ligne de transport ».

- *Une station d'autobus.*

Certaines *stations* sont dotées d'une *gare*.

Le « point d'arrêt extrême d'une ligne de transport » est un *terminus* ou une *station terminus*.

Voir aussi *stand*.

stationnement

Voir *parking*.

stationner

Ce québécisme familier est synonyme de *garer*.

station-service

Ce mot composé s'écrit avec un trait d'union. Au pluriel, on écrit le plus souvent *stations-service*, mais on rencontre aussi *stations-services*.

Une « station où le client assure lui-même le service » est une *station libre-service*. On dit aussi un *libre-service*.

- *L'essence est moins chère dans les libres-services que dans les stations-service(s).*

Voir aussi *gas bar*.

statut

Ce mot est un anglicisme au sens de *loi*, *législation*.

- *Les lois du Québec.*

Statut s'emploie toutefois correctement pour désigner les « règles qui déterminent le fonctionnement d'une association, d'une société ».

- *Les statuts du syndicat.*

L'emploi de *statut* au sens de « situation par rapport à la société » demeure critiqué, mais son usage se répand. C'est ainsi qu'on parle du *statut* social d'une personne plutôt que de son *rang*. Et au Québec, on a même le Conseil du *statut* de la femme.

Quand il s'agit de définir la « situation d'une personne par rapport à une compagnie, un parti, une association, etc. », il vaut mieux employer les mots *place*, *position*, *qualité*, *situation*.

- *La place qu'il occupe dans le parti lui confère une certaine indépendance.*

On parlera aussi de l'*état civil* d'une personne plutôt que de son *statut civil*.

stock

Voir *inventaire*.

stop

On a fait une bataille politique autour de ce mot que le français a emprunté à l'anglais, il y a plus de 200 ans. Assez longtemps pour mériter sa francisation. Son utilisation sur les panneaux de signalisation est d'autant plus justifiée que cette interjection, claire tant pour les francophones que pour les anglophones, signifie *ordre d'arrêter*. Mais la cause est devenue trop émotive. C'est pourquoi rien n'arrêtera sans doute certains Québécois d'employer *arrêt*.

stuc

On confond parfois *stuc* et *stucco*. Le premier est un « enduit imitant le marbre » ; le second, un « mélange coloré de plâtre et de ciment dont on se sert comme revêtement extérieur ».

- *Un escalier en stuc.*
- *Une maison en stucco.*

On ne trouve pas *stucco* dans les dictionnaires français. C'est que cet emprunt à l'anglais est inconnu en France, tout comme le matériau qu'il désigne. Les Français connaissent en revanche le mot *crépi*, qui désigne un « mélange de sable, de ciment et de chaux dont on se sert comme revêtement ».

stucco

Voir *stuc*.

style direct et indirect

En français, le passage du style direct au style indirect entraîne des modifications de personnes et, le cas échéant, de temps. L'anglais ne procède pas ainsi et son influence nous vaut de plus en plus souvent des citations grammaticalement incorrectes. En voici un exemple :

- *La politologue a déclaré que « je me sens humiliée par les propos du sénateur ».*

Une telle phrase est construite à l'anglaise. En français, deux solutions sont possibles.

1– Le style direct :

- *La politologue a déclaré : « Je me sens humiliée par les propos du sénateur. »*

2– Le style indirect :

- *La politologue a déclaré qu'elle se sentait « humiliée par les propos du sénateur ».*

On notera que, dans ce dernier exemple, le *je* a été remplacé par *elle* et que le verbe *sentir* est à l'imparfait pour respecter la concordance des temps.

Voici un autre exemple :

- *L'actrice a dit que « mon choix de rôles s'explique par mon désir de surmonter mes peurs ».*

Il aurait plutôt fallu écrire :

- *L'actrice a dit que son choix de rôles s'expliquait par son désir de surmonter ses peurs.*

On notera que les guillemets ont disparu. Si on tient à les utiliser, deux choix sont possibles.

1– Le style direct :

- *L'actrice a dit : « Mon choix de rôles s'explique par mon désir de surmonter mes peurs. »*

2– Le style indirect avec parenthèses :

- *L'actrice a dit que son choix de rôles s'expliquait par « (son) désir de surmonter (ses) peurs ».*

Ce dernier choix est cependant un peu lourd.

Voir aussi *citations*.

subpœna

Ce mot est un anglicisme au sens d'*assignation* ou de *citation à comparaître*.

subside

Voir *octroi*.

substituer

Substituer une chose *pour* une autre est une tournure anglaise. En français, on *substitue* une chose *à* une autre.

- *Il a substitué sa chemise à son T-shirt.*

subvention

Voir *octroi*.

succéder (se)

Le participe passé de ce verbe reste invariable à la forme pronominale.

- *Elles se sont succédé.*

succomber

On ne *succombe* pas *de* ses blessures ou *d'*un accident, mais *à* ses blessures ou *à* un accident.

suicide

Lorsqu'il est question de *missions* ou d'*attentats suicide*, faut-il mettre un *s* à *suicide* et réunir les deux mots par un trait d'union ? Précisons tout d'abord que l'usage est très flottant dans toute la presse.

Les dictionnaires, en revanche, ne préconisent pas le trait d'union. Pour ce qui est de l'accord, l'invariabilité est tout à fait logique, car il s'agit d'opérations réalisées par suicide.

- *Deux attentats suicide font au moins 30 morts et 220 blessés en Israël.*

suite

Ce mot désigne correctement un *appartement* dans un hôtel de luxe, mais il est un anglicisme au sens d'un ensemble de *bureaux*.

suite à

Il est préférable de limiter cette expression à la correspondance commerciale. Dans les autres contextes, on écrira plutôt *à la suite de (après, à cause de)* ou *par suite de (en conséquence de).*

- *La silicone est utilisée pour traiter les cicatrices qui apparaissent à la suite d'une chirurgie.*
- *Par suite des compressions budgétaires, l'organisme a dû mettre fin à ses activités.*

suivi

Ce mot récent désigne l'« action de suivre, de surveiller l'accomplissement d'une activité ».

- *Le Dr Larose assurera le suivi de ce cas.*

C'est l'équivalent français de *follow-up*. Son emploi est si utile qu'il s'est répandu comme une traînée de poudre à peu près dans tous les domaines : médecine, sciences humaines, journalisme, administration, etc. D'autres termes ont été proposés, comme *rappel, surveillance, suite, évolution* ou *recul*. Mais *suivi* s'applique fort bien à un grand nombre de situations.

sujet à

On peut être *sujet à* la maladie, mais on est *soumis aux* lois de la nature. On ne peut dire non plus *sujet à un changement* mais *sous réserve d'un changement.*

sujets collectifs

Certains mots, dits collectifs, désignent un ensemble d'êtres ou d'objets : *majorité, minorité, poignée, groupe, cercle, bande, masse, ensemble, foule*, etc. Lorsqu'ils sont employés sous une forme au singulier et suivis d'un complément au pluriel, l'accord du verbe qui les suit est problématique. Dans de nombreux cas, le singulier et le pluriel sont possibles.

- *Un groupe de citoyens s'oppose à cette réforme.*
- *Un groupe de citoyens s'opposent à cette réforme.*

Dans le premier cas, on considère le groupe comme un tout. Dans le second cas, on estime que le groupe est constitué de la somme des gens qui le composent.

Quand le collectif est considéré comme un tout, il est souvent précédé de l'article défini.

- *La masse des indécis s'est rangée derrière lui.*

L'accord au pluriel permet d'éviter certains pièges, comme celui d'un collectif féminin suivi d'un verbe à la forme passive. Il est préférable, par exemple, d'écrire :

- *Une poignée de partisans ont été séduits par son discours.*

que :

- *Une poignée de partisans a été séduite par son discours.*

L'accord au singulier s'impose si les mots *majorité* ou *minorité* sont employés au sens strict. On notera que, dans un tel cas, ces mots sont précédés de l'article défini.

- *La majorité des syndiqués a voté en faveur de la proposition.*

Avec les locutions adverbiales de quantité *(trop de, peu de, beaucoup de, bien des, assez de, tant de, combien de,* etc.), le verbe s'accorde avec le complément.

- *Beaucoup de reproches lui ont été faits.*

Avec *la plupart de, nombre de, quantité de,* le verbe s'accorde également avec le complément.

- *La plupart des gens sont favorables à la réduction du déficit.*

Le pluriel est généralement employé même quand *la plupart* n'est pas suivi d'un complément au pluriel, celui-ci étant considéré comme sous-entendu.

- *La plupart ne reviendront pas.*

Avec une fraction au singulier *(quart, tiers)* ou avec un collectif numéral *(dizaine, douzaine)*, l'accord du verbe se fait avec le collectif s'il s'agit d'une quantité précise.

- *La douzaine de beignes coûte 2 $.*

Mais s'il s'agit d'une approximation, l'accord se fait généralement au pluriel.

- *Le tiers des sièges étaient inoccupés.*

superintendant

Ce terme est un anglicisme inutile *(superintendent)* au sens de *concierge.*

superviseure

Féminin de *superviseur.*

supplémentaire

L'emploi de ce mot comme substantif au sens de « représentations supplémentaires (d'un spectacle, d'une pièce de théâtre, etc.) » est un néologisme dont la brièveté est bien commode. Bien entendu, on peut également parler de *spectacle supplémentaire* ou de *prolongation.*

support

Ce mot est une impropriété au sens de *cintre.*

C'est aussi un anglicisme au sens de *soutien, aide, appui* (d'une personne).

- *Vous pouvez compter sur mon appui.*
- *Elle a besoin de votre aide.*
- *Il a été un soutien inespéré après la mort de ma fille.*

supporter

L'emploi du mot anglais *supporter,* qu'on francise parfois en *supporteur et supportrice,* est critiqué par certains auteurs. Si on décide de l'employer, on le réservera au vocabulaire sportif. Le français dispose aussi des mots *partisan, admirateur, adepte, fidèle.*

supporter (quelqu'un)

Supporter quelqu'un, c'est l'endurer.

- *Je ne peux plus le supporter, il me rend folle.*

Ce verbe n'a pas en français le sens de *soutenir, aider, appuyer, accorder son soutien à, financer, subvenir aux besoins.*

suprémaciste

Ce néologisme désigne un « tenant de la supériorité blanche ».

sur

La préposition *sur* s'emploie correctement dans l'expression *aller sur* ses 20, ses 30 ou ses 80 ans.

C'est également *sur* et non *par* qu'il faut employer quand on indique les dimensions d'une surface.

- *Un bureau de trois mètres sur quatre.*

Mais on va *à* Paris, *à* Rome, *à* Québec ou même *à* Drummondville. L'emploi de *sur* dans ce contexte sera peut-être un jour entériné par les grammairiens, mais ça ne semble pas demain la veille. Quoi qu'il en soit, cet usage, qui a ses défenseurs, ne me paraît pas utile. Il est même, comme le souligne Jean-François Revel, de l'Académie française, porteur de confusion. « Ainsi, écrit-il, *je travaille sur Paris* est de plus en plus usité pour *j'exerce ma profession à Paris*, alors que cela signifie *je fais une recherche, une étude, un mémoire sur Paris.* »

sûreté

Ce mot s'écrit avec une majuscule quand il qualifie un corps policier d'envergure nationale.

- *La Sûreté du Québec.*

Il prend une minuscule quand il désigne un corps policier local ou régional.

- *La sûreté municipale de Québec.*

surface habitable

Voir *habitable.*

surf des neiges

On préférera *surf des neiges* à *planche à neige*, qui est un calque de *snowboard.* La locution *surf des neiges* est employée tant dans le reste de la francophonie que par les organismes québécois de surf. La planche utilisée par les *surfeurs* pour *surfer* s'appelle un *surf.*

surintendant

Ce terme est en français une impropriété au sens de *chef de chantier, contremaître* ou *concierge.*

surnom

Certains Hells, comme on le sait, ont des surnoms familiers, comme Maurice Mom Boucher, ou évocateurs, comme Stéphane Godasse Gagné. L'habitude répandue de placer ces surnoms entre guillemets est lourde sur le plan typographique et contraire à l'esprit de la langue française. Il ne faut donc pas le faire.

Certains contestent l'emploi même de ces surnoms dans le cas des motards, estimant qu'ils contribuent à rendre sympatiques des criminels.

surprise

Mis en apposition, *surprise* s'écrit avec un trait d'union et prend, le cas échéant, la marque du pluriel.

- *Une attaque-surprise.*
- *Des invités-surprises.*

surprise-partie

Les deux éléments de cette francisation de l'américain *surprise party*, varient au pluriel.

- *Des surprises-parties.*

surtemps

Ce mot est une traduction littérale de *overtime*. On évitera également *temps supplémentaire*. L'expression juste est *heures supplémentaires*, et non *surtemps*.

- *La direction a décidé de réduire les heures supplémentaires.*

surveiller

Ce verbe est un anglicisme au sens de *faire attention, être aux aguets, suivre avec attention*.

- *Suivez la publicité avec attention pour découvrir nos rabais.*

suspect

Contrairement à un usage assez répandu, il faut qu'un individu soit connu pour qu'il soit suspect. Il doit y avoir quelqu'un, quelque part, qui le soupçonne dune infraction donnée ou d'un méfait. Sinon, on ne peut parler de suspect ; il faut s'en tenir à simplement à *individu recherché* ou *louche*.

SUV

Voir *véhicule utilitaire sport*.

sympathies

L'emploi de ce mot au pluriel est un anglicisme au sens de *condoléances*.

- *Je vous offre mes condoléances.*

Par contre, on peut assurer quelqu'un de sa *sympathie* ou envoyer un message de *sympathie*, à l'occasion d'un deuil.

sympathique

Cet adjectif signifie *aimable* en parlant de quelqu'un ou *agréable* en parlant de quelque chose. Il s'abrège en *sympa*.

- *Un café très sympa.*

Sympathique n'a pas le sens de *favorable, bien disposé, ouvert*. On ne dira pas de quelqu'un, par exemple, qu'il est *sympathique* aux idées nouvelles, mais qu'il leur est *favorable*

sympathiser

Ce verbe se dit de « personnes qui se trouvent mutuellement sympathiques ». Il n'a pas le sens de *partager la peine de quelqu'un*.

syndicat

Les dénominations des associations syndicales s'écrivent avec une minuscule si elles sont suffisamment individualisées par un nom propre ou par un équivalent.

- *Le syndicat des journalistes de Québec.*

Elles s'écrivent avec une majuscule quand elles font indiscutablement partie de la raison sociale.

- *Le Syndicat des fonctionnaires provinciaux.*
- *La Fédération des affaires sociales.*
- *La Confédération des syndicats nationaux.*

système de son

Cette expression est un calque de *sound system*. En français, on dira plutôt *chaîne stéréo* ou *chaîne haute-fidélité*.

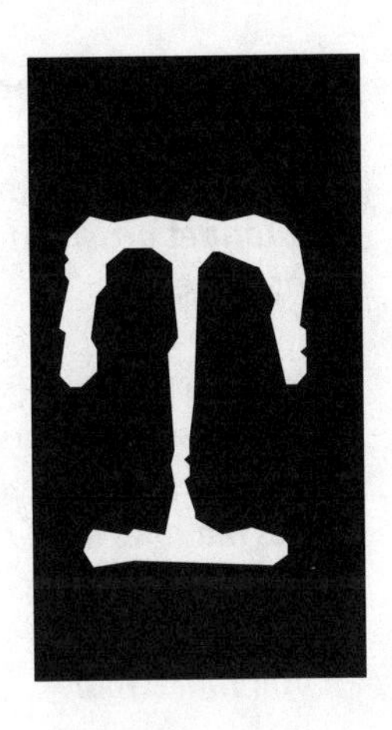

tabagie

Au Québec, c'est ce mot qu'on emploie pour désigner un *magasin de tabac*. Et on appelle *tabagiste* un *marchand de tabac*.

tabagiste

Voir *tabagie*.

table ronde

Voir *panel*.

table (sous la)

La locution *sous la table* est un calque de *under the table*. En français, on ne dira pas qu'on paie quelqu'un *sous la table*, mais plutôt qu'on le fait travailler *au noir* ou qu'on achète *au noir*, selon le contexte.

talons aiguilles

Que l'on parle de *talons aiguilles* ou de *talons hauts*, il n'y a pas de trait d'union.

talons hauts

Voir *talons aiguilles*.

tambour (sans – ni trompette)

La locution *sans tambour ni trompette* s'écrit au singulier.

tampon

Mis en apposition, ce mot s'écrit sans trait d'union, mais prend la marque du pluriel, le cas échéant.

- *Des zones tampons.*

tam-tam

Au pluriel : *tam-tams*.

tanner

Ce verbe est un synonyme familier de *taper sur les nerfs, agacer, importuner*. C'est un québécisme familier au sens de *fatigué de, las de*.

tant et aussi longtemps

Les locutions *tant que* et *aussi longtemps que* ayant le même sens, la locution *tant et aussi longtemps que* est un pléonasme.

tape-à-l'œil

Que ce soit comme adjectif ou comme substantif, *tape-à-l'œil* est invariable.

- *Des meubles tape-à-l'œil.*

tapis mur à mur

Voir *mur à mur*.

tasse de thé

La locution *ce n'est pas ma (sa) tasse de thé* est un calque de l'expression anglaise *it's not my (his) cup of tea*. En français, on dit plus volontiers, selon le contexte, *ce n'est pas à mon goût, ce n'est pas dans mes cordes, ça ne me convient guère, ce n'est pas mon truc.*

- *Les maths, ce n'est pas dans mes cordes.*
- *Les grandes effusions, ce n'est pas son truc.*

taux

Ce mot est une impropriété au sens de *prix* ou de *tarif.*

- *J'aimerais connaître vos prix de location pour une petite voiture.*

taxage

Voir *bullying*.

taxe foncière

L'« impôt perçu par une municipalité ou par une commission scolaire sur l'habitation » s'appelle l'*impôt foncier*. Cette appellation est plus juste que *taxe foncière*, car il s'agit bel et bien d'un impôt, non d'une taxe. Il faut reconnaître toutefois que l'usage est flottant, ce qui s'explique sans doute par le fait que les municipalités parlent de *taxe foncière* alors que le ministère du Revenu s'en tient sagement à *impôt foncier*. Autre élément qui ajoute à la confusion : l'*impôt foncier* comprend parfois de vraies taxes (taxes locales, taxe d'enlèvement des ordures ménagères, taxe d'eau, etc.).

Alors que faire ? Dans la mesure du possible, il convient de privilégier *impôt foncier*. Cependant, compte tenu de l'usage (lequel, rappelons-le, est entériné par certains textes de loi), il serait illusoire de vouloir bannir complètement l'emploi de *taxe foncière*, de *taxes municipales* ou de *taxes scolaires*, notamment dans les citations. Dans le domaine scolaire en particulier, la locution *impôt foncier* est rarement employée.

Par ailleurs, la missive tant redoutée qui fixe le montant de l'impôt foncier (qu'il soit scolaire ou municipal) » s'appelle improprement le *compte de taxes*. L'appellation juste est *avis d'imposition.*

- *Les propriétaires viennent de recevoir leur avis d'imposition. La plupart estiment que la hausse de l'impôt foncier est excessive cette année.*

La locution *compte de taxes* est également impropre pour qualifier l'*impôt foncier* proprement dit. On ne dira pas, par exemple, que *les comptes de taxes sont élevés à Montréal*, mais tout simplement que *l'impôt foncier est élevé à Montréal*.

Ici encore, il serait illusoire de vouloir bannir complètement l'emploi de *compte de taxes*, notamment dans les citations.

- *L'impôt foncier ne sera pas vraiment allégé à Montréal.*

taxer

Ce verbe est un anglicisme au sens de *fatiguer, éprouver, mettre à dure épreuve, surmener.*

- *Ce long match l'a beaucoup fatigué.*

taxes municipales

Voir taxe *foncière.*

technicalité

Ce mot est un calque de l'anglais. Au singulier, on l'emploie surtout dans l'expression *technicalité légale*, qu'on pourra remplacer par *point de droit*. On l'utilise aussi parfois au sens de *formalité*. Au pluriel, on traduit généralement ce mot par *détails techniques.*

- *Certains points de droit restent à préciser.*
- *J'ai du mal à saisir certains détails techniques.*

technologie

On abuse des mots *technologie* et *technologique*. Dans beaucoup de cas, *technique*, qui est à la fois substantif et adjectif, suffirait. La *technologie* désigne la science et l'étude des *techniques*, non les *techniques* elles-mêmes.

- *Le succès de cette entreprise repose sur des techniques de pointe.*
- *Ce nouveau modèle comporte de nombreuses innovations techniques.*

technologique

Voir *technologie.*

technophobe

Ce néologisme désigne une « personne prise de panique devant les nouvelles techniques ».

- *L'invasion de l'informatique inquiète les technophobes.*

tee-shirt

Voir *T-shirt.*

teinturerie

Voir *nettoyeur.*

tel

Lorsque *tel* n'est pas suivi de *que*, il s'accorde généralement avec le substantif qui suit.

- *De nombreux réalisateurs, tel Roman Polanski, donnent un rôle à leur compagne de vie.*

Lorsque *tel* est suivi de *que*, il s'accorde toujours avec le substantif auquel il se rapporte.

- *Des exercices simples tels que la marche ont un effet bénéfique sur la santé.*

La locution *tel que* est parfois suivie d'un participe passé, avec ellipse du verbe conjugué. Une telle construction devrait se limiter à la langue administrative ou technique.

- *J'ai accepté l'offre d'achat telle que modifiée.*

Télé-Capitale

Deux majuscules et trait d'union.

téléjournal

Ce québécisme de bon aloi désigne un *journal télévisé.*

Télé-Métropole

Deux majuscules et trait d'union.

téléphone

Ce mot n'a pas le sens d'*appel*. On ne reçoit pas un *téléphone*, mais un *appel*. On ne fait pas un *téléphone*, mais un *appel*. On peut par contre recevoir ou donner un *coup de téléphone* ou *un coup de fil*.

téléroman

Ce québécisme de bon aloi désigne un *feuilleton télévisé*.

télésérie

Ce québécisme de bon aloi désigne un *feuilleton* de plus courte durée qu'un *téléroman*.

Télévision Quatre Saisons

Trois majuscules et pas de trait d'union.

téléréalité

L'usage hésite de moins en moins entre *télé-réalité et téléréalité*. La persistance du phénomène aidant, la graphie en un mot et sans trait d'union est en train de s'imposer, ce qui est tout à fait logique.

- *La téléréalité connaît un grand succès au Québec.*

Ce terme est une traduction de *reality show* ou *reality television*. Il désigne des « émissions où les participants vivent en direct diverses situations », comme *Occupation double* ou *Loft Story*. En revanche, la *téléréalité* ne désigne pas les « émissions fondées sur des faits vécus ». Dans ce cas, on parlera plutôt de *télévision vérité*. La *téléréalité* se distingue également du *docudrame*, qui est un « documentaire dont certaines parties sont des reconstitutions dramatiques ».

télévision vérité

Voir *téléréalité*.

témoin

Mis en apposition, *témoin* s'écrit sans trait d'union et prend la marque du pluriel, le cas échéant.

- *Venez visiter nos appartements témoins.*

témoin de la Couronne

Cette locution est un calque de *Crown witness*. En français, on dira plutôt *témoin à charge*.

température

On confond souvent *température* et *temps*. La *température* indique le « degré de chaleur ou de froid ».

- *La température sera de 27 degrés Celsius (27° C) demain.*

Le temps décrit l'« état de l'atmosphère ».

- *Beau temps, mauvais temps, temps doux, temps frisquet, temps sec, temps pluvieux, temps chaud, temps froid,* etc.

tempo

Au pluriel : *tempos*.

- *Des tempos rapides.*

temps (au – de)

L'expression juste est *au temps de* et non *du temps de*.

- *Au temps de ma jeunesse folle.*

temps (en)

En temps est un calque de *in time*. On dira plutôt *à temps*.

- *Le moteur allait exploser ; le pilote est sorti à temps.*

temps (en avant de son)

L'expression *en avant de son temps* est un calque de *ahead of time*. En français, on dira plutôt *à l'avance, d'avance* ou *avant l'heure prévue.*

temps (par les – qui courent)

On rencontre parfois cette expression au singulier.

- *Par le temps qui court.*

Mais le pluriel est plus fréquent.

tennis

Voir *baskets.*

tenue de sport

Peut-on appeler *costume d'éducation physique* les vêtements que portent les élèves au gymnase ? L'expression n'est pas incorrecte puisque le mot *costume* désigne des « pièces d'habillement qui constituent un ensemble ». Mais il me paraît plus juste de parler de *tenue de sport*, car le mot *tenue* désigne « l'ensemble des vêtements et accessoires nécessaires à une activité ».

- *Tenue de soirée, de voyage,* etc.

terme(s)

Au singulier, ce mot est un anglicisme au sens de *mandat* politique, de *période* au cours de laquelle une fonction est exercée.

- *Le mandat d'un député est généralement de quatre ans.*

Au pluriel, ce mot est un anglicisme au sens de *conditions* ou *modalités* d'un contrat ou de *clauses* d'une convention collective.

- *Nos conditions de paiement sont avantageuses.*
- *L'employeur et le syndicat se sont mis d'accord sur les clauses d'une nouvelle convention collective.*

La locution *termes faciles* est un calque de *easy terms.* En français, on parlera plutôt de *facilités de paiement.*

termes (en – de)

La locution *en termes de* est un calque de l'expression anglaise *in terms of.* Sans la condamner, on pourra lui préférer *dans le domaine de, en ce qui a trait à, en ce qui concerne, en fait de, en matière de, pour ce qui est de, sous l'angle de, sous le rapport de, sur le plan de,* etc.

On peut aussi utiliser une autre tournure. On ne dira pas, par exemple, qu'il faut penser *en termes d'*efficacité, mais qu'il faut penser *à* l'efficacité, mettre l'accent *sur* l'efficacité, etc.

terminus

Voir *station.*

terrasse

Ce mot s'écrit avec une minuscule quand il est déterminé par un nom propre.

- *La terrasse Dufferin.*

terre à terre

Cette locution invariable s'écrit sans trait d'union.

terre-neuvien

L'adjectif et le substantif s'écrivent avec un trait d'union. Le premier s'écrit avec deux minuscules, le second avec deux majuscules.

- *Les mœurs terre-neuviennes.*
- *Les Terre-Neuviens.*

terres de la Couronne

Cette locution est un calque de *Crown lands*. En français, on parlera plutôt de *terres domaniales* ou de *domaines de l'État*.

testé positif

Voir *positif (testé)*.

théâtre

Ce mot s'écrit habituellement avec une majuscule quand il est suivi d'un adjectif ou d'un nom commun.

- *Le Théâtre national.*
- *Le Théâtre d'aujourd'hui.*

Lorsque le mot *théâtre* prend une majuscule, l'adjectif qui le précède s'écrit également avec une majuscule.

- *Le Grand Théâtre.*

Théâtre s'écrit généralement avec une minuscule quand il est suivi d'un nom propre de personne ou de lieu, ou encore d'un équivalent.

- *Le théâtre Maisonneuve.*
- *Le théâtre de l'Avant-Pays.*
- *Le théâtre Espace GO.*

thème

Ce mot est un anglicisme au sens d'*indicatif musical*.

- *De nombreux indicatifs musicaux sont tirés d'œuvres classiques.*

Voir aussi *chanson-thème*.

thème (sur le)

Un débat, un colloque ou une rencontre se déroule *sur* un thème et non *sous* un thème. La locution *sous le thème* est en effet un calque de *under the theme*.

- *Un colloque sur le thème de l'environnement.*

think tank

Cette locution anglaise se traduit par *comité* ou *groupe d'experts*.

- *On a confié la solution du problème à un groupe d'experts.*

ticket

Ce mot est un anglicisme au sens de *contravention* ou d'*amende*.

- *Il a dû payer de lourdes amendes à la suite de toutes les contraventions qu'il a reçues.*

Par ailleurs, on appelle *ticket* le « billet donnant droit à l'admission dans un véhicule de transport public ».

- *Un ticket de métro.*

Le mot *billet* est également correct en ce sens.

ticket de caisse

On appelle *ticket de caisse* le « petit reçu que l'on reçoit lors d'un achat ».

ticket modérateur

Cette expression désigne la « somme laissée à la charge du bénéficiaire de soins ou de services ». Son imposition par l'État vise à freiner la surconsommation, mais son usage est controversé.

tiers

Lorsque *tiers* est suivi d'un complément au pluriel, le verbe qui suit s'accorde généralement au pluriel. Mais on trouve parfois l'accord au singulier. Dans ce cas, *tiers* est envisagé comme un bloc.

- *Le tiers des élèves ont échoué.*
- *Le tiers des élèves a échoué.*

tiers-monde

Le Petit Larousse et le Petit Robert écrivent ce mot avec un trait d'union et sans majuscules. Cet usage est préférable, même si d'autres sources autorisent des graphies différentes.

tirer

Il n'est pas fautif d'écrire ou de dire *tirer quelqu'un*. Certes, on peut *tirer sur* quelqu'un, lui *tirer dans* le ventre, *dans* le dos ou *dans* la tête, *tirer contre* un objectif, mais on peut aussi *tirer* une personne ou un animal. Dans ce cas, *tirer* est synonyme d'*abattre*.

- *Le tueur a tiré un enfant.*

tirer de la langue

On ne *tire* pas *de la langue*, mais tout simplement *la langue*, quand on est assoiffé ou exténué.

tirer (s'en)

S'en tirer, c'est s'en sortir indemne. On ne pourra donc dire, par exemple, qu'une personne *s'est tirée* d'un accident avec quelques blessures mineures. On dira plutôt qu'elle en *a été quitte pour* quelques légères blessures.

tiret

On confond parfois le tiret (–) et le trait d'union (-). Le tiret est employé seul pour signaler chaque élément d'une énumération ou pour indiquer le changement d'interlocuteur dans un dialogue.

Au nombre de deux, on utilise les tirets à la place des parenthèses pour isoler un ou plusieurs éléments dans une phrase. Notons que le second tiret est supprimé avant un point final.

titres de civilité

Les titres de civilité *madame*, *mademoiselle* et *monsieur* s'écrivent avec une majuscule et s'abrègent devant le nom, le prénom ou le titre de la personne dont on parle.

- *M*^{me} *Langlois, M*^{lle} *Denise, M. le maire.*

Ces titres s'écrivent avec une minuscule et sans abréviation lorsqu'ils ne sont pas suivis d'un nom propre ou d'un titre.

- *Oui monsieur, madame rentrera tard.*

Les titres de civilité s'écrivent également avec une minuscule et au long quand on s'adresse directement à la personne.

- *Bonjour, monsieur Tremblay. Je vous attendais.*

Dans les médias, l'usage veut qu'on omette le titre de civilité lorsque le nom d'une personne est précédé de son prénom, de son titre ou des deux.

- *Céline Dion revient d'une tournée triomphale.*
- *Bruny Surin a pris sa retraite.*
- *Le maire de Montréal, Gérald Tremblay, veut consulter la population.*

Par la suite, on utilise le nom de la personne précédé de son titre abrégé.

- *M. Tremblay a demandé l'aide du gouvernement provincial.*

Cette règle n'est toutefois pas absolue. Ainsi, dans les pages culturelles et sportives, on omet généralement le titre de civilité.

Un usage un peu vieillot veut également que l'on n'écrive pas le nom d'une femme sans son titre ou sans son prénom. On écrit rarement, par exemple, *Jérôme-Forget a déclaré…* mais plutôt *Monique Jérôme-Forget* ou *la présidente du Conseil du Trésor a déclaré…*

titres de fonctions

Dans les textes autres qu'officiels, les titres de fonctions s'écrivent généralement avec une minuscule.

- *Le juge, la directrice, le pape, le premier ministre, le vérificateur.*

Précisons cependant que certaines dénominations, au Québec, désignent tantôt un titre de fonction, tantôt un nom d'organisme. C'est le cas, par exemple, du *directeur des élections* ou du *protecteur du citoyen*. Pour éviter toute confusion, je conseille de faire précéder ces appellations de la locution *le bureau de* quand on veut parler de l'organisme.

- *Le bureau du directeur des élections fera enquête dans la circonscription de Bertrand.*

titres de grades

Ces titres s'écrivent avec une minuscule et ne s'abrègent pas.

- *Le sergent Paul-André Girard s'est joint aux Forces canadiennes en 1981.*
- *Le lieutenant, le caporal, le général.*

titres de noblesse

Ces titres s'écrivent avec une minuscule.

- *La duchesse, le marquis, la reine.*

titres d'œuvres

Les titres d'œuvres s'écrivent en italique et non entre guillemets ou en gras. (Dans un texte en italique toutefois, les titres d'œuvres s'écrivent en romain.)

On met une majuscule au premier substantif ainsi qu'à l'article défini et à l'adjectif qui le précèdent, s'ils font indiscutablement partie du titre.

- *Le Temps d'une paix.*
- *La Divine Comédie.*

L'article s'écrit en romain et sans majuscule s'il est contracté.

- *Lelouch a réalisé une nouvelle adaptation des* Misérables.

Quand un titre est constitué de deux parties séparées par *ou*, le second article reste en italique, mais s'écrit sans majuscule.

- *Raphaël ou le Débauché.*

La même règle s'applique si un titre en comprend un autre.

- *Critique de l'École des femmes.*

Lorsque deux substantifs sont mis en parallèle, les deux prennent une majuscule.

- *La Belle et la Bête.*
- *Les Deux Anglaises et le Continent.*

Quand un titre est constitué d'une phrase ou d'une proposition, seul le premier mot prend une majuscule, exception faite des noms propres bien entendu.

- *La guerre de Troie n'aura pas lieu.*
- *À la recherche du temps perdu.*

La même règle s'applique quand un titre commence par un article indéfini ou un adjectif possessif.

- *Un amour de sorcière.*
- *Ma vie de chien.*

En anglais, tous les mots importants des titres d'œuvres prennent une majuscule, ce qui inclut substantifs, adjectifs et verbes. Même les prépositions s'écrivent avec une majuscule lorsqu'elles font partie d'une locution verbale.

- *The Unbearable Lightness of Being.*
- *The Day the World Blacked Out.*

Par ailleurs, lorsque le sujet est un titre d'œuvre commençant par un article, le verbe s'accorde généralement en nombre et, le cas échéant, en genre, avec cet article. Il est donc tout à fait logique d'écrire :

- Les Invasions barbares *triomphent à Cannes.*
- La Grande Séduction *a été récompensée par sept Jutra.*

Cela dit, l'usage est parfois hésitant. Il arrive donc que le verbe reste au masculin singulier même si le sujet est un titre d'œuvre commençant par un article. Le titre est alors considéré comme un sujet neutre.

- Les Invasions barbares *remporte l'Oscar du meilleur film étranger.*

Lorsqu'un titre est un nom sans article, ce nom fût-il pluriel ou féminin, l'accord du verbe se fait presque toujours au masculin singulier.

- Stupeur et Tremblements *a valu à Sylvie Testud le César de la meilleure actrice en 2004.* Dédales *ne lui avait pas permis de décrocher cette récompense l'année précédente.*

titres honorifiques

Ces titres s'écrivent avec une majuscule. Le possessif, l'adverbe et l'adjectif qui les accompagnent, le cas échéant, prennent aussi une majuscule.

- *Son Éminence, l'Honorable, Sa Majesté Très Chrétienne.*

toast

Toast est synonyme de *rôtie* ou de *pain grillé.* On peut faire griller *le toast* et non *la toast* dans un *toaster* (qu'on francise parfois en *toasteur*). Mais un *grille-pain* fait encore mieux l'affaire.

Si le français accepte *toast* et *toaster,* il n'accepte pas *toasté,* qui est considéré comme un anglicisme au sens de *grillé.*

Quant aux *toasts Melba,* ce sont des *biscottes.*

toasté

Voir *toast.*

toaster

Voir *toast.*

toilettes

Ce mot prend la marque du pluriel quand il désigne le *cabinet d'aisances.*

tollé

Ce mot masculin désigne une « clameur de protestation ». Il n'est donc pas nécessaire de parler d'un *tollé de protestation* ; c'est un pléonasme.

tomber

De nos jours, ce verbe ne s'emploie plus avec l'auxiliaire *avoir* quand il est intransitif.

- *La neige est tombée sur Montréal.*

C'est que l'usage contemporain a laissé tomber la distinction entre l'action (exprimée par l'auxiliaire *avoir*) et son résultat (exprimé par l'auxiliaire *être*).

top (être à son top)

Certains Français emploient la locution *être au top* pour désigner quelqu'un qui *est au mieux de sa forme, au sommet de son art,* qui *excelle,* qui *est premier* dans un domaine quelconque, qui *est au faîte de sa carrière,* ou encore, quelqu'un qui *est au pouvoir* ou *en tête.* Chez nous, on utilise plutôt *être à son meilleur,* qui est un calque de *to be at one's best.* Comme on le voit, dans un cas comme dans l'autre, ce ne sont pas les équivalents bien français qui manquent.

topless

Cet adjectif invariable a le sens de *seins nus*.

- *Des danseuses topless.*

Les auteurs du Dictionnaire des anglicismes du Robert expliquent l'emploi de cet anglicisme par le fait que l'équivalent français est trop direct.

top model

Le terme *top model* est masculin même s'il désigne une femme. Tout comme *mannequin*. Cet anglicisme du vocabulaire de la mode désigne d'ailleurs un « mannequin de réputation internationale ». Il est de plus en plus souvent francisé en *top-modèle* ou *top modèle*. Dans les milieux vachement branchés, on dit aussi familièrement *un top*.

Soit dit en passant, on peut s'interroger sur l'intérêt de *top model*, même francisé en *top-modèle*, quand on sait que ce composé peut être remplacé facilement par *mannequin vedette*.

Notons enfin que *top-modèle* est parfois employé abusivement et improprement pour désigner un *mannequin* peu connu.

topo

Le *topo* est l'équivalent audiovisuel de la *nouvelle*.

- *Les topos de ce reporter sont toujours intéressants.*

toponymes

Les toponymes sont des noms de lieux. Ils ne prennent pas de trait d'union et leur élément générique s'écrit avec une minuscule lorsqu'ils désignent un lieu naturel.

- *La baie des Anglais.*
- *Le mont Tremblant.*

Ils prennent une majuscule et un trait d'union quand ils désignent une entité administrative.

- *La ville de Baie-Comeau.*
- *Le centre de ski du Mont-Tremblant.*

Lorsqu'un toponyme débute par l'article *Le* ou *Les*, on remplace celui-ci par *au*, *aux*, *du* ou *des*, selon le cas, à l'intérieur d'un texte suivi.

- *Les habitants des Méchins.*
- *Les 24 Heures du Mans.*

Lorsqu'un toponyme débute par *La* ou *L'*, on conserve l'article, mais on le fait précéder de *à* ou *de*, selon le cas, à l'intérieur d'un texte suivi.

- *Nous nous rendrons à La Tuque.*

Voir aussi *points cardinaux*.

top secret

Cette locution adjective d'origine américaine est invariable.

- *Des documents top secret.*

On peut lui substituer *ultra-secret*.

tour

Ce mot s'écrit avec une minuscule.

- *La tour du Stade olympique.*
- *La tour Eiffel.*
- *La tour des Arts.*

tourbe

Si vous faites poser de la *tourbe* autour de votre maison, achetez aussi de bonnes bottes, car la *tourbe* est une « matière spongieuse formée par la décomposition des végétaux dans les tourbières ». Ce n'est pas du *gazon*. L'emploi du mot *tourbe* en ce sens est un anglicisme. Le *gazon* peut être semé ou posé en plaques.

tournemain (en un)

Les locutions *en un tournemain* et *en un tour de main* sont synonymes. Elles signifient toutes deux *en un instant.*

- *Il a réparé la crevaison en un tournemain.*

tour du chapeau

On appelle familièrement *tour du chapeau*, et non *truc du chapeau*, l'« exploit de celui qui parvient à marquer trois buts dans un match de hockey ». En français soutenu, on parlera plutôt d'un *triplé.*

tout à fait

Pas de trait d'union.

tout au long

Les locutions *tout au long* et *tout le long* ne sont pas synonymes. La première signifie « complètement, en n'omettant aucun détail ». En ce sens, l'expression est synonyme de *en long et en large.*

- *Elle a raconté son voyage tout au long.*

La seconde veut dire « pendant toute la durée ».

- *Il a parlé tout le long du trajet.*

tout le long

Voir *tout au long.*

tout compte fait

Cette locution s'écrit au singulier.

Tout-le-Monde

L'orthographe de *monsieur* ou de *madame Tout-le-Monde* est parfois assez fantaisiste. Pour ma part, je préfère l'usage du Hachette, qui écrit ce composé avec des majuscules à *Tout* et à *Monde.*

- *Que pense monsieur Tout-le-Monde du dopage des athlètes ?*

Tout-Montréal

Dans cette expression calquée sur *Tout-Paris*, les deux éléments prennent une majuscule et sont réunis par un trait d'union.

- *Céline Dion a chanté devant le Tout-Montréal.*

Tout-Paris

Voir *Tout-Montréal.*

tout-petit

Au pluriel : *tout-petits.*

tout-puissant

L'adjectif s'écrit avec des minuscules, le substantif avec des majuscules.

- *Dieu tout-puissant.*
- *Le Tout-Puissant.*

tout-terrain

Les dictionnaires ne s'entendent ni sur l'orthographe ni sur l'accord de ce terme. L'usage du Multidictionnaire et du Petit Robert, qui utilisent le trait d'union et font de *tout* un élément invariable, paraît préférable. *Tout-terrain* peut être à la fois adjectif et substantif. Il qualifie tout « véhicule (auto, moto, vélo, etc.) conçu pour rouler sur toutes sortes de terrains ».

- *Des tout-terrains.*
- *Une moto tout-terrain.*
- *Des bicyclettes tout-terrains.*

towing

Voir *dépanneuse.*

traîner la patte

Au Québec, on dit souvent *traîner de la patte*, mais l'expression juste est *traîner la patte.*

- *Bogue de l'an 2000 : les entreprises traînent la patte.*

Les locutions *tirer la patte* ou *tirer la jambe* ont également le sens d'« être à la traîne ».

traîner (se – les pieds)

L'expression *se traîner les pieds* est un calque de *to drag one's feet.* On peut lui substituer *lambiner, traînasser* ou, dans certains contextes, *faire preuve de mauvaise volonté.*

training

Ce mot est un anglicisme au sens d'*entraînement* ou de *formation.*

- *L'entraînement des athlètes.*
- *La formation des adultes.*

train(-)train

On écrit indifféremment *train-train* ou *traintrain.*

traite

Ce mot est un anglicisme au sens de *régal* ou de *tournée.* On ne se paie pas une *traite* de chocolat, on s'en *régale.* On n'offre pas une *traite,* mais une *tournée.*

traité

Ce mot s'écrit avec une majuscule quand il est suivi d'un adjectif ou d'un nom commun.

- *Le Traité de libre-échange.*

Il prend une minuscule lorsqu'il est suivi d'un nom propre.

- *Le traité de Versailles.*

traitement (sous)

Un malade n'est pas *sous traitement (under treatment),* mais *en traitement.* Par contre, un malade peut être *sous médication (sous antibiotiques, sous tranquillisants,* etc.).

transfert

Ce mot est un anglicisme *(transfer)* au sens de *correspondance* ou de *billet de correspondance.*

- *Dépêchez-vous, sinon vous allez rater votre correspondance.*
- *Votre (billet de) correspondance est valide jusqu'à 16 h.*

Transfert est également un anglicisme au sens de *mutation* d'un employé (d'un service à un autre, d'un poste à un autre, d'une ville à une autre).

- *Elle a obtenu sa mutation.*

transiger

Transiger signifie « conclure un arrangement en faisant des concessions réciproques ». On l'emploie à mauvais escient dans deux contextes. Tout d'abord, il n'a pas le sens neutre de *négocier, échanger, traiter, faire des affaires.*

- *Le directeur général du Canadien refuse de négocier pour obtenir de nouveaux joueurs.*

On l'utilise également à tort au sens de *se négocier, se vendre, coter, être échangé* ou *négocié.*

- *Le volume de transactions était élevé aujourd'hui à la Bourse de Toronto, où trois millions d'actions ont été échangées.*
- *L'or se négocie actuellement à 350 $ l'once.*

Notons au passage que *transiger* n'a pas de forme pronominale. C'est pourquoi on emploie plutôt *se négocier* ou *se vendre*.

translucide

On confond parfois les adjectifs *translucide* et *transparent*. Le premier se dit « d'un objet qui laisse passer la lumière, mais sans permettre de distinguer nettement les objets ». Le second se dit « d'un objet qui laisse passer la lumière tout en laissant paraître les objets avec netteté ».

- *Naturellement transparente, l'eau devient translucide lorsqu'elle est brouillée.*

transparent

Voir *translucide*.

transporter

Voir *amener*.

Transports Canada

Deux majuscules, pas de trait d'union.

travail à contrat

Cette locution est un calque de *contract work*. En français, on dira plutôt *travail à forfait*.

traverse

Ce mot est un anglicisme au sens de *passage* à niveau, de *passage* d'écoliers, de *passage* de piétons.

Voir aussi *traversier*.

traversier

L'OLF définit ce québécisme comme un « navire spécialement conçu pour la traversée de passagers, de véhicules ou de wagons d'une rive à une autre ». Son emploi concurrence *ferry* ou *ferry-boat*, deux mots d'origine anglaise qui s'intègrent mal à notre langue, en particulier le second. Il y a d'ailleurs une recommandation officielle pour les remplacer par *transbordeur*. Il aurait mieux valu que les Français empruntent notre *traversier*.

Chez nous, on appelle *traverse* un « lieu où l'on exploite un service de traversier ».

- *La traverse de Matane.*

triage

Certains n'aiment pas beaucoup l'emploi du mot *triage* pour désigner le « classement des malades qu'on fait dans les urgences des hôpitaux ». Mais cet usage n'est pas incorrect.

Triage a d'abord fait son apparition dans le vocabulaire médical pour désigner le « classement des blessés au combat ». Aujourd'hui, il s'applique aussi au travail des infirmières chargées de déterminer le degré d'urgence des cas.

tribunal

Ce mot prend une majuscule lorsqu'il désigne une institution internationale ou nationale unique.

- *Le Tribunal du travail.*

Il s'écrit avec une minuscule quand il désigne une institution multiple.

- *Les tribunaux administratifs.*

tribune téléphonique

Voir *ligne ouverte*.

troquer

On *troque* une chose *contre* une autre, et non *pour* une autre.

trouble

Trouble est un anglicisme au sens de *panne, défectuosité.*

- *Une panne de moteur.*
- *La distributrice est en panne.*

Les expressions *être dans le trouble* ou *avoir du trouble* viennent de l'anglais. On les remplacera par *avoir des ennuis* ou *des difficultés, éprouver des problèmes.*

Faire du trouble est aussi un anglicisme. On peut le remplacer par *faire des ennuis.* L'équivalent vulgaire est *foutre la merde.*

Se donner du trouble est un anglicisme au sens de *se donner beaucoup de mal* ou *de peine.*

trouble-fête

Ce mot composé est invariable au pluriel.

- *Des trouble-fête.*

trouvé coupable

Un individu n'est pas *trouvé coupable,* mais *reconnu coupable. Trouvé* est ici une traduction littérale de *found.*

- *Il a été reconnu coupable d'agression sexuelle.*

Trouvé responsable est également un anglicisme *(found responsible).* Dans ce cas, on peut traduire par *tenu responsable.*

trouvé responsable

Voir *trouvé coupable.*

T-shirt

On écrit indifféremment ce mot d'origine américaine *T-shirt, t-shirt* ou *tee-shirt.* Au pluriel : *T-shirts, t-shirts* ou *tee-shirts.*

tuile

Sous l'influence du mot anglais *tile,* on donne à *tuile* le sens de « plaquette couvrant les sols ou les murs ». Le mot juste est *carreau.* L'ensemble des *carreaux* forme le *carrelage.* Quant au mot *tuile,* il est réservé aux « plaquettes de terre cuite recouvrant les toits ». C'est pour cette raison d'ailleurs qu'on dit *recevoir une tuile* pour décrire un « événement fâcheux qui nous tombe dessus sans crier gare ».

Enfin, les « matériaux dont on se sert pour insonoriser certains plafonds » sont des *carreaux d'insonorisation,* non des *tuiles acoustiques.*

tuner

Ce mot anglais désigne le « récepteur radio d'une chaîne haute-fidélité ». Le Comité des termes techniques recommande de le traduire par *synthoniseur.*

Turc (tête de)

Turc s'écrit avec une majuscule dans la locution *tête de Turc.*

- *Des têtes de Turc.*

type

Mis en apposition, *type* s'écrit sans trait d'union et prend la marque du pluriel le cas échéant.

- *Des situations types.*

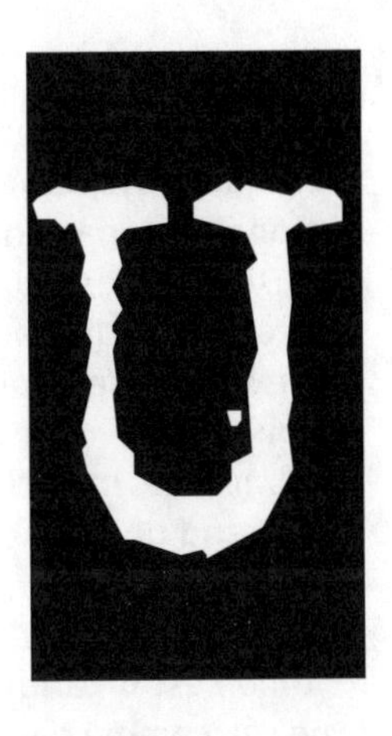

un

On ne fait pas l'élision devant *un* lorsque ce mot désigne un numéro.

- *Elle habite le un, rue Arago.*

Lorsque *un* est adjectif numéral, l'usage est assez flottant. Certains grammairiens recommandent de ne pas faire l'élision lorsque *un* n'est pas suivi de décimales.

- *Une clôture de un mètre de haut.*
- *Une clôture d'un mètre trente.*

Mais cette règle est loin d'être toujours suivie. D'une façon générale, il est préférable de ne pas faire l'élision lorsqu'on veut insister sur la notion de mesure ou de quantité.

- *Une carpette de un mètre sur deux.*
- *Une somme de un million de dollars.*
- *Une pièce de un dollar.*

L'élision est cependant de rigueur devant l'article indéfini *un*.

- *Elle marchait d'un pas léger.*

Par ailleurs, on rencontre de plus en plus souvent l'article indéfini *un* suivi d'un chiffre, comme dans l'exemple qui suit :

- *Le gouvernement ajoutera un cent millions à ce programme.*

Cette tournure est tout à fait anglaise. En français, il faut s'exprimer autrement. Dans l'exemple qui précède, on aurait pu éliminer le *un*, tout simplement. Ou encore parler d'*une somme de* cent millions.

une

La première page d'un journal n'est pas le *front-page*, mais la *une*. On voit souvent le mot entre guillemets, mais ces derniers sont tout à fait inutiles. On le rencontre aussi, parfois écrit avec une majuscule, voire avec trois majuscules, mais ces usages sont fautifs.

- *L'événement a fait la une.*

On peut aussi parler de la *page un* d'un journal. On aura noté que, dans ce cas, on emploie *un* et non pas *une*, *un* étant ici un nom de nombre.

union

Quand ce mot désigne un regroupement de pays, un organisme international ou national, il prend une majuscule s'il est suivi d'un nom commun ou d'un adjectif.

- *L'ex-Union des républiques socialistes soviétiques.*
- *L'Union des municipalités du Québec.*

Il prend une minuscule s'il est suivi d'un nom propre.

- *L'union de Birmanie.*

Union est un anglicisme au sens de *syndicat*, comme dans *Les unions, qu'osse ça donne ?* Cependant, le mot *union* désigne correctement certains regroupements de travailleurs.

- *L'Union des artistes.*
- *L'Union des chauffeurs de camions.*

unité

L'expression *unité de logement* est un anglicisme. On emploiera de préférence les mots *appartements*, *logements* ou *maisons*, selon le contexte.

- *Le promoteur prévoit construire 250 appartements en copropriété.*

Le mot *unité* est également un anglicisme au sens de *service* dans un hôpital.

- *Le directeur de l'hôpital a annoncé la fermeture de deux services pour l'été.*

Voir aussi *crédit*.

universitaire

Voir *étudiant*.

université

Selon l'OLF, il faut écrire les noms des universités avec une majuscule. Cet usage est entériné par le Multidictionnaire. Il s'agit d'une règle discutable sans doute, mais simple, qui a le mérite de mettre toutes les universités sur le même pied.

- *L'Université McGill.*
- *L'Université de Montréal.*

Université s'écrit également avec une majuscule quand il désigne l'« ensemble des membres du corps enseignant d'un établissement universitaire ».

urgences

Ailleurs dans la francophonie, on emploie ce mot au pluriel pour désigner les « cas médicaux urgents ».

- *Le service des urgences d'un hôpital.*
- *Un patient traité aux urgences.*

Chez nous, on emploie généralement le singulier. C'est une erreur, car ce québécisme cache un anglicisme, les anglophones employant le mot *emergency* au singulier dans ce contexte.

- *An emergency service.*

Urgences Santé

Deux majuscules, pas de trait d'union.

urgentologue

On ne trouve pas ce substantif dans les dictionnaires usuels, où c'est le mot *urgentiste* qui désigne un « spécialiste des interventions d'urgence ». Encore une fois donc, on a choisi chez nous un mot inconnu dans le reste de la francophonie. Ce choix est d'autant plus discutable qu'on ne peut même pas invoquer ici l'influence de la langue anglaise, où l'on emploie le substantif *urgentist*.

urgentiste

Voir *urgentologue*.

usagé

Cet adjectif est un anglicisme au sens *d'occasion.*

- *Elle a préféré acheter une voiture d'occasion.*

Certains usagers, soucieux d'éviter l'anglicisme, emploient l'expression *de seconde main.* Celle-ci est bien française, mais elle n'a pas le sens *d'occasion.* Elle signifie plutôt « appris par l'intermédiaire de ».

- *Ce reportage est fondé sur des renseignements de seconde main.*

usager, ère

Ce mot s'emploie correctement pour désigner la « personne qui utilise un service, en particulier un service public ».

- *Les usagers du métro.*

U turn

U turn est une expression anglaise. *Virage en U* est un calque. Le mot juste en français est *demi-tour.* Au pluriel : *demi-tours.*

- *Il a fait brusquement demi-tour.*

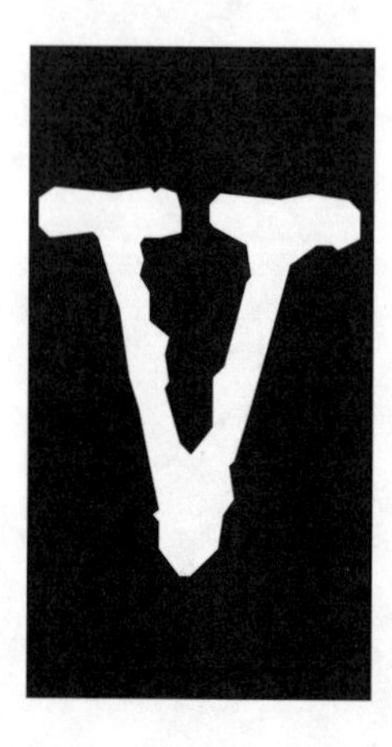

vacance(s)

Au singulier, *vacance* qualifie « ce qui est inoccupé (fonction, place, poste, etc.) ».

- *Sa démission crée une vacance au Conseil des ministres.*

Au pluriel, *vacances* désigne une « période de congé ».

- *Le ministre est en vacances.*

Au pluriel, *vacances* désigne également la « suspension annuelle des activités ».

- *Les vacances parlementaires.*

Une personne en *vacances* est un *vacancier* ou une *vacancière.*

vacant

Les adjectifs *vacant* et *vague* sont presque synonymes. On parle généralement d'un appartement *vacant* (qui n'est pas occupé) et d'un terrain *vague* (qui n'est pas construit).

vague

Voir *vacant.*

valeur aux livres

La locution *valeur aux livres* est impropre. On parlera plutôt de *valeur comptable.*

valide

Cet adjectif a le sens de *en bonne santé.* Il ne signifie pas *acceptable, admissible, fondé.* On ne dira pas, par exemple, qu'une offre d'achat est *valide* jusqu'au lendemain, mais *valable* jusqu'au lendemain.

valise

Ce mot est une impropriété au sens de *coffre* (d'auto).

vallée

Ce mot s'écrit avec une minuscule dans les toponymes naturels.

- *La vallée de la Matapédia.*

valoir

Une personne peut *valoir* son pesant d'or, mais elle ne *vaut* pas un million de dollars. Cette manière de s'exprimer est anglaise. On dira d'une personne qu'elle *possède* un million de dollars.

vécu

Ce mot du vocabulaire psychologique désigne l'« expérience vécue ».

- *Son vécu explique ses difficultés.*

On évitera toutefois d'en abuser. D'autres mots ou expressions peuvent être employés : *passé, milieu de vie, mode de vie, façon de vivre*, etc.

vedette

Mis en apposition, *vedette* s'écrit généralement sans trait d'union et prend, le cas échéant, la marque du pluriel.

- *Des joueurs vedettes.*

véhicule-moteur

Ce mot composé est un anglicisme au sens de *véhicule automobile*.

véhicule utilitaire (de) sport

Cette locution désigne un « type de véhicule conçu pour circuler à la fois sur route et hors route ». On l'abrège souvent en *utilitaire (de) sport*.

- *La montée du prix de l'essence va-t-elle freiner la popularité des utilitaires (de) sport ?*

La Commission française de terminologie et de néologie de l'automobile a proposé l'appellation *véhicule loisir travail*. Mais cette recommandation ne s'est pas imposée dans l'Europe francophone, sans doute parce que les usagers ne l'ont pas jugé utile. Il faut dire que la locution *véhicule utilitaire sport* s'ajoute naturellement à la grande catégorie des véhicules utilitaires, qui comprend déjà les *utilitaires légers* et les *utilitaires lourds*. Assez curieusement toutefois, *véhicule loisir travail* connaît une certain succès au Québec.

Cette commission a aussi proposé un sigle, *VLT*, parfois employé chez nous, mais resté inconnu en Europe, où ces trois lettres désignent déjà un type de télescope très puissant. Au Québec, on rencontre aussi parfois le sigle anglais *SUV*. Mais ce dernier est si peu explicite que les journalistes qui l'utilisent y accolent presque toujours la locution anglaise *sport utility vehicle* entre parenthèses, ce qui finit par être plus long que d'employer *utilitaire sport*. Le sigle *SUV* est donc à éviter.

Reste le sigle *VUS*, abréviation de *véhicule utilitaire (de) sport*. Il convient assez bien à ce type de véhicule un peu m'as-tu-vu (dans mon *VUS*). Nous verrons assez vite si son avenir est aussi prometteur que celui des véhicules qu'il désigne.

veillée

En français moderne, on emploie *soirée* à la place de *veillée* pour désigner la « période de temps entre le repas du soir et le coucher ».

Soirée a aussi supplanté *veillée* au sens de « *réunion* de gens après le repas du soir », sauf dans certains contextes particuliers. C'est ainsi qu'on parlera encore d'une *veillée d'armes*, d'une *veillée funèbre* ou de la *veillée* d'une personne auprès d'un malade.

vendeur

Ce mot est une impropriété au sens de *concessionnaire*. Un *concessionnaire* Ford, par exemple, emploie des *vendeurs*, mais il n'est pas pour autant un *vendeur* Ford.

Vendeur est un anglicisme quand il désigne la chose vendue plutôt que la personne qui vend. Dans un magasin de disques, par exemple, les *meilleurs vendeurs* sont les employés qui vendent le plus, pas les *disques les plus populaires* ou les *succès de l'heure*. Dans le domaine du livre, l'expression *meilleurs vendeurs* peut être remplacée par *best-sellers* ou *succès de librairie*. Dans le commerce en général, un *bon vendeur* est tout simplement un article *qui se vend bien*.

- *Cette petite voiture se vend bien en ce moment.*

Notons enfin qu'il est erroné de parler du *Félix du meilleur vendeur*, car on imagine mal ses lauréats aller eux-mêmes vendre leurs disques. Il faudrait plutôt désigner cette récompense comme le *Félix du disque le plus vendu* ou le *Félix du succès de l'année*.

vendre

Ce verbe est un anglicisme au sens de *convaincre de, faire accepter, gagner, persuader de*.

- *Je l'ai convaincu du bien-fondé de notre projet.*

Voir aussi *acheter*.

venir

Ce verbe est un anglicisme au sens de *se faire, être fabriqué, être livré, être équipé, être offert, exister*.

- *Cette écharpe est fabriquée en plusieurs couleurs.*
- *Cette voiture est équipée d'un moteur à six cylindres.*
- *Cette table est offerte en érable ou en chêne.*

venir (s'en)

S'en venir est une impropriété au sens de *devenir*.

- *Ce feuilleton devient de plus en plus intéressant.*

vente

Les marchandises d'un magasin sont toujours *en vente*, ce qui ne veut pas dire que les prix soient réduits. L'emploi de *vente* au sens de *soldes*, de *rabais*, de *vente à rabais* est un anglicisme.

On appelle *vente de liquidation* une *vente à rabais* par besoin de liquidités.

Vente de feu est un calque de l'anglais. On dira plutôt *soldes après incendie*.

Le mot *aubaine* n'est pas un parfait synonyme de *rabais*. Il signifie plutôt « avantage inespéré ».

- *Le prix de cette montre est réduit de 60 %. Quelle aubaine !*

L'OLF suggère d'appeler *vente-débarras* la « mise en vente, par un particulier, sur son terrain, d'objets dont il veut se défaire ». *Vente de garage* est un calque de *garage sale*. *Vente de trottoir* n'est pas plus juste.

On peut par contre parler de *bric-à-brac* ou de *braderie*.

- *J'ai trouvé cette commode dans un bric-à-brac.*

véranda

Voir *galerie*.

verglas

Voir *glace noire*.

vérificateur

Voir *auditeur.*

vérificateur général

Ce titre de fonction ne prend pas de majuscule.

verrière

Ce mot désigne avec justesse une « surface vitrée aménagée dans le toit ou le mur d'un bâtiment ».

- *Cet appartement comprend un salon avec verrière.*

versatile

Dire de quelqu'un qu'il est *versatile*, ce n'est pas lui faire un compliment. Car cet adjectif se dit en français d'une personne inconstante, changeante, lunatique. Il n'a pas, comme son équivalent anglais, le sens de personne *aux talents nombreux, polyvalente*, de *touche-à-tout.*

- *Cet artiste est un touche-à-tout de génie.*
- *Ce joueur est polyvalent : il peut frapper avec puissance et voler des buts tout en excellant en défensive.*
- *J'ai trouvé un homme à tout faire.*

Versatile ne se dit pas non plus des choses. Un objet qui a de nombreux usages est un objet *à tout faire, interchangeable, passe-partout, polyvalent, souple* ou *universel.*

- *Une pièce polyvalente.*
- *Un remède universel.*

versatilité

Une personne inconstante fait preuve de *versatilité*. Ce mot est un anglicisme au sens de *diversité, adaptabilité, flexibilité, multiplicité, polyvalence, souplesse, universalité.*

- *L'adaptabilité d'une scène.*
- *La multiplicité des talents.*
- *La polyvalence d'une secrétaire.*
- *L'universalité des connaissances.*

versus

Versus est un mot latin venu au français par l'intermédiaire de l'anglais. Il a dans notre langue le sens de *par opposition à, opposé à.*

- *Le court versus le long.*

Versus a rapidement gagné le vocabulaire juridique et sportif au sens de *contre*. Dans ce contexte, on le trouve souvent sous sa forme abrégée *vs.* Mais cet usage est critiqué. Aussi est-il préférable de s'en tenir à *contre* et à son abréviation *c.*

- *Germain contre Doré.*
- *Les Expos c. les Braves.*

veto

Ce mot latin s'écrit sans accent.

- *Le Québec réclame un droit de veto.*

Le mot est invariable.

- *Des veto.*

via

Cette préposition est souvent employée à mauvais escient. Elle signifie « en passant par, par la voie de ».

- *Je me rendrai de Montréal à Venise via Zurich.*

Tous les autres sens sont abusifs. On ne parlera pas, par exemple, d'une inf[illegible] mation diffusée *via* Internet, mai[illegible] Internet ; d'un colis expédié *via* [illegible] mais *par* autocar ; d'une émis[illegible] sée *via* satellite, mais *par* s[illegible] à un satellite ; etc.

victime

Voir *accusé*.

vidanges

Ce mot est une impropriété au sens de *déchets, ordures, rebuts*.

- *La collecte des ordures se fait le mercredi matin.*

vidéo

Comme adjectif, *vidéo* est invariable. On n'oubliera pas l'accent aigu sur le *e*.

- *Des jeux vidéo.*

Comme préfixe, *vidéo* se joint au mot qui suit sans trait d'union.

- *Vidéoscope, vidéoclip, vidéoclub, vidéocassette, vidéodisque, vidéopoker.*

Comme substantif, *vidéo* est féminin et variable.

- *Des vidéos intéressantes.*

vie étudiante

Voir *vie scolaire*.

vie scolaire

L'OLF recommande d'appeler *vie scolaire* l'« ensemble des activités des élèves à l'intérieur du cadre scolaire, à l'exclusion de l'enseignement proprement dit ». La *vie scolaire* comprend notamment la vie artistique, la vie religieuse, la vie sportive. Dans un contexte universitaire, la *vie scolaire* devient la *vie étudiante*.

Vieille Capitale

Ce surnom géographique de la ville de Québec s'écrit avec deux majuscules et sans trait d'union.

Vieux-Montréal

Deux majuscules et trait d'union.

Vieux-Port

Deux majuscules et trait d'union.

Vieux-Québec

Deux majuscules et trait d'union.

village

Ce mot désigne une « agglomération rurale ». Il s'écrit avec une minuscule, sauf lorsqu'il fait indiscutablement partie de la dénomination.

- *Le village de Batiscan.*
- *Le Village-des-Hurons.*

La locution *village global* est, quant à elle, un anglicisme au sens de *village planétaire*.

ville

Ce mot désigne une « agglomération d'une certaine importance ». Il s'écrit généralement avec une minuscule.

- *La ville de Montréal.*

Ville s'écrit cependant avec une majuscule lorsque ce mot désigne explicitement l'administration.

- *La Ville de Montréal a opté pour une baisse de l'impôt foncier.*

À l'exception de *Ville-Marie*, en Abitibi, le mot *ville* ne fait pas partie du nom des municipalités du Québec. On n'écrira donc pas, par exemple, *Ville-Saint-Laurent*, mais *Saint-Laurent* ou *l'arrondissement de Saint-Laurent*.

Les mots composés avec *ville* prennent un trait d'union.

- *Une ville-dortoir.*

Certaines villes ont un surnom géographique. C'est le cas notamment de Montréal *(la Ville aux cent clochers)*, de Paris *(la Ville lumière)*, de Québec *(la Vieille Capitale)*, de Rome *(la Ville éternelle)* ou de Toronto *(la Ville reine)*.

villes (genre des noms de)

Le genre des noms des villes est plutôt flottant. Voici cependant quelques règles.

- Les noms commençant par un article défini féminin, comme *La Tuque, La Prairie, La Rochelle*, sont toujours féminins.
- Ceux commençant par un article défini masculin, comme *Le Gardeur, Le Mans, Le Caire*, sont toujours masculins.
- Habituellement, les noms se terminant en *e*, comme *Rome*, sont féminins. Mais il ne manque pas d'exceptions. *Nice*, par exemple, est considéré comme masculin.
- Les noms se terminant par une consonne sont habituellement masculins. *Montréal, Québec, Paris, Berlin, Londres, New York*, pour ne citer que quelques exemples, sont généralement masculins.

Certains grammairiens estiment qu'en cas de doute, on peut faire l'accord avec le mot *ville* sous-entendu. Mais cette liberté ne devrait pas s'appliquer, du moins dans les titres, aux agglomérations dont le genre masculin est solidement établi. C'est le cas notamment de *Montréal*.

- *Le Vieux-Montréal, le Grand Montréal, le Tout-Montréal.*

Quand un nom de ville désigne un gouvernement ou un club sportif, on doit employer le masculin.

- *Ottawa choqué par la décision de l'Iran.*
- *Toronto battu par New York.*

vingt

Vingt ne s'écrit avec un *s* que s'il est multiplié par un nombre tout en terminant l'adjectif numéral.

- *Quatre-vingts.*
- *Quatre-vingt-deux.*

Petit piège : *million* et *milliard* ne sont pas des adjectifs numéraux, mais des substantifs.

- *Quatre-vingts milliards.*

Vingt reste au singulier lorsqu'il a valeur d'ordinal.

- *Les années quatre-vingt.*
- *La page quatre-vingt.*

Vingt reste invariable quand il est précédé de *mille* ou de *cent*.

violence routière

Voir *rage au volant*.

virer capot

Ce québécisme imagé signifie *changer de parti, faire défection*. On l'emploie parfois abusivement au sens de *faire volte-face*.

La personne qui *vire capot* est un *vire-capot*.

virgule

Les grammairiens prudents et avisés vous diront qu'en général les conjonctions de coordination, placées en tête de phrase, sont suivies d'une virgule, pour détacher et mettre en relief ce qui suit. Mais cette règle, rappelons-le, n'est pas absolue, de sorte que de nombreux auteurs, et des meilleurs, ne la suivent pas, ou du moins, pas toujours. C'est affaire de rythme, de contexte, voire de sensibilité. Ainsi, dans *Le Guide du rédacteur* (qui soit dit en passant est de bon conseil en matière de ponctuation), on suggère la virgule après *or*, si la phrase est longue, mais on la déconseille si la phrase est courte. Autre exemple tiré de la même source : le *mais* placé en début de phrase est suivi d'une virgule si l'on veut marquer une hésitation, mais on omet la virgule quand on considère que *mais* forme un tout avec les mots qui suivent.

Tout cela m'amène à conclure que grammairiens et professeurs ne devraient jamais présenter comme absolues des règles qui ne sont que relatives. Et j'ajoute que les correcteurs devraient laisser, à cet égard, une grande liberté aux auteurs qu'ils corrigent.

vis-à-vis

En français moderne, cette locution prépositive se construit avec la préposition *de*.

- *Elle est mal à l'aise vis-à-vis de moi.*

vitre

On appelle *glaces* les *vitres* d'une voiture.

VLT

Voir *véhicule utilitaire sport*.

voie de fait

Dans cette locution, *fait* reste invariable.

- *Il a été accusé de voies de fait.*

voilier

Voir *volée*.

voir à

Voir à est synonyme de *veiller à*.

voire

Voire ayant le sens de *et même*, l'expression *voire même* est considérée comme pléonastique.

voisiner

Ce verbe transitif indirect se construit avec la préposition *avec*.

- *Sur son bureau en désordre, les dictionnaires voisinent avec les vieux journaux.*

volée

Un « groupe d'oiseaux volant ensemble » est une *volée*.

- *Une volée d'oies est passée ce matin.*

Le mot *volier* est un québécisme. Quant au mot *voilier*, employé en ce sens, il constitue un barbarisme.

volier

Voir *volée*.

volontaire

Voir *bénévole*.

votant

Voir *voteur*.

votant, e

L'adjectif *votant* s'applique aux personnes, pas aux choses. Une *action*, par exemple, ne peut être *votante*, mais la personne qui la possède peut avoir un *droit de vote* (dans une société).

vote (prendre le)

Prendre le vote est un calque de *to take the vote*. On dira plutôt *procéder au scrutin*.

voter

Dans une assemblée, on ne *vote* pas une proposition, on l'*adopte* ou on la *repousse*.

- *La proposition est adoptée à l'unanimité.*

voteur

Ce mot est un néologisme inutile, car il fait double emploi avec les mots *électeur* et *votant*.

vouloir (se)

L'emploi du verbe *vouloir* à la forme pronominale est jugé acceptable quand le sujet est un nom de personne ou de chose personnifiée.

- *Une police qui se veut proche de la population.*

L'emploi de *se vouloir* est par contre à éviter quand le sujet est un nom de chose. On ne peut dire, par exemple, *une voiture qui se veut pratique*.

vous (de politesse)

Voir *nous*.

voûte

Voir *chambre forte*.

voyager

On ne *voyage* pas *sur*, mais *dans* ou *à bord* d'un avion. Dans certains pays, il arrive qu'on voyage *sur* les trains, c'est-à-dire *sur* le toit des wagons. Mais, comme on l'a déjà vu en Inde, ce mode de transport n'est pas très sûr. Mieux vaut voyager *en* train. On voyage *en* voiture, mais *à* pied et *par* mer.

voyage(s)

On écrit un *carnet*, un *compagnon*, un *sac*, des *vêtements de voyage*, mais un *agent*, une *agence de voyages*.

voyageur

Voir *passager*.

voyageur de commerce

Cette expression est un anglicisme au sens de *commis voyageur*.

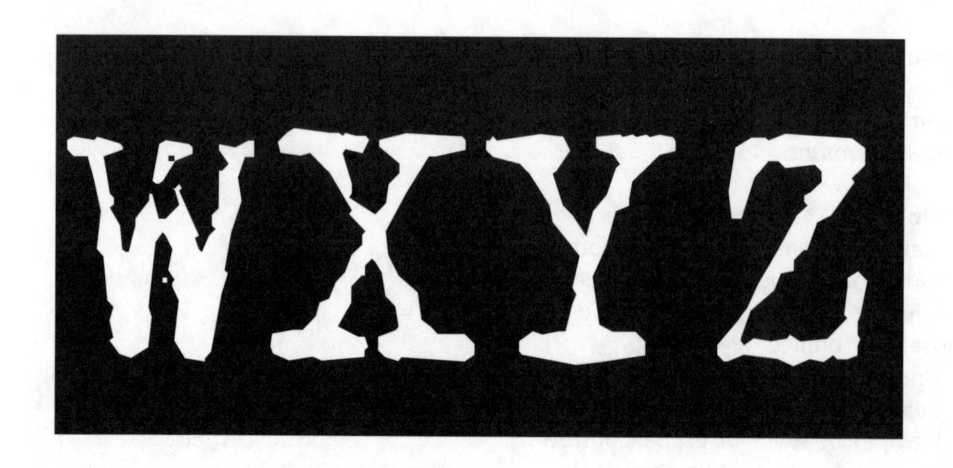

wagon

Les mots composés avec *wagon* s'écrivent avec un trait d'union et les deux éléments prennent la marque du pluriel, le cas échéant.

- *Des wagons-citernes, des wagons-lits.* On peut dire aussi une *voiture-lit*.

walkie-talkie

Ce mot anglais se traduit par *émetteur-récepteur portatif*.

walkman

Ce mot anglais qui désigne un « poste radiocassette portatif » se traduit par *baladeur*.

wattheure

Cette unité de mesure s'écrit en un seul mot. Son pluriel est *wattheures* et son symbole *Wh*.

W.-C.

Certaines gens s'indignent de l'emploi de *W.-C.* pour désigner ce qu'ils appellent la *toilette*. On peut ne pas aimer le mot *W.-C.*, j'en conviens volontiers, mais on ne peut lui substituer *toilette* au singulier. C'est le substantif *toilettes* qui désigne aujourd'hui ce qu'on appelait jadis les *lieux d'aisances* et qu'on nomme familièrement le *petit coin*. On peut donc parler des *toilettes* d'un appartement, d'une maison, d'un train, d'un avion, etc.

week-end

Beaucoup de Québécois se refusent à employer ce mot, pourtant accepté en français depuis 1906. Mais bien entendu, on peut dire aussi *fin de semaine*.

- *L'hiver, elle fait du ski tous les week-ends.*

West Island

La partie ouest de l'île de Montréal étant principalement habitée par des anglophones, on l'a baptisée le *West Island*. L'appellation est imagée et rien n'interdit de l'employer, du moins dans certains contextes.

- *La partition divise le West Island.*

Dans la majorité des cas toutefois, la dénomination française est plus appropriée.

- *Urgences Santé a réduit ses délais d'intervention dans l'Ouest-de-l'Île.*

whisky

Le pluriel de *whisky* est *whiskys* ou *whiskies*.

X (rayons)

X s'écrit avec une majuscule dans *rayons X*.

xénogreffe

Quel terme faut-il employer pour désigner ce « type de greffe où le donneur est animal et le receveur humain » ? Lorsque l'Association canadienne pour la santé publique a présenté son rapport sur le sujet, elle a employé *xénotransplantation*, terme que les médias ont aussitôt repris. Mais ce mot est inexistant dans le reste de la francophonie, où l'on parle plutôt de *xénogreffe*. En fait, *xénotransplantation* est un calque de l'anglais, au demeurant aussi long qu'inutile.

- *Les Canadiens craignent la xénogreffe.*

xénotransplantation

Voir *xénogreffe*.

yaourt, yogourt

Les deux graphies sont acceptées.

yuppie

Ce mot est l'acronyme de *young urban professional*. Son pluriel est *yuppies*.

- *De nombreux yuppies vivent maintenant dans le Vieux-Port.*

y voir là

Dans la locution *y voir là*, les prépositions *y* et *là* ont le même sens, ce qui crée un pléonasme maladroit. On emploiera donc l'une ou l'autre, mais jamais les deux.

- *Je n'y vois rien de mal.*
- *Je ne vois là rien de mal.*

zapping

L'OLF avait d'abord proposé *saut de chaîne* à la place de *zapping* pour désigner la « pratique consistant à changer de poste de télé à l'aide de la télécommande ». Mais cet avis est resté lettre morte. L'organisme est donc revenu à la charge avec *zappage*. Il existe aussi un québécisme courant, *pitonnage*, mais son emploi est familier. Il en va de même pour *pitonner* au sens de *zapper*. Les dictionnaires français, pour leur part, ont entériné *zapping* et *zapper*. Le Hachette mentionne même le néologisme *zappeur, euse*.

zéro (sous)

La température n'est pas *sous zéro (under zero)* ou *en bas de zéro*, mais *au-dessous de zéro*.

ZLEA

Le sigle de la Zone de libre-échange des Amériques est ZLEA. Il faut l'écrire en majuscules, sans point et sans accent.

zone euro

Voir *Euroland*.

Bibliographie

DICTIONNAIRE DE LA COMPTABILITÉ, Louis Ménard, Institut canadien des comptables agréés, 1994.

DICTIONNAIRE DES ANGLICISMES, Josette Rey-Debove et Gilberte Gagnon, Dictionnaires Le Robert, 1990.

DICTIONNAIRE DES CANADIANISMES, Gaston Dulong, Larousse, 1989.

DICTIONNAIRE DES DIFFICULTÉS DE LA LANGUE FRANÇAISE, Adolphe V. Thomas, Larousse, 1956.

DICTIONNAIRE DES DIFFICULTÉS DE LA LANGUE FRANÇAISE AU CANADA, Gérard Dagenais, Éditions françaises, 1984.

DICTIONNAIRE DES DIFFICULTÉS DU FRANÇAIS, Jean-Paul Colin, Dictionnaires Le Robert, 1993.

DICTIONNAIRE DES FAUX AMIS FRANÇAIS-ANGLAIS, Jacques Van Roey, Sylviane Granger et Helen Swallow, Duculot, 1995.

DICTIONNAIRE DES MOTS CONTEMPORAINS, Pierre Gilbert, Dictionnaires Le Robert, 1991.

DICTIONNAIRE DES PARTICULARITÉS DE L'USAGE, Jean Darbelnet, Presses de l'Université du Québec, 1986.

DICTIONNAIRE HACHETTE ILLUSTRÉ, Hachette livre, 2004.

DICTIONNAIRE HISTORIQUE DU FRANÇAIS QUÉBÉCOIS, Claude Poirier, Presses de l'Université Laval, 1998.

DICTIONNAIRE QUÉBÉCOIS D'AUJOURD'HUI, Jean-Claude Boulanger, Dictionnaires Le Robert, 1993.

ÉCRIRE SON FRANÇAIS, ouvrage collectif publié par l'Université Laval, 1988.

ENCYCLOPÉDIE DU BON FRANÇAIS, Paul Dupré, Éditions de Trévise, 1972.

GRAMMAIRE PRATIQUE, Albert Hamon, Hachette, 1983.

LE COLPRON, Gilles Colpron, Beauchemin, 1999.

LE FRANÇAIS AU BUREAU, Noëlle Guilloton et Hélène Cajolet-Laganière, Office de la langue française, Publications du Québec, 1996.

LE GRAND DICTIONNAIRE TERMINOLOGIQUE, Office de la langue française.

LE LEXIQUE DES RÈGLES TYPOGRAHIQUES en usage à l'Imprimerie nationale, Imprimerie nationale, 2002.

LE PETIT LAROUSSE ILLUSTRÉ, Larousse, 2004.

LE RAMAT DE LA TYPOGRAPHIE, Aurel Ramat, A. Ramat, 1999.

LE ROBERT & COLLINS SENIOR, HarperCollins et Dictionnaires Le Robert, 2003.

MULTIDICTIONNAIRE DES DIFFICULTÉS DE LA LANGUE FRANÇAISE, Marie-Éva de Villers, Québec Amérique, 2003.

NOUVEAU DICTIONNAIRE DES DIFFICULTÉS DU FRANÇAIS MODERNE, Joseph Hanse, Duculot, 2002.

LE PETIT ROBERT, Dicorobert, 2003.